Souveränität in der Insolvenz

AF828348

Europäische Hochschulschriften Recht

European University Studies in Law

Publications Universitaires Européennes de Droit

Band/Volume **6072**

Stephanie Dausinger

Souveränität in der Insolvenz

PETER LANG

Bibliografische Information der Deutschen Nationalbibliothek
Die Deutsche Nationalbibliothek verzeichnet diese Publikation in der Deutschen Nationalbibliografie; detaillierte bibliografische Daten sind im Internet über http://dnb.d-nb.de abrufbar.

Zugl.: Passau, Univ., Diss., 2017

D 739
ISSN 0531-7312
ISBN 978-3-631-77338-3 (Print)
E-ISBN 978-3-631-77417-5 (E-PDF)
E-ISBN 978-3-631-77418-2 (EPUB)
E-ISBN 978-3-631-77419-9 (MOBI)
DOI 10.3726/b15467

© Peter Lang GmbH
Internationaler Verlag der Wissenschaften
Berlin 2019
Alle Rechte vorbehalten.
Peter Lang – Berlin · Bern · Bruxelles · New York · Oxford · Warszawa · Wien

Das Werk einschließlich aller seiner Teile ist urheberrechtlich geschützt.
Jede Verwertung außerhalb der engen Grenzen des Urheberrechtsgesetzes ist ohne Zustimmung des Verlages unzulässig und strafbar.
Das gilt insbesondere für Vervielfältigungen, Übersetzungen, Mikroverfilmungen und die Einspeicherung und Verarbeitung in elektronischen Systemen.

Diese Publikation wurde begutachtet.

www.peterlang.com

Meinen Eltern

Vorwort

Die vorliegende Arbeit wurde im Sommersemester 2017 als Dissertation an der Rechtswissenschaftlichen Fakultät der Universität Passau angenommen. Die Disputation fand am 21. Dezember 2017 in Passau statt.

Ein Vorwort bietet seit jeher Gelegenheit zum Dank. Mein besonderer Dank gilt meinem Doktorvater Herrn Professor Dr. Christoph Herrmann, LL.M., für die Betreuung dieser Arbeit, die immer hilfreichen Anmerkungen und den problemlosen Ablauf des Promotionsverfahrens.

Für die zügige Erstellung des Zweitgutachtens danke ich Herrn Professor Dr. Kai von Lewinski.

Die Anfertigung dieser Arbeit wurde durch ein Promotionsstipendium der Studienstiftung des deutschen Volkes gefördert. Dankbar bin ich nicht nur für die finanzielle sondern insbesondere auch für die ideelle Förderung, durch die mir insbesondere eine Exkursion in die griechische Hauptstadt Athen ermöglicht wurde, wo aus dem Diskurs mit verschiedenen gesellschaftlichen Instanzen wichtige Einsichten auch für diese Arbeit entstanden.

Mein ganz besonderer Dank gilt jedoch meinen Eltern, die mich während meiner gesamten Ausbildung und insbesondere während der Promotionsphase in jeder erdenklichen Weise unterstützten. Ihnen ist diese Arbeit gewidmet.

München im August 2018
Stephanie Dausinger

Inhaltsverzeichnis

Einleitung

> „Beklagte man ehemals die Schuld der Welt, so sieht man jetzt mit Grausen auf die Schulden der Welt und, wie ehemals den jüngsten Tag, so prophezeit man jetzt die der einstige große σεισαχθεια, den universellen Staatsbankrott, jedoch ebenfalls mit der zuversichtlichen Hoffnung, ihn nicht selbst zu erleben.“[1]

Schopenhauer stellte bereits Mitte des 19. Jahrhunderts eine kollektive Furcht vor Staatsbankrotten, hervorgerufen durch übermäßige Verschuldung, fest und attestierte ihr religiöse Ausmaße. Obwohl Staaten im Laufe der Geschichte in regelmäßigen Abständen insolvent wurden, war die Bevölkerung in den westlichen Industriestaaten seit Mitte des 20. Jahrhunderts lange Zeit von der *„zuversichtlichen Hoffnung“* beseelt, dass sie in ihrem Staat einen Staatsbankrott nie erleben würde. In der kollektiven Erinnerung waren nur Entwicklungsländer und vor allem die Staaten Lateinamerikas von Insolvenzen betroffen. Getreu dem Motto des *„Dieses Mal ist alles anders“*-Syndroms ging man davon aus, *„dass Finanzkrisen nur anderen Menschen in anderen Ländern und zu anderen Zeiten passieren; jetzt, hier und bei uns kann es keine Krise geben.“*[2] Entsprechend gewaltig war die Zäsur, als die Staatsschuldenkrise 2010 über Europa hereinbrach und plötzlich Zahlungsausfälle durch Mitgliedstaaten der Europäischen Union drohten. Insbesondere Griechenland war in einem Maße verschuldet, dass es außerstande war ohne fremde Hilfe seine Schulden in voller Höhe zu bedienen. Die Möglichkeit einer Staatsinsolvenz war mitten in Europa angekommen und damit das Dogma der Insolvenzunfähigkeit, das zumindest für westliche Industriestaaten angenommen wurde, gebrochen. Die Staatsinsolvenz als das „Armageddon“ der Moderne war wieder auferstanden.

Der Unterschied von Staatsinsolvenzen zu den alltäglich abgewickelten Unternehmensinsolvenzen, welchen in den allermeisten Fällen nur sehr wenig

---

1 *Schopenhauer*, Parerga und Paralipomena, Band II, 2. Aufl. 1862, S. 276. Unter Seisáchtheia versteht man den durch Solon durchgeführten allgemeinen Schuldenerlass 594/593 v. Chr., durch den die Schuldknechtschaft im antiken Athen abgeschafft wurde, vgl. *Bajohr*, Kleine Weltgeschichte des demokratischen Zeitalters, 2014, S. 19.

2 Syndrom behandelt durch *Reinhart* und *Rogoff* in ihrer gleichnamigen Monographie: *Reinhart/Rogoff*, Dieses Mal ist alles anders, 6. Aufl. 2013, S. 63.

Aufmerksamkeit zuteil wird,[3] ist die Staatlichkeit und damit der besondere Status des Schuldners. Herausstechendes Merkmal staatlicher Schuldner gegenüber privaten Schuldnern ist ihre Souveränität. Nicht umsonst werden Staatsschulden im Englischen als „sovereign debt“ und Staatsinsolvenzen als „sovereign default“ bezeichnet. Ihre Souveränität macht Staaten zu besonderen Schuldnern.

Allerdings wurde insbesondere im Zusammenhang mit dem Vorgehen gegenüber dem Schuldnerstaat Griechenland immer wieder der Vorwurf erhoben, dass in der Insolvenz eines Staates dessen Souveränität verletzt werde. Insbesondere die Vorgabe massiver wirtschaftspolitischer Anpassungsmaßnahmen und konkreter empfindlicher Sparziele durch die sog. Troika aus IWF, Europäischer Zentralbank und Europäischer Union im Gegenzug für finanzielle Unterstützung durch den IWF und die Europäische Union, erweckten in der Öffentlichkeit den Eindruck, dass Griechenland nicht mehr in der Lage war, eigenständig über seine eigenen Angelegenheiten zu entscheiden und unter dem maßgeblichen Einfluss seiner Geldgeber stand. So betonte der griechische Ministerpräsident *Tsipras* im Umfeld des griechischen Referendums immer wieder die griechische Souveränität:

> *„Wenn Europa die Spaltung will und die weitere Unterwerfung, werden wir uns für ein "Nein" entscheiden und den Kampf für die Würde des Volkes und unsere nationale Souveränität führen“.*[4]

Auch der ehemalige griechische Finanzminister *Varoufakis* stellte in einem persönlichen Gespräch klar:

> *„[Greece is] no sovereign country anymore. Greece declined its sovereignty.“*[5]

Als es um die Aushandlung eines erneuten Griechenland-Rettungspakets mit den internationalen Geldgebern ging, stiegen in diese Bewertung öffentlichwirksam auch der Wirtschaftsnobelpreisträger *Krugmann* ein:

---

3 In Deutschland alleine wurden für 2015 127.683 Insolvenzfälle gezählt, vgl. Statistisches Bundesamt, Pressemitteilung Nr. 93 vom 11.3.2016, abrufbar unter https://www.destatis.de/DE/PresseService/Presse/Pressemitteilungen/2016/03/PD16_093_52411.html;jsessionid=E4DEEFFECB170664710C4757BF0CA48B.cae2, zuletzt aufgerufen am 20.3.2017.

4 *Alexis Tsipras*, http://de.reuters.com/article/topNews/idDEKBN0OT0MZ20150613, zuletzt aufgerufen am 20.3.2017.

5 Informelles Gespräch mit dem ehemaligen griechischen Finanzminister *Yanis Varoufakis* am 29.5.2015 in Athen.

„This [der Rettungspakt] goes beyond harsh into pure vindictiveness, complete destruction of national sovereignty, and no hope of relief.“[6]

Auch in den sozialen Netzwerken wurde unter #Thisisacoup die Bewertung geteilt, dass es sich bei der erneuten Einigung um einen Staatsstreich handele. Die Frage nach dem Umgang mit den Schulden wurde somit immer mehr zu einer Frage nach der Behauptung nationaler Souveränität.

Doch der Vorwurf der Souveränitätsverletzung im Zusammenhang mit staatlichen Insolvenzen beschränkte sich bei Weitem nicht auf Griechenland. Erst 2014 reichte Argentinien wegen der Verletzung seiner Souveränität im Zusammenhang mit der Restrukturierung seiner Staatsschulden eine Klage vor dem IGH gegen die USA ein.[7] Hold-out-Gläubiger, unterstützt durch Entscheidungen der US-amerikanischen Justiz, verhinderten damals die erfolgreiche Restrukturierung argentinischer Staatsschulden, obwohl Argentinien sich mit der überwiegenden Mehrheit der Gläubiger einig war. Aufgrund der fehlenden Zustimmung der USA kam es jedoch dann zu keiner Verhandlung.

Trotz der vermehrten Vorwürfe aus politischen sowie ökonomischen Kreisen, blieb eine Diskussion der Situation insolventer Staaten und deren Souveränität auf juristischer Ebene bisher aus. Diese Lücke versucht die vorliegende Arbeit schließen. Das Phänomen der Staatsinsolvenz und dessen Umfeld wird aus dem bisher vernachlässigten Blickwinkel des betroffenen Schuldnerstaates beleuchtet, um dadurch die Auswirkungen auf die staatliche Souveränität in der Phase der Insolvenz zu identifizieren und einzuordnen.

Den Ausgangspunkt bildet eine Auseinandersetzung mit den für die Beantwortung der Fragestellung erforderlichen Grundlagen. In Kapitel 1 werden daher zunächst die Historie staatlicher Insolvenzen beleuchtet und die zentralen Begriffe der Staatsverschuldung und Staatsinsolvenz geklärt. In Kapitel 2 wird dann unter Berücksichtigung der historischen Bedingtheit des Souveränitätsverständnisses die aktuelle Souveränitätskonzeption mitsamt ihren Grenzen herausgearbeitet. Anschließend steht die komplexe Situation des Schuldnerstaats im Umfeld seiner Insolvenz aus dem Blickwinkel eines insolventen Staates im

---

6 *Paul Krugman* in seinem Blog in der New York Times, abrufbar unter http://krugman.blogs.nytimes.com/2015/07/12/killing-the-european-project/?_r=1.

7 “In brief, the decisions of the US Judiciary are abusive, arbitrary, beyond its jurisdiction, ignore the sovereign immunities of Argentina, frustrate the sovereign restructuring of Argentina’s external debt and are thus measures seeking to force its sovereign will.”, ICJ, Application instituting proceedings, Argentina v. United States, S. 28, liegt der Verfasserin vor.

Mittelpunkt der Betrachtungen, dabei wird in chronologischer Abfolge zwischen den einzelnen Phasen der präventiven Instrumente (Kapitel 3.A.), der Krisenhilfe (B.) und den grundsätzlichen Optionen der Nichtbedienung (C.I.) und der Restrukturierung der Schulden unterschieden (C.II.). Die gewonnenen Ergebnisse sollen abschließend aus dem Blickwinkel der Souveränität bewertet und insbesondere rechtspolitische Möglichkeiten zu Verbesserung der Situation der Schuldnerstaaten aufgezeigt werden (Kapitel 4).

1 Von der Staatsverschuldung zur Staatsinsolvenz

A. Historie

Entsprechend dem bereits zitierten und viel diskutierten „*Dieses Mal ist alles anders*"-Syndrom[8] existiert die Überzeugung, dass Finanzkrisen immer wo anders und jemand anderem passieren. Diese Grundannahme erweist sich jedoch schon mit einem kurzen Blick auf die Geschichte als kurzsichtig und falsch. Staatliche Zahlungsausfälle sind beileibe – auch in Europa – kein neuartiges Phänomen, sondern ziehen sich wie ein roter Faden durch die Geschichte der Staaten.[9] Dabei ist die staatliche Schuldenaufnahme, so wie wir sie heute kennen, eng mit der Entstehung der Staatlichkeit als einem modernen gesellschaftlichen Konstrukt verbunden.[10]

Noch im 18. Jahrhundert erfolgte die Schuldenaufnahme vorwiegend persönlich durch die regierenden Herrscher. Die Verbindlichkeit dieser Schulden hing von der Lebenserwartung des Regenten, aber auch von dessen Macht ab.[11] Die Fugger mussten dies 1557 leidlich erfahren, als der hochverschuldete Phillipp II. ihre Forderungen einseitig per Dekret in sehr niedrig verzinste königliche Rentenbriefe umwandelte, später die Zahlung gänzlich einstellte und sogar die Einräumung neuer Kredite verlangte.[12] Erst im Laufe des 18. Jahrhunderts wurde der Staat an sich zur Rechtsperson und damit selbst zum Schuldner. Als solcher haftete insbesondere mit seinen zukünftigen Steuereinnahmen.[13] Doch es sollte noch bis zur Mitte des 19. Jahrhunderts dauern, bis sich schließlich das Dogma

---

8 *Reinhart/Rogoff*, Dieses Mal ist alles anders. Acht Jahrhunderte Finanzkrisen, 6. Aufl. 2013, S. 63.

9 Vgl. *Ohler*, Der Staatsbankrott, JZ 2005, 590.

10 *Beigel/Eckert*, Zum Wandel der Staatsverschuldung, in: Beigel/Eckert, Vom Wohl und Wehe der Staatsverschuldung, 2013, S. 6 ff., die anmerken, dass die Staatsverschuldung wohl so alt wie unsere Zivilisation ist.

11 *Beigel/Eckert*, Zum Wandel der Staatsverschuldung, in: Beigel/Eckert, Vom Wohl und Wehe der Staatsverschuldung, 2013, S. 9 f.; *Waibel*, Staateninsolvenzen aus historischer Sicht, in: Kodek/Reinisch, Staateninsolvenz, 2011, S. 58 f.

12 *Häberlein*, Die Fugger. Geschichte einer Augsburger Familie (1367–1650), S. 91 f.

13 *Beigel/Eckert*, Zum Wandel der Staatsverschuldung: Eine Einführung, in: Beigel/Eckert, Vom Wohl und Wehe der Staatsverschuldung, S. 9 f.; *Waibel*, Staateninsolvenzen aus historischer Sicht, in: Kodek/Reinisch, Staateninsolvenz, 2011, S. 58 f.

der rechtlichen Verbindlichkeit von Staatsschulden durchsetzte. Zuvor stufte man Staatsschulden, vor allem wegen ihrer mangelnden rechtlichen Einklagbarkeit, als Ehrenschulden ein.[14] Hinter dieser als Drago-Doktrin[15] bekannten Ansicht stand die Überlegung, dass die Begebung der Anleihen Akte souveräner Staaten seien, die als solche nicht Adressaten rechtlicher Verpflichtungen sein könnten.[16] Gewiss spiegelt dieser Ansatz ein sehr weites Verständnis der staatlichen Souveränität wider, welches heute nicht mehr tragbar ist,[17] aber auch damals schon rege kritisiert wurde.[18]

Dass staatliche Zahlungsausfälle beileibe kein neues Phänomen sind zeigt, wie bereits erwähnt, ihre absolute Häufigkeit. Dabei beschreibt die absolute Häufigkeit staatlicher Zahlungsausfälle meist eine wellenförmige Kurve. Die größte Welle folgte nach dem Ersten Weltkrieg in der Großen Depression in den 30er Jahren des 20. Jahrhundert0. Jahrhunderts. Den Anfang machte 1931 Bolivien, bis Ende 1933 beinahe alle Staaten Zentral- und Südamerikas zahlungsunfähig waren.[19] Diese gigantische Welle machte auch vor den europäischen Toren nicht halt und so stellte beispielsweise auch Deutschland 1933 die Zahlung auf seine Schulden ein.[20] Die nächsten größeren Wellen folgten in den 1980er (Lateinamerika und Afrika) und den 1990er Jahren (Asien). Den ersten Aufsehen erregenden Fall eines staatlichen Zahlungsausfalls im 21. Jahrhundert stellte 2002 die Ankündigung Argentiniens dar, keine Zahlungen mehr auf seine

14 *Twycross v. Dreyfus*, (1874–1880) All E.R. Rep. 133: "[…] The result, therefore, is that these so-called bonds amount to nothing more than engagements of honour, binding so far as engagements of honour can bind, the government that issued them, but are not contracts […]"; *Borchard*, State insolvency and foreign bondholders, Vol. I, General Principles, 1951, S. 4 ff. m.w.N.

15 Erstmals verfasst wurde dieser Ansatz vom argentinischen Außenminister Drago in einer Note an den Gesandten in Washington wegen der Blockade Venezuelas durch Deutschland, Italien und Großbritannien. Umstritten scheint allerdings zu sein, ob die Note die Unverbindlichkeit staatlicher Schuldaufnahme oder lediglich die Unzulässigkeit ihrer gewaltsamen Eintreibung zum Inhalt hatte. Für erstere Sicht wohl *Borchard*, State insolvency and foreign bondholders, Vol. I, General Principles, 1951, S. 4. Für Letztere wohl *Szodruch*, Staateninsolvenz und private Gläubiger, 2008, S. 81, Fn. 291.

16 *Borchard*, State insolvency and foreign bondholders, Vol. I, General Principles, 1951, S. 4.

17 Dazu unten S. 42 ff.

18 Dazu vergleiche *Borchard*, State insolvency and foreign bondholders, Vol. I, General Principles, 1951, S. 7 ff.

19 *Madden/Nadler/Sullivan*, America's Experience as a creditor nation, 1937, S. 111 ff.

20 *Madden/Nadler/Sullivan*, America's Experience as a creditor nation, 1937, S. 115 ff.

internationalen Anleihen zu leisten.[21] Aufgrund seiner Komplexität ist der Fall Argentiniens bis heute noch nicht endgültig aufgearbeitet. So sind immer noch diesbezügliche Klagen von Gläubigern vor staatlichen Gerichten und internationalen Schiedsgerichten anhängig.[22]

Aus dem vorangegangenen kurzen historischen Abriss kann bei aller Einzigartigkeit jedes einzelnen Zahlungsausfalls gefolgert werden, dass sich souveräne Schuldner auch in Zukunft in prekären, finanziellen Lagen wiederfinden werden. Auch wenn ihre Position sicherlich nicht mit der früherer, absolutistischer Herrscher zu vergleichen ist, soll im Rahmen dieser Arbeit beleuchtet werden, wie souverän die souveränen Schuldner heute überhaupt noch sind. In jüngster Zeit standen mit der drohenden Staatsinsolvenz Griechenlands und der erneuten Insolvenz Argentiniens insbesondere zwei Fälle (drohender) staatlicher Zahlungsausfälle im Fokus des Interesses der gesamten Weltöffentlichkeit. Auch wenn diese Arbeit sich nicht mit der Aufarbeitung dieser speziellen Fälle beschäftigt, sondern vielmehr allgemeingültige Überlegungen anstellt, ist deren Kenntnis dennoch wichtige Voraussetzung für das Verständnis der aktuellen Debatte.

B. Die zentralen Begriffe: Staatsverschuldung und -insolvenz

Die Auseinandersetzung mit dem Problem der Staatsinsolvenz verlangt anfangs eine Auseinandersetzung mit dem Begriff der Staatsinsolvenz an sich. Begriffsnotwendig geht der Staatsinsolvenz jedoch eine Verschuldung des Staates voraus; deshalb soll das Phänomen der Staatsverschuldung zunächst in seinen ökonomischen Grundlagen sowie der heute vorherrschenden Formen umfasst werden.

I. Staatsverschuldung

Als Staatsschulden werden im weiteren Sinne alle Rechtsverhältnisse verstanden, in welchen der Staat Schuldner ist.[23] Dies bedeutet, dass eine Staatsschuld

---

21 Dazu ausführlich *Szodruch*, Staateninsolvenz und private Gläubiger, 2008, S. 116 ff., allerdings geht dieser noch davon aus, dass der Fall Argentiniens aufgrund des Volumens der betroffenen Anleihen i.H.v. 81 Mrd. US $ die „größte und komplexeste Staateninsolvenz der Geschichte“ sei. Diese Einschätzung entspricht heute schon nicht mehr dem aktuellen Stand. So haben allein die dem griechische Recht unterworfenen und von der Umschuldung umfassten Anleihen ein Volumen von 177 Mrd. €, vgl. *FAZ* vom 10.3.2012, S. 12.

22 Vgl. nur ICSID Case No. ARB/07/5, *Abaclat and Others v. Argentine Republic*.

23 *Coing*, Staatsschulden, in: Schlochauer, Wörterbuch des Völkerrechts, Bd. 3, 2. Aufl. 1962, S. 337.

beispielsweise auch aus einem völkerrechtlichen Delikt erwachsen kann. Für die folgende Untersuchung erscheint es wegen der wirtschaftlichen Relevanz jedoch sinnvoll, den engeren Begriff der Staatsschuld zu wählen, der nur die aus einer Kreditaufnahme resultierenden Staatsschulden umfasst.[24] Kein Unterschied soll jedoch zwischen der Kreditaufnahme bei öffentlichen und privaten Schuldnern gemacht werden, da sich hier zwar Unterschiede ergeben können, doch beide Arten der Kreditaufnahme für den in der Krise befindlichen Staat von großer Relevanz sind und deshalb Grundlage dieser Arbeit bilden sollen.[25]

Da es für das Verständnis der noch zu behandelnden Regime, die im Umfeld einer Staatsinsolvenz greifen, unerlässlich ist einen groben Überblick über die ökonomische Zusammenhänge zu vermitteln, sollen kurz die ökonomischen Ansätze zur Staatsverschuldung dargestellt werden. Anschließend werden die Arten der Staatsverschuldung beschrieben und insbesondere untersucht, inwiefern eine Unterteilung in Inlands- und Auslandsschulden sinnvoll ist.

1. Ökonomische Ansätze

Der Ökonom *David Ricardo* bezeichnete die Staatsverschuldung einst als *„eine der schrecklichsten Geißeln, die je zur Plage der Nation erfunden wurde“*[26] und *David Hume prophezeite sogar „either the nation must destroy public credit, or public credit will destroy the nation“*[27]. Verfolgt man die öffentliche Diskussion, die seit der Entstehung der europäischen Staatsschuldenkrise geführt wurde, so ist man geneigt diesem vernichtenden Urteil über die Staatsverschuldung zuzustimmen. Doch wird die Staatsverschuldung in der heutigen Volkswirtschaftslehre

24 *Coing*, Staatsschulden, in: Schlochauer, Wörterbuch des Völkerrechts, Bd. 3, 2. Aufl. 1962, S. 337.

25 Anders *Szodruch*, Staatsinsolvenz und private Gläubiger, 2008, S. 45, der zwar auch deliktische Schulden von seiner Bearbeitung ausnimmt, sich aber nur auf die zweckgebundenen Schulden auf den Kapitalmärkten beschränkt; *von Lewinski*, Öffentlichrechtliche Insolvenz und Staatsbankrott, 2011, S. 46 ff. wiederum spricht genereller von Verbindlichkeiten und bezieht in seine Betrachtung auch völkerrechtliche Verpflichtungen zu einem Tun oder Unterlassen mit ein, was aber für die vorliegende Betrachtung nicht zielführend ist.

26 *Ricardo*, in: Sraffa, The Works and Correspondence of David Ricardo, Volume IV, 1815–1823, 1966, S. 197 „one of the most terrible scourges which was ever invented to afflict a nation“.

27 *Hume*, Of Public Credit, in: Essays: Moral, Political and Literary (1742), Part II, IX, Nachdruck der Ausgabe von 1904, 2007, S. 366.

durchaus kontrovers betrachtet und aus bestimmten Gründen sogar befürwortet.[28]

Zum einen wird die Verschuldung für die Tätigung langfristiger Investitionen zur intergenerativen Lastenverteilung grundsätzlich als sinnvoll erachtet.[29] Denn dadurch kann verhindert werden, dass nur die aktuelle Steuern zahlende Generation die Lasten einer Investition tragen muss, die schließlich auch den zukünftigen Generationen zugutekommt. Auf dieser Überlegung basiert letztlich auch die „goldene Regel der Finanzpolitik", die Grundlage des Art. 115 GG a.F. war und besagt, dass die öffentliche Verschuldung durch den gleichzeitigen Anstieg des öffentlichen Netto-Vermögens begrenzt sein sollte.[30]

Aber auch zur Stabilisierung konjunktureller Schwankungen wird eine Kreditaufnahme befürwortet. Dies gilt insbesondere für den Fall, dass durch die Schulden die Effektivität automatischer Stabilisatoren finanziert wird. Strittiger ist hingegen eine darüber hinausgehende Finanzierung diskretionärer Finanzpolitik.[31]

Zum anderen ist ebenfalls anerkannt, dass eine Finanzierung der Staatsausgaben durch Kredite auch Nachteile mit sich bringen kann. So kann Staatsverschuldung unter bestimmten volkswirtschaftlichen Voraussetzungen zu einem sog. „crowding-out"-Effekt führen, der dadurch entsteht, dass der Staat durch seine erhöhte Schuldenaufnahme die Zinsen in die Höhe treibt, sodass es in

---

28 So hat auch der Sachverständigenrat zur Begutachtung der gesamtwirtschaftlichen Entwicklung in seinem Gutachten 2007 festgestellt, dass die Staatsfinanzierung durch Kredite „von vornherein weder gut noch schlecht" sei, *Sachverständigenrat zur Begutachtung der gesamtwirtschaftlichen Entwicklung,* Staatsverschuldung wirksam begrenzen, 2007, Rdnr. 56.

29 *Wigger*, Grundzüge der Finanzwissenschaft, 2. Aufl. 2006, S. 183 ff.; *Anselmann*, Auswege aus Staatsschuldenkrisen, 2012, S. 41 ff.; *Sachverständigenrat zur Begutachtung der gesamtwirtschaftlichen Entwicklung*, Staatsverschuldung wirksam begrenzen, 2007, Rdnr. 67 ff.

30 *Sachverständigenrat zur Begutachtung der gesamtwirtschaftlichen Entwicklung,* Staatsverschuldung wirksam begrenzen, 2007, Rdnr. 67 ff.; *Tappe*, DÖV 2009, 881, 882, 889 f., der die Abkehr von der Anknüpfung an die „goldene Regel" kritisiert.

31 Dafür gleichnishaft der Sachverständigenrat: „In der Ökonomie ist es (manchmal) wie in der Medizin: Bei schwerer Krankheit ist die Verabreichung wirksamer Medizin angezeigt. Ist der Patient hingegen gesund oder nur leicht erkältet, sind starke Medikamente überflüssig und gegebenenfalls schädlich.", *Sachverständigenrat zur Begutachtung der gesamtwirtschaftlichen Entwicklung*, Die Zukunft nicht aufs Spiel setzen, 2009, Rdnr. 243 a.E.

Folge zu einer Verdrängung der privaten Investitionen kommt.[32] Auch wurde empirisch erwiesen, dass eine Zunahme der Staatsverschuldung das Wirtschaftswachstum negativ beeinflusst. Ab einer Schuldenstandquote von 90 % des Bruttoinlandsprodukts steigt der negative Effekt auf das Wirtschaftswachstum sogar noch überproportional an.[33]

Es lässt sich festhalten, dass die Schuldenaufnahme durch den Staat einerseits volkswirtschaftlich angezeigt sein kann, andererseits auch enorme Risiken birgt insbesondere bei einer erhöhten Schuldenstandquote.

Eines dieser Risiken ist die Insolvenz des Schuldnerstaates. Ist die Schuldenstandquote eines Staates so hoch, dass die Märkte das Vertrauen in die Fähigkeit des Staates die Kredite zurückzuzahlen verlieren, so ist es dem betroffenen Staat nicht mehr möglich sich an den Kapitalmärkten zu refinanzieren und schließlich ist seine Zahlungsunfähigkeit unausweichlich. Die kritische Schwelle der Staatsverschuldung ist vor allem für das Eingreifen präventiver Instrumente wichtig, durch die eine Staatsinsolvenz vermieden werden soll. Allerdings ist es schwierig eine solche Schwelle zu bestimmen und müsste wohl für jedes Land eigens ermittelt werden.[34] Eine empirische Berechnung der kritischen Schwellen haben beispielsweise *Ostry et al.* versucht. Laut ihrer Berechnung hätte Deutschland bei einer geschätzten Schuldenstandquote im Jahre 2015 von 81,5 % noch einen finanzpolitischen Spielraum bis zu einer Schuldenstandquote von 154,1 %. Allerdings sind die berechneten Quoten von vielfältigen Annahmen abhängig und schon eine kleine Abweichung von den prognostizierten Annahmen kann zu einer großen Verschiebung im

---

32 *Wagschal*, Staatsverschuldung, 1996, S. 80 ff.; *Pünder*, § 123 Staatsverschuldung, in: Isensee/Kirchhof, HStR V, 2007, Rdnr. 9 m.w.N.

33 *Checherita/Rother*, The impact of high and growing government debt on economic growth, European Central Bank Working Paper Series, Nr. 1237, abrufbar unter http://www.ecb.europa.eu/pub/pdf/scpwps/ecbwp1237.pdf, zuletzt aufgerufen am 20.3.2017; *Kumar/Woo*, Public Debt and Growth, IMF Working Paper, abrufbar unter https://www.imf.org/external/pubs/ft/wp/2010/wp10174.pdf, zuletzt aufgerufen am 20.3.2017.

34 *Beck/Wentzel*, Ordnungspolitische Überlegungen zu einer Insolvenzordnung für Staaten, in: Lenel et al., ORDO, Jahrbuch für die Ordnung von Wirtschaft und Gesellschaft, Bd. 62, 2011, S. 71, 79; *Comittee on International Economic Policy and Reform*, Revisiting Sovereign Bankruptcy, S. 36, abrufbar unter http://www.brookings.edu/~/media/research/files/reports/2013/10/sovereign%20bankruptcy/ciepr_2013_revisitingsrevisitingsovereignbankr.pdf, zuletzt aufgerufen am 20.3.2017; *Sturzenegger/Zettelmeyer*, Debt Defaults and Lessons from a Decade of Crises, 2007, S. 46 f., die ebenfalls angeben, dass die Höhe der noch tragfähigen Schulden von einer ganzen Reihe von Faktoren abhängt, wie beispielsweise auch, ob ein Staat schon einmal insolvent war.

Endergebnis führen.[35] Die Ergebnisse können daher nicht als belastbar eingestuft werden. Bedeutend mehr Studien gibt es zu der Frage,ab welcher Schuldenstandquote die Staatsverschuldung einen negativen Effekt auf das Wachstum einer Volkswirtschaft hat. Hier wird die relevante Grenze bei einer Schuldenstandquote von 85–95 % gezogen.[36] Oft wird ein Wert von 90 % deshalb auch im Zusammenhang mit der Gefahr einer Staatsinsolvenz genannt.[37] Bei allen diesen Werten, darf die geringe Verlässlichkeit von starren Schwellen nicht außer Acht gelassen werden. Schließlich verhält sich jede Volkswirtschaft anders und starre Schwellen können schwerlich die vielen relevanten länderspezifischen Faktoren berücksichtigen.[38]

Außerdem ist eine hohe Staatsverschuldung nicht die einzige mögliche Ursache für eine Staatsinsolvenz; vielmehr kann sie beispielsweise auch durch eine Währungskrise ausgelöst oder beschleunigt werden. Sind die Kredite in einer Fremdwährung aufgenommen und wird die eigene Währung im Rahmen der Währungskrise abgewertet, so steigt effektiv die Schuldenlast des Staates, der grundsätzlich nur über seine eigene Währung verfügen kann.[39] Aber auch ein

---

35 *Ostry/Ghosh/Kim/Qureshi*, Fiscal Space, IMF Staff Position Note, 2010, abrufbar unter http://www.imf.org/external/pubs/ft/spn/2010/spn1011.pdf, zuletzt aufgerufen am 20.3.2017, die selbst die Abhängigkeit ihrer Werte von Schätzungen hervorheben; ebenfalls kritisch *Beck/Wentzel*, Ordnungspolitische Überlegungen zu einer Insolvenzordnung für Staaten, in: Lenel et al., ORDO, Jahrbuch für die Ordnung von Wirtschaft und Gesellschaft, Bd. 62, 2011, S. 71, 79.

36 *Cecchetti/Mohanty/Zampolli*, The real effects of debt, BIS Working Papers Nr. 352, September 2011, abrufbar unter http://www.bis.org/publ/work352.pdf, zuletzt aufgerufen am 20.3.2017; *Reinhart/Rogoff*, Growth in a Time of Debt, American Economic Review: Papers & Proceedings 100, Mai 2010, 573 ff.; *Baum/Checherita-Westphal/Rother*, Debt and growth: New evidence for the Euro Area, European Central Bank Working Paper Series Nr. 1450, Juli 2012, abrufbar unter https://www.ecb.europa.eu/pub/pdf/scpwps/ecbwp1450.pdf, zuletzt aufgerufen am 20.3.2017.

37 *Beck/Wentzel*, Ordnungspolitische Überlegungen zu einer Insolvenzordnung für Staaten, in: Lenel et al., ORDO, Jahrbuch für die Ordnung von Wirtschaft und Gesellschaft, Bd. 62, 2011, S. 71, 79; vgl. auch *Comittee on International Economic Policy and Reform*, Revisting Sovereign Bankruptcy, S. 38, abrufbar unter http://www.brookings.edu/~/media/research/files/reports/2013/10/sovereign%20bankruptcy/ciepr_2013_revisitingsrevisitingsovereignbankr.pdf, zuletzt aufgerufen am 20.3.2017.

38 S. insbesondere Japan mit einer vom IWF geschätzten Schuldenstandsquote von ca. 253 % des BIP im Jahr 2017, vgl. *IMF*, World Economic Outlook Database October 2016, abrufbar unter http://www.imf.org/external/pubs/ft/weo/2016/02/weodata/index.aspx, zuletzt aufgerufen am 20.3.2017.

39 Vgl. *Sturzenegger/Zettelmeyer*, Debt Defaults and Lessons from a Decade of Crises, 2007, S. 40 f.

Zusammenspiel mit einer Bankenkrise ist denkbar. Befinden sich die Banken eines Staates in einer Krise und rettet ein Staat die in der Krise befindlichen Banken aufgrund ihrer Systemrelevanz, so kann dies mit enormen fiskalischen Kosten verbunden sein, die wiederum eine Schuldenkrise hervorrufen können.[40]

2. Formen der Staatsverschuldung

Die Verschuldung eines Staates kann durch verschiedene Kennzahlen wie beispielsweise die Schuldenstandquote insgesamt abgebildet werden. Dabei fächert sich die Staatsverschuldung in verschiedene Formen auf. Grundsätzlich lässt sich die Staatsverschuldung je nach Kreditnehmern, Schuldarten und Gläubigern differenzieren. Die Differenzierung nach der kreditnehmenden Körperschaft ist für die nachfolgenden Überlegungen irrelevant, da die Gesamtverschuldung eines Staates betrachtet wird, gleich welcher Ebene sie zuzuordnen ist.

Als Anschauungsbeispiel soll an dieser Stelle die Verschuldung der Gebietskörperschaften der Bundesrepublik Deutschland zu Beginn des Jahres 2016 dienen. Zwar ist die Verschuldung der Bundesrepublik nicht repräsentativ für diejenige anderer Staaten, doch lassen sich anhand dieses Beispiels die verschiedenen Formen der Staatsverschuldung anschaulich darstellen.

Schuldarten	**In Mio. EUR**	**In %**
Unverzinsliche Schatzanweisungen	21 804	1,20
Obligationen/Schatzanweisungen	427 090	23,53
Bundesobligationen	240 281	13,24
Bundesschatzbriefe	1 205	0,07
Anleihen	730 533	40,24
Tagesanleihen	1 051	0,06
Direktausleihungen der Kreditinstitute	279 869	15,41
Sonstige	113 524	6,25
Insgesamt	1 815 357	100 %

Öffentliche Verschuldung der Bundesrepublik Deutschland, ohne direkte Verschuldung der Haushalte untereinander, 1. Vj. 2016; Quelle: Eigene Darstellung nach Deutsche Bundesbank, Monatsbericht Dezember 2016, S. 64 Anhang, abrufbar unter http://www.bundesbank.de/Redaktion/DE/Downloads/Veroeffentlichungen/Monatsberichte/2016/2016_12_monatsbericht.pdf?__blob=publicationFile, *zuletzt aufgerufen am 20.3.2017.*

40 *Sachverständigenrat zur Begutachtung der gesamtwirtschaftlichen Entwicklung*, Verantwortung für Europa wahrnehmen, S. 137 ff., dieser geht in seinem Gutachten davon aus, dass ein Teufelskreis zwischen Banken-, Schulden- und Währungskrisen besteht, der häufig zu sog. Drillingskrisen führt.

Zum einen kann die Verschuldung eines Staates nach den verschiedenen Schuldarten differenziert werden. Einen beträchtlichen Anteil der deutschen Staatsverschuldung machen die Direktausleihungen der Kreditinstitute (15,4 %) aus, die meist relativ kurzfristig sind und nicht an der Börse gehandelt werden.[41] Das Gros der deutschen Staatsverschuldung bilden jedoch die öffentlichen Anleihen (insgesamt ca. 78 %). Außer den normalen Bundesanleihen zählen auch Tagesanleihen, Bundesobligationen, Bundesschatzbriefe, Bundesschatzanweisungen und Finanzierungsschätze als Anleihen. Sie unterscheiden sich vor allem durch ihre unterschiedliche Laufzeit, aber auch ihre Verzinsung und wertpapierrechtliche Ausgestaltung.[42] Die herausragende Bedeutung von Staatsanleihen innerhalb der Staatsverschuldung ist nicht auf Deutschland begrenzt, vielmehr handelt es sich dabei um ein beinahe globales Phänomen. Stellten noch Konsortialkredite bis in die 1990er Jahre die wichtigste Quelle der staatlichen Fremdfinanzierung für Schwellenländer dar, finanzieren auch diese sich mittlerweile vorrangig über die Begebung von Staatsanleihen.[43] Die Finanzierung über Staatsanleihen bringt für Staaten den Vorteil einer flexiblen und auch günstigen Finanzierung über die Kapitalmärkte. Andererseits sehen sich die Staaten einer zersplitterten und aufgrund der Handelbarkeit von Anleihen auf Kapitalmärkten fluktuierenden Gläubigergemeinschaft gegenüber. Die geänderte Gläubigerstruktur kann im Falle einer finanziellen Krise eines Schuldnerstaates problematisch werden. Denn die *„neue Unübersichtlichkeit“* der Schuldnerstaaten erschwert Verhandlungen mit seinen Gläubigern.[44]

---

41 *Zimmermann/Henke/Broer*, Finanzwissenschaft, 11. Aufl. 2012, S. 174.

42 *Beck/Prinz*, Staatsverschuldung, 2. Aufl. 2013, S. 18 ff.; *Zimmermann/Henke/Broer*, Finanzwissenschaft, 11. Aufl. 2012, S. 174. Im Jahre 2016 emittierte der Bund Anleihen mit einem Volumen von 194,5 Mrd. €. Dieses Volumen teilte sich nach Laufzeiten sortiert wie folgt auf: 5 % 30 Jahre, 26 % 10 Jahre, 21 % 5 Jahre, 27 % 2 Jahre, 7 % 6 Monate, vgl. http://www.deutsche-finanzagentur.de/de/institutionelle-investoren/primaermarkt/, zuletzt aufgerufen am 20.3.2017.

43 *Szodruch*, Staateninsolvenz und private Gläubiger, 2008, S. 60.

44 *Pfeiffer*, ZVglRWiss 2003, 141, 145.

Gläubiger	In Mio. EUR	In %
Bankensystem	711 820	32,85
Inländische Nichtbanken	328 096	15,14
Ausland	1 127 127	52,01
Insgesamt	2 167 043	100 %

Öffentliche Verschuldung der Bundesrepublik in Maastricht Abgrenzung, 1. Vj. 2016; Quelle: Eigene Darstellung nach Deutsche Bundesbank, Monatsbericht Dezember 2016, S. 63 Anhang, abrufbar unter https://www.bundesbank.de/resource/blob/665186/ca3a06157a7552 6f5e1e3696e614c50b /mL/2016-12-monatsbericht-data.pdf, *zuletzt aufgerufen am 20.3.2017.*

Auch die unterschiedlichen Gläubigergruppen bilden einen Ansatzpunkt zur Differenzierung. Auffällig ist hier der hohe Anteil der ausländischen Schuld von 52,01 %. Fragwürdig ist jedoch, was unter dem Begriff der Auslandsschuld zu verstehen ist. Regelmäßig findet sich in der Literatur eine Aufteilung in Inlands- und Auslandsschulden.[45] Doch werden unterschiedliche Kriterien für eine Differenzierung etabliert. So wird der Aufenthaltsort des Gläubigers, die Nennwährung oder auch die einschlägige Rechtsordnung als Anknüpfungspunkte verwendet. Dabei ist es durchaus üblich, dass es bei diesen Kriterien zu Verschränkungen kommt, also beispielsweise ein inländischer Staatsbürger eine Anleihe kauft, die nach ausländischem Recht und auf ausländische Währung begeben ist. Aber auch vielfache weitere Verschränkungen sind denkbar.

Auf den globalisierten Finanzmärkten von heute können die Grenzen zwischen In- und Ausland nicht mehr eindeutig gezogen werden. Eine Differenzierung ist daher nicht mehr trennscharf möglich. Zudem bringt eine solche Differenzierung juristisch keinen Mehrwert. Zwar mag diese Einteilung aus volkswirtschaftlicher Sicht noch Sinn ergeben. Für eine juristische Untersuchung wie die vorliegende, ist es jedoch ausreichend die verschiedenen Anknüpfungspunkte von Anleihen anzuerkennen, so können Anleihen sowohl in fremder als auch in eigener Währung, unter in- wie unter ausländischem Recht begeben und an In- wie Ausländer verkauft werden. Die sich daran anschließenden juristischen Konsequenzen werden an gegebener Stelle zu diskutieren sein.[46]

45 *Reinhart/Rogoff*, Dieses Mal ist alles anders, 6. Aufl. 2013, S. 55 ff.; *Scherf*, Öffentliche Finanzen, 2009, S. 400; *Beck/Prinz*, Staatsverschuldung, 2. Aufl. 2013, S. 8 ff.; *Leyendecker*, Auslandsverschuldung und Völkerrecht, 1988, S. 1; *Siebel*, Rechtsfragen internationaler Anleihen, 1997, S. 29 ff., der zwar die Schwierigkeiten einer Differenzierung anerkennt, diese aber noch verteidigt.

46 Völlig richtig ist daher Abkehr von der Einteilung in Aus- und Inlandschulden durch *Szodruch*, Staateninsolvenz und private Gläubiger, 2008, S. 46 ff.

II. Staatsinsolvenz

Staatsinsolvenzen sind somit anders als man vermuten möchte ziemlich alltäglich. Dennoch ist der Terminus mit Unsicherheiten behaftet und bedarf deshalb der Klärung.

1. Terminus der Staatsinsolvenz

Hinsichtlich der Bezeichnung des Phänomens findet sich im Schrifttum eine uneinheitliche Terminologie. So werden in der deutschen Literatur meist die Begriffe des Bankrotts[47] und der Insolvenz[48] gebraucht, die teilweise auch synonym verwendet werden. Die längere Tradition hat eindeutig der Begriff des Staatsbankrotts, wird er doch bereits von *Adam Smith* verwendet.[49] Allerdings wohnt dem Begriff des Bankrotts aufgrund seiner Etymologie als auch seiner in der deutschen Rechtsordnung zukommenden Bedeutung als Straftatbestand in §§ 283, 283 a StGB eine negativ wertende Komponente inne.[50]

Deshalb wird der unbelastetere Begriff der Insolvenz heute meist präferiert.[51] Doch ist auch die Verwendung dieses Begriffes nicht ohne Makel. Schließlich verleitet er geradezu dazu die Parallele zur zivilrechtlichen Insolvenz zu ziehen.[52]

---

47 *Manes*, Staatsbankrotte, 1918; *Pflug*, Staatsbankerott und internationales Recht, 1898; *Kratzmann*, JZ 1982, 319; *Lehmann*, Die Konkursunfähigkeit juristischer Personen des öffentlichen Rechts, 1997, S. 61 ff.; *Leisner*, Die Leistungsunfähigkeit des Staates, 1998, S. 54 ff., spricht aber auf S. 47 ff. vom „konkursunreifen Staat"; *Isensee*, Damoklesschwert über der Finanzverfassung: der Staatsbankrott, in: FS Selmer, 2004, S. 687, der in seiner Abhandlung die Begriffe des Bankrotts, der Insolvenz und des Konkurses synonym verwendet; *Ohler*, JZ 2005, 590; *Kämmerer*, ZaöRV 2005, 651.

48 *Tietje*, Die Argentinien-Krise aus rechtlicher Sicht: Staatsanleihen und Staateninsolvenz, 2005; *Szodruch*, Staateninsolvenz und private Gläubiger, 2008.

49 *Smith*, An Inquiry into the Nature and Causes of the Wealth of Nations (1776), 1843, S. 396.

50 *Isensee*, Die Insolvenzunfähigkeit des Staates, in: Heintzen/Kruschwitz, Unternehmen in der Krise, 2004, S. 227 f.; *Szodruch*, Staateninsolvenz und private Gläubiger, 2008, S. 65; *von Lewinski*, Öffentlichrechtliche Insolvenz und Staatsbankrott, 2011, S. 16 ff.

51 *Paulus*, Ein Insolvenzverfahrensrecht für Staaten, in: Dabrowski/Fisch/Gabriel/Lienkamp, 2003, S. 238; *Szodruch*, Staateninsolvenz und private Gläubiger, 2008, S. 65; *Tietje*, Die Argentinien-Krise aus rechtlicher Sicht: Staatsanleihen und Staateninsolvenz, 2005, S. 6.

52 In Deutschland geregelt in der Insolvenzordnung (InsO), allerdings nimmt dort nicht die Insolvenz, sondern das Insolvenzverfahren den zentralen Raum ein, vgl. *von Lewinski*, Öffentlichrechtliche Insolvenz und Staatsbankrott, 2011, S. 18 f.

Die privatrechtliche Insolvenz ist jedoch keinesfalls mit der Insolvenz eines Staates vergleichbar. Schließlich handelt es sich bei einem Staat um einen Souverän, der anders als juristische Personen des Privatrechts im Falle seiner Insolvenz nicht einfach liquidiert werden kann und für den aufgrund seiner Souveränität eben noch gar kein geregeltes Insolvenzverfahren existiert.[53] Diese Besonderheit hebt der von *Paulus* geprägte Begriff der *Resolvenz* hervor, der ausdrückt, dass bei Staatsinsolvenzen nicht die Liquidation des Staates, sondern die Wiederherstellung dessen Solvenz die Zielvorgabe bildet.[54] Allerdings beschreibt der Begriff der *Resolvenz* vielmehr ein Verfahren, dass sich der Insolvenz eines Staates anschließen sollte.[55] Ein solches Verfahren ist jedoch noch nicht kodifiziert und somit noch ein Stück weit Utopie. Daher ist der Begriff trotz seines gewissen Charmes für die Umschreibung des Phänomens an sich nicht geeignet. Dahingegen hebt sich der Begriff der Insolvenz in Verbindung mit dem Präfix Staat- wohl deutlich genug von der privatrechtlichen Insolvenz ab und ist daher die vorzugswürdige Terminologie.

Allerdings muss man sich vor Augen halten, dass sich mit dem Begriff der Staatsinsolvenz keine rechtliche Bedeutung verbindet.[56] Den Begriff aber wegen seiner mangelnden rechtlichen Qualität abzulehnen überzeugt indes nicht,[57]

53 Dazu unter anderem *von Lewinski*, Aspekte der Staateninsolvenz in der Europäischen Union, in: ZEW, Vorträge und Berichte, Nr. 189, 2011, S. 1 ff.; diesen Punkt verdeutlicht der im englischsprachigen Schrifttum verwendete Begriff des *sovereign default*, vgl. nur *Waibel*, Sovereign Defaults before International Courts and Tribunals, 2011; kritisch zum Begriff *default: Borchard,* State insolvency and foreign bondholders, Vol. I, General Principles, 1951, S. 116 f.

54 Der Begriff selbst stammt wohl von Paul Kirchhof, vgl. *Kirchhof*, Die Resolvenz des Staates, in: Ebke/Seagon/Blatz, S. 49, Fn. 4; erstmals verwendet bei *Paulus*, ZG 2010, 313, 319.

55 Vgl. nur *Paulus*, Die Eurozone und das größere Thema eines Staateninsolvenzrechts, in: Kodek/Reinisch, Staateninsolvenz, 2011, S. 14, 17 ff.

56 *Borchard*, State insolvency and foreign bondholders, Vol. I, General Principles, 1951, S. 117, der den Begriff als *descriptive bezeichnet*; *Isensee*, Damoklesschwert der Finanzverfassung: der Staatsbankrott, in: FS Selmer, 2004, S. 688; *Kämmerer*, ZaöRV 2005, 651, 652, spricht von einem heuristischen Begriff; *Szodruch*, Staateninsolvenz und private Gläubiger, 2008, S. 65; *von Lewinski*, Öffentlichrechtliche Insolvenz und Staatsbankrott, 2011, S. 18, *Herrmann*, Staatsbankrott in der EU, Versagen, Bewährung oder Chance der Europäischen Währungsverfassung?, in: von Lewinski, Staatsbankrott als Rechtsfrage, 2011, S. 30; a.A. *Leisner*, Die Leistungsfähigkeit des Staates, 1998, S. 54 ff.

57 So aber *von Lewinski*, Öffentlichrechtliche Insolvenz und Staatsbankrott, 2011, S. 18 f., der den Begriff der Insolvenz insgesamt wegen seiner Unschärfe ablehnt und stattdessen den Begriff der finanziellen Krise bevorzugt.

denn Ursache dafür ist eben nur, dass die Staatsinsolvenz rechtlich nicht geregelt ist. Dieser Umstand kann durch die Verwendung eines anderen Begriffs nicht geändert werden. Vielmehr muss akzeptiert werden, dass Staatsinsolvenz heute noch eine tatsächliche Situation ist,[58] die von einer Vielzahl von Rechtsregimen beeinflusst wird.

2. *Die Insolvenzfähigkeit des Staates*

Richtet man einen Blick auf die deutsche Rechtsordnung, dann spricht aus einer Reihe von Vorschriften wie § 12 InsO, dass der Gesetzgeber die unbegrenzte Zahlungsfähigkeit des deutschen Staates annimmt und damit die Insolvenzfähigkeit des (deutschen) Staates verneint.[59] In der Tat lässt sich anführen, dass der Staat zur unbegrenzten Besteuerung ermächtigt ist und somit schließlich nie zahlungsunfähig werden kann. Er müsse einfach den Steuersatz anheben oder neue Tatbestände für die Besteuerung schaffen. Allerdings stößt jede staatliche Besteuerung einmal an die Grenzen des Möglichen. So würde sich der Staat ab einer gewissen Schwelle durch jede weitere Besteuerung die Grundlage eben dieser entziehen, wenn nicht schon zuvor der Widerstand der Bevölkerung einsetzen würde.[60]

Auch die Abwertung der eigenen Währung durch gesteuerte Inflation, um dadurch seine Schulden real zu reduzieren und einen Zahlungsausfall somit zu vermeiden, ist nur begrenzt erfolgsversprechend.[61] Abgesehen davon, dass eine solche Vorgehensweise bereits als (versteckte) Staatsinsolvenz gewertet werden kann,[62] ist festzustellen, dass ein Staat sich allein durch Inflation seiner Schulden nicht entledigen kann. Lässt man die verheerenden Folgen einer horrenden Inflation für die Volkswirtschaft einmal außer Betracht, so vermag ein Staat zumindest seine Verbindlichkeiten in Fremdwährungen, die bei wirtschaftlich schwachen Schuldnerstaaten oft das Gros darstellen, nicht durch Inflation zu beseitigen oder vermindern.[63] Hinzu kommt, dass manche Staaten heute als

---

58 So schon *Manes*, Staatsbankrotte, 1918, S. 141

59 Vgl. *von Lewinski*, Öffentlichrechtliche Insolvenz und Staatsbankrott, 2011, S. 1.

60 Zu dieser Argumentation und deren geringen Überzeugungskraft *Ohler*, JZ 2005, 590, 591; *Kratzmann*, JZ 1982, 319, 323.

61 Argument klingt an bei *Paulus*, RIW 2009, 11, 12.

62 Zum versteckten Staatsbankrott *Szodruch*, Staateninsolvenz und private Gläubiger, 2008, S. 67.

63 Auf die Schwierigkeit der Devisenbeschaffung stellt ab *Marauhn*, Nachhaltiges Schuldenmanagement, in: Dabrowski/Fisch/Gabriel/Lienkamp, 2003, S. 291.

Mitglieder von Währungsunionen ihre Geldpolitik nicht mehr autonom regeln können.[64] Diesen Staaten ist der Weg über die Inflation gänzlich verwehrt.

Zudem kann aus der Tatsache, dass es weder ein entsprechendes Insolvenzverfahren für Staaten, noch eine den Staaten übergeordnete und durchsetzungsbefugte Gewalt gibt, keine prinzipielle staatliche Insolvenzunfähigkeit geschlossen werden. Denn diese Argumentation hängt zu sehr an einem privatrechtlichen Verständnis von Insolvenz, das untrennbar mit der Eröffnung eines Insolvenzverfahrens verbunden ist[65] und unterschlägt die faktische Realität des Phänomens der Staatsinsolvenz.[66] So erscheint es fehlerhaft von einem mangelnden Verfahren auf die Insolvenzunfähigkeit des Staates an sich zu schließen. Staatsinsolvenz muss daher losgelöst von einem formellen Verfahren als Faktum gedacht werden,[67] dessen Ausbruch eine durchaus reale Möglichkeit darstellt.

3. *Voraussetzungen einer Staatsinsolvenz*

Zu klären bleibt, welche Voraussetzungen vorliegen müssen, damit von einer Staatsinsolvenz gesprochen werden kann. Der Terminus des Tatbestands soll hier bewusst vermieden werden, da der Begriff der Staatsinsolvenz eben keine rechtliche Qualität hat.[68]

Jaeger definierte den Staatsbankrott[69] als *„ein auf Nichtkönnen oder Nichtwollen beruhender Zustand der Nichterfüllung öffentlich-rechtlicher oder bürgerlichrechtlicher Verbindlichkeiten."*[70] Unter Anführung verschiedener Autoren, die ähnliche Definitionen vertreten, stellte *Manes* bereits 1918 fest, dass diese unstrittig sei.[71] Auch im neueren Schrifttum findet diese Definition durchaus

64 So beispielsweise in der Eurozone, in der nach Art. 127 AEUV die Währungshoheit bei dem ESZB liegt. Zur Problematik des Euro als „Fremwährungsschuld", *Herrmann*, EuZW 2010, 413, 417; *ders.*, Staatsbankrott in der EU, Versagen, Bewährung oder Chance der Europäischen Währungsverfassung?, in: von Lewinski, Staatsbankrott als Rechtsfrage, 2011, S. 29 ff.

65 Zu der Formulierung der InsO *von Lewinski*, Öffentlichrechtliche Insolvenz und Staatsbankrott, 2011, S. 18 f.

66 Vgl. oben zur Häufigkeit von Staatsinsolvenzen in der Geschichte S. 21 f.

67 Vgl. *Isensee*, Damoklesschwert über der Finanzverfassung: der Staatsbankrott, in: FS Selmer, 2004, S. 688.

68 Anders *Isensee*, Damoklesschwert über der Finanzverfassung: der Staatsbankrott, in: FS Selmer, 2004, S. 688.

69 Vgl. zum Verhältnis der Begriffe Staatsbankrott und Staatsinsolvenz S. 31 f.

70 *Jaeger*, Konkursordnung, 1936, § 213 Anm. 1, S. 843.

71 *Manes*, Staattsbankrotte, 1918, S. 15.

Zuspruch,[72] ist beileibe aber nicht mehr so unumstritten. So ist sich die Literatur weitgehend einig, dass die objektive Zahlungsunfähigkeit des betroffenen Staates einen Insolvenzgrund darstellt.[73]

Die Definition sieht allerdings vor, dass auch die Zahlungsunwilligkeit des Schuldnerstaates einen möglichen Insolvenzgrund darstellt. Dies wird insbesondere von *Kämmerer* kritisiert. Die reine Zahlungsunwilligkeit eines Staates könne nicht *„aus Respekt vor der staatlichen Souveränität"*[74] als Insolvenz des Staates gewertet werden. Durch die Anerkennung der Zahlungsunwilligkeit würde nämlich nur verhindert, dass der Insolvenzgrund überprüfbar wäre. Diese Überprüfbarkeit wäre aber heute wegen der erhöhten Transparenz der finanziellen Lage der Schuldnerstaaten durchaus möglich. Zudem stünde eine willkürliche Nichtzahlung in keinem Zusammenhang mit der Verschuldung des jeweiligen Staates und dürfte deshalb nicht gleichbehandelt werden.[75]

Allerdings ist festzustellen, dass selbst die Beurteilung der Zahlungsunfähigkeit, immer auch eine politische Entscheidung ist.[76] So wäre es dem Schuldnerstaat in vielen Fällen vielleicht noch möglich durch höhere Steuern oder weitere Vermögensauflösungen seine Schulden zu bedienen. Diese Beurteilung liegt jedoch bei den Schuldnerstaaten und sollte es auch weiterhin. Zudem kann eine Umschuldung auch schon vor dem Eintritt der Zahlungsunfähigkeit angezeigt sein. So geht der IWF davon aus, dass Schuldnerstaaten grundsätzlich in zu spät und auch in zu geringem Umfang (*„too little and too late"*) umschulden, da sie negative Konsequenzen auf dem Kapitalmarkt scheuen.[77]

Insofern macht es keinen Sinn, weiterhin die Zahlungsunwilligkeit überhaupt von der Zahlungsunfähigkeit zu unterscheiden. Vielmehr ist die Entscheidung ob Schulden zurückbezahlt werden oder nicht, also die Entscheidung über die

---

72 Ähnlich beispielsweise *Isensee,* Damoklesschwert über der Finanzverfassung: der Staatsbankrott, in: FS Selmer, 2004, S. 688; *Szodruch*, Staateninsolvenz und private Gläubiger, 2008, S. 65 ff.

73 So auch *Kämmerer*, ZaöRV 2005, 651, 652; *Ohler*, JZ 2005, 590, 592 f.

74 *Kämmerer*, ZaöRV 2005, 651, 652.

75 *Kämmerer*, ZaöRV 2005, 651, 652; i.E. auch *Ohler*, JZ 2005, 590, 592 f., der dem Schuldnerstaat aber ein weites Ermessen bei der Beurteilung seiner finanziellen Lage zugestehen will und nur missbräuchliche Einschätzungen ausklammern möchte und dafür auf *Marauhn,* Nachhaltiges Schuldenmanagement, in: Dabrowski/Fisch/Gabriel/Lienkamp, 2003, S. 291 f. verweist, der dieses allerdings nur für ein zukünftiges zwischenstaatliches Insolvenzverfahren fordert, das so aber noch gar nicht existiert.

76 So auch *Ohler*, JZ 2005, 590, 593.

77 *IMF*, Sovereign Debt Restructuring – Recent developments and implications for the fund's legal and policy framework, 2013, S. 15 ff.

Insolvenz, eine nationale, politische Entscheidung, die nach den Vorgaben der jeweiligen Verfassung zu beurteilen ist. Diese Entscheidung ist als eine Tatsache zunächst hinzunehmen. Eine materielle Überprüfung der Entscheidung ist dadurch keinesfalls ausgeschlossen.[78] So können beispielsweise in einem investitionsrechtlichen Schiedsverfahren die Gründe der Zahlungsverweigerung bei der Prüfung einer möglichen Einrede des Staates berücksichtigt werden.

Im Ergebnis ist somit die Nichtbedienung der Schulden durch den Schuldnerstaat, sei es aufgrund mangelnder Fähigkeit oder mangelnden Willens, als Staatsinsolvenz zu verstehen. In seiner krassesten Form ist dies natürlich die Totaleinstellung der Zahlungen wie beispielsweise von Argentinien 2001 praktiziert, aber auch Haircuts, also eine Reduktion der Rückzahlungen, verminderte Zinszahlung oder eine Stundung.[79]

4. Ableitung des relevanten Untersuchungszeitraums

Schließlich ist es erforderlich den für diese Arbeit relevanten Untersuchungszeitraum festzulegen. So kritisiert *von Lewinski* den Begriff der Staatsinsolvenz deshalb, weil die Insolvenz nur den *„(pathologischer) Endpunkt"* eines Prozesses darstelle, den er als *„finanzielle Krise"* bezeichnet.[80] Richtig ist, dass einer Insolvenz regelmäßig eine längere Phase der überhöhten Schuldenaufnahme vorangeht. Allerdings ist auch mit dem Eintreten einer Insolvenz der von *von Lewinski* beschriebene Prozess noch nicht beendet, vielmehr schließt sich nach einem Zahlungsausfall eine Phase der finanziellen Konsolidierung an, die entweder erfolgreich ist oder zu einem erneuten Zahlungsausfall führen kann. Statt als Endpunkt eines Prozesses sollte die staatliche Insolvenz daher richtigerweise als dessen Scheitelpunkt gelten. Als solchem kommt der Insolvenz große Bedeutung zu, denn vor dem Eintreten einer Insolvenz wird ein Schuldnerstaat insbesondere vom Kapitalmarkt anders eingestuft als danach. Zudem greifen je nach Phase unterschiedliche rechtliche Regime.

Dennoch wäre es verkürzt lediglich die Situation eines Schuldnerstaates während seiner Insolvenz zu beleuchten. Vielmehr befindet sich ein Schuldnerstaat bereits vor dem unmittelbaren Eintreten einer Insolvenz sowie danach in einer Sondersituation, die es zu beleuchten gilt.

---

78 So auch *Szodruch*, Staatsinsolvenz und private Gläubiger, S. 66.

79 *Beck/Prinz*, Staatsverschuldung, 2013, S. 80.

80 *Von Lewinski*, Öffentlichrechtliche Insolvenz und Staatsbankrott, 2011, S. 18, 23, 27 f., der allerdings den Begriff des finanziellen Notstands („Beeinträchtigung der Erfüllung staatlicher Aufgaben aufgrund fehlender Haushaltsmittel") als äußersten Punkt der Krise einführt, *von Lewinski*, Öffentlichrechtliche Insolvenz und Staatsbankrott, 2011, S. 27 f.

2 Schrankenlose Souveränität? Grenzen der Beschränkbarkeit

Souveränität, als *„Kernidee des modernen Staates"*,[81] ist ein Begriff von besonderer Bedeutung für das Staats- sowie das Völkerrecht.[82] Gleichzeit ist er durch Vieldeutigkeit und Vagheit gekennzeichnet. Diese Mängel resultieren vor allem aus der Entstehungsgeschichte des Begriffs, der bereits aus dem Mittelalter stammt und dem seitdem immer wieder andere Bedeutungen beigemessen wurden. Aber auch innerhalb ein und derselben Zeitepoche wurde der Begriff unterschiedlich verstanden.[83] Die Bedeutungsschwemme und Konturlosigkeit ist dabei Ausfluss verschiedener *„staatspolitischer Absichten"*,[84] die im Rahmen des Begriffs der Souveränität verwirklicht werden sollten.

Im Folgenden soll daher ausgehend von der Darstellung der historischen Bedingtheit der Souveränität (A.) und der Relevanz der souveränen Staatlichkeit (B.) die aktuelle Souveränitätskonzeption inklusive ihrer Grenzen herausgearbeitet werden (C.).

A. Historische Bedingtheit

Das Verständnis der Souveränität ist in einem großen Maße historisch bedingt.[85] Möchte man die heutige Bedeutung der Souveränität herausarbeiten, so geht das

81 *Di Fabio*, Das Recht offener Staaten, 1998, S. 2.

82 *Randelzhofer*, § 17 Staatsgewalt und Souveränität, in: Isensee/Kirchhof, HStR II, 3. Aufl. 2004, Rdnr. 1; *Kelsen*, Souveränität, in: Strupp/Schlochauer, Wörterbuch des Völkerrechts, Band 3, 1962, S. 278; *Herdegen*, Souveränität heute, in: FS Herzog, 2009, 117, 118 bezeichnet die Souveränität als „Schlüsselbegriff des Völkerrechts"; *Fassbender*, Die Souveränität des Staates als Autonomie im Rahmen der völkerrechtlichen Verfassung, in: FS Jayme, 2004, S. 1090.

83 *Kelsen*, Das Problem der Souveränität und die Theorie des Völkerrechts, unveränd. Neudruck der 2. Aufl. 1928, S. 1; *Besson*, Sovereignty, in: MPEPIL, Stand: April 2011, Rdnr. 3; *Herrmann*, Währungshoheit, Währungsverfassung und subjektive Rechte, 2010, S. 81.

84 *Kelsen*, Das Problem der Souveränität und die Theorie des Völkerrechts, unveränd. Neudruck der 2. Aufl. 1928, S. 1; vgl. auch *Fassbender*, Die Souveränität des Staates als Autonomie im Rahmen der völkerrechtlichen Verfassung, in: FS Jayme, 2004, S. 1090.

85 Schon *Jellinek*, Allgemeine Staatslehre, 1928, S. 435; *Schliesky*, Souveränität und Legitimität von Herrschaftsgewalt, 2004, S. 59.

nicht ohne einen Blick auf die historische Perspektive, denn erst dieser ermöglicht ein wirkliches Verständnis.

Viele Abhandlungen sehen die Geburtsstunde des Begriffs der Souveränität in den Arbeiten *Bodins*.[86] Doch gehen wohl weder die faktische Erscheinung noch der Begriff der Souveränität auf *Bodin* zurück. Die Wurzeln sind vielmehr im Mittelalter vorzufinden. Die These, dass Souveränität erst in der Neuzeit existierte, ist nur haltbar, wenn man die mittelalterliche Souveränität an dem in der Neuzeit entwickelten Souveränitätsbegriff misst.[87] Die sich offenbarende Inkongruenz bedeutet aber nicht, dass zuvor keine Souveränität existierte, sondern verdeutlicht, dass der Begriff extremen Wandlungen unterworfen ist.

I. Souveränitätsverständnis im Mittelalter

Erstmals wurde der Begriff der Souveränität im 12. Jahrhundert verwendet. Abgeleitet von der lateinischen Wortwurzel „super" (später superanus) wurde mit „soverain" zunächst Höhe im Raum beschrieben. Im Zusammenhang mit Herrschaftsgewalt wurde der Begriff erst im 13. Jahrhundert in Zusammenhang gebracht.[88] Die „mittelalterliche Souveränität" war gekennzeichnet von Partikularität und Relativität.[89] Partikularität, da die Herrschaftsgewalt im Mittelalter auf verschiedene Ebenen verteilt war. So wurden neben dem König auch der Papst und die nachgeordneten Mitglieder des Lehnsystems als souverän angesehen. Zudem bezeichnete Souveränität vielmehr eine konkrete Herrschaftsposition als abstrakte Herrschaftsgewalt, wenngleich die Herrschaftsgewalt einheitlich von Gott abgeleitet wurde.[90] Des Weiteren wurde der Begriff der Souveränität lediglich relativ, d.h. im Kontext konkreter Beziehungen verwendet.[91]

---

86 Siehe nur *Dennert,* Ursprung und Begriff der Souveränität, 1964, S. 56.

87 *Grimm,* Souveränität, 2009, S. 18.

88 *Klippel,* Art. Staat und Souveränität, VI.-VIII., in: Brunner/Conze/Koselleck, Geschichtliche Grundbegriffe, Bd. 6, 1990, S. 99 f.; *Grimm,* Souveränität, 2009, S. 16; a.A. *Verdross/Simma,* Universelles Völkerrecht, 3. Aufl. 2010, § 32.

89 *Klippel,* Art. Staat und Souveränität, VI.–VIII., in: Brunner/Conze/Koselleck, Geschichtliche Grundbegriffe, Bd. 6, 1990, S. 100 ff.

90 *Quaritsch,* Staat und Souveränität, Bd. 1, 1970, S. 250 f.; *Klippel,* Art. Staat und Souveränität, VI.-VIII., in: Brunner/Conze/Koselleck, Geschichtliche Grundbegriffe, Bd. 6, 1990, S. 101 f.; *Schliesky,* Souveränität und Legitimität von Herrschaftsgewalt, 2004, S. 61 f.

91 *Klippel,* Art. Staat und Souveränität, VI.–VIII., in: Brunner/Conze/Koselleck, Geschichtliche Grundbegriffe, Bd. 6, 1990, S. 101.

Im Mittelalter prägte zudem der Konflikt zwischen König und Papst, also zwischen weltlicher und geistlicher Macht, den Diskurs über Herrschaftsgewalt. Dabei ging es um die Vorrangstellung der einen über die andere Gewalt, beide jedoch abgleitet von einer einheitlichen Herrschaftsgewalt göttlichen Ursprungs. Dieser Konflikt trat insbesondere im Rahmen des Investiturstreites zu Tage. Die Kirche stützte sich theoretisch auf die aus der Bibel abgeleitete „Zwei-Schwerter-Lehre", nach welcher Gott die zwei Schwerter der geistlichen und weltlichen Gewalt an die Kirche übergeben hatte, die wiederum das Schwert der weltlichen Macht zur Ausübung an den Kaiser weiterreichte. Die kirchliche Argumentation löste heftigen Widerstand der weltlichen Seite aus, die daraufhin versuchte, eine von religiöser Legitimation losgelöste weltliche Herrschaftsgewalt zu etablieren. Hierzu wurde das Volk als Legitimationsgrundlage in den Mittelpunkt gerückt. Nach mittelalterlicher Vorstellung wurde die Macht des Volkes allerdings durch die Stände vermittelt, sodass nicht von einer „Volkssouveränität" im modernen Sinne gesprochen werden kann.[92]

Auch wenn sich die mittelalterliche Verwendung des Begriffs somit essentiell von dem noch zu besprechendem neuzeitlichen Souveränitätsverständnis unterscheidet, befassen sich doch beide mit dem Ausmaß von Herrschaftsgewalt, gleichsam eines *„zeitübergreifenden gemeinsamen Nenners von Souveränitätsvorstellungen"*.[93]

II. Die Souveränitätskonzeption *Jean Bodins*

Die entscheidende neuzeitliche Wendung läuten dann die theoretischen Arbeiten von *Jean Bodin* ein.[94] Obgleich *Bodin* nicht „Erfinder" des Konzepts der Souveränität war,[95] entwickelte er die mittelalterliche Souveränitätskonzeption zu

92 *Klippel,* Art. Staat und Souveränität, VI.–VIII., in: Brunner/Conze/Koselleck, Geschichtliche Grundbegriffe, Bd. 6, 1990, S. 106 f.

93 *Walther,* Imperiales Königtum, Konziliarismus und Volkssouveränität, 1976, S. 7 ff.; *Klippel,* Art. Staat und Souveränität, VI.–VIII., in: Brunner/Conze/Koselleck, Geschichtliche Grundbegriffe, Bd. 6, 1990, S. 104; für eine strikte Trennung *Dennert,* Ursprung und Begriff der Souveränität, 1964, S. 104; *Stolleis,* Der Staat, Beiheft 11, 1997, 63, 68 f.

94 Insbesondere *Bodin,* Les six livres de la république, 1593.

95 So aber *Dennert,* Ursprung und Begriff der Souveränität, 1964, S. 56; differenzierter *Jellinek,* Allgemeine Staatslehre, 1928, S. 453.

einer noch heute dem modernen Staats- und Souveränitätsverständnis zugrunde liegenden Konzeption theoretisch weiter- und fort.[96]

Anstoß für seine Arbeiten gaben die nach der Reformation einsetzenden heftigen Religionskriege, die sich insbesondere in Frankreich zu Bürgerkriegen entwickelten. Diese legten offen, dass zu dieser Zeit keine Herrschaftsgewalt existierte, die in einem ausreichenden Maße für Frieden und Sicherheit garantieren konnte.[97] Gekoppelt an die Sehnsucht nach einer Herrschaftsgewalt, die stark genug ist, um die religiösen Konflikte zu befrieden, entstand die Souveränitätskonzeption *Bodins*. Der Staat bildet den Ausgangspunkt für *Bodins* Arbeiten.[98] Die wesentliche Eigenschaft des Staates ist wiederum dessen Souveränität,[99] die als *„puissance absolue et pepétuelle"* definiert wird.[100] Souveränität ist nach *Bodin* also absolute und immerwährende Macht und als solche zunächst einmal *„negativer Natur"*, denn neben ihr können keine anderen Herrschaftsgewalten wie Papst, Kaiser oder die Stände mehr bestehen.[101] Inbegriff der Souveränität ist stattdessen deren Einzigkeit. Ausgehend von der mittelalterlichen Relativität und Partikularität entwickelte sich die Souveränität mit *Bodin* zu einem absoluten und abstrakten Konzept.[102]

Essentielles Attribut der Souveränität war für *Bodin* die Gesetzgebungsbefugnis, die für ihn alle anderen Befugnisse beinhaltete.[103] Die Abstraktion der einzelnen Herrschaftsrechte auf die Rechtsetzungsgewalt impliziert die Unteilbarkeit der Souveränität.[104] So ist für *Bodin* eine geteilte Inhaberschaft von Souveränität nicht möglich, da der Souverän ansonsten von der Entscheidung eines anderen

---

96 *Heller,* Die Souveränität, 1927, S. 14; *Jellinek,* Allgemeine Staatslehre, 1928, S. 453; *Schliesky,* Souveränität und Legitimität von Herrschaftsgewalt, 2004, S. 73; *Grimm,* Souveränität, 2009, S. 26.

97 *Schliesky,* Souveränität und Legitimität von Herrschaftsgewalt, 2004, S. 72 f.

98 *Schliesky,* Souveränität und Legitimität von Herrschaftsgewalt, 2004, S. 74.

99 „Republique est un droit gouvernement de plusieurs mesnages, et de ce qui leur est commun, avec puissance souveraine.", *Bodin,* Les six livres de la république, livre I, chapitre I, unveränd. Nachdruck der Ausgabe von 1593, S. 27.

100 *Bodin,* Les six livres de la république, livre I, chapitre VIII, chapitre I, unveränd. Nachdruck der Ausgabe von 1593, S. 179.

101 *Jellinek,* Allgemeine Staatslehre, 1928, S. 453; *Schliesky,* Souveränität und Legitimität von Herrschaftsgewalt, 2004, S. 74.

102 *Grimm,* Souveränität, 2009, S. 24.

103 *Klippel,* Art. Staat und Souveränität, VI.–VIII., in: Brunner/Conze/Koselleck, Geschichtliche Grundbegriffe, Bd. 6, 1990, S. 108.

104 *Quaritsch,* Staat und Souveränität, Bd. 1, 1970, S. 264.

abhängig wäre und somit eben nicht mehr souverän.[105] Die Souveränität selbst bezog *Bodin* noch nicht auf den Staat als abstraktes Gebilde, sondern immer auf Personen. Damit war Souveränität im Sinne *Bodins* Fürstensouveränität. Historisch bedingt war somit der König für *Bodin* als Souveränitätsträger prädestiniert, obwohl für ihn theoretisch auch der Adel und das Volk diese Stellung hätten einnehmen können.

Bei aller Machtfülle verstand *Bodin* Souveränität jedoch nicht als unbegrenztes Machtkonstrukt. Vielmehr stand für ihn der Souverän zwar *„über dem Gesetz, nicht [aber] über dem Recht“*.[106] Bei der Ausübung seiner Herrschaftsgewalt sei dieser zwar nicht an Gesetze, doch aber an das göttliche Recht, das Naturrecht, das *ius gentium* und die von ihm abgeschlossenen Verträge gebunden.[107] Übertragen in die heutige Nomenklatur bedeutet dies, dass bereits *Bodin* den Souverän im Außenverhältnis an das Völkerrecht gebunden sah.[108] Diese Grenzen waren damals allerdings eher symbolischer Natur. So gab es keine Möglichkeit auf ihre Einhaltung zu bestehen. Insbesondere ein Widerstandsrecht hätte die Souveränität und somit den inneren Frieden gefährdet.[109]

III. *Thomas Hobbes*: Der Gipfel des absoluten Souveränitätsverständnisses

Thomas Hobbes war es, der auf die Erkenntnisse *Bodins* aufbauend, mit Leviathan den Inbegriff der absoluten Souveränität schuf. Auf Grundlage eines Vertrages zwischen den Individuen zur Schaffung von Frieden im Austausch gegen Freiheit entsteht nach *Hobbes* ein Staat, der von einem Souverän repräsentiert wird. Dieser Souverän ist wiederum selbst nicht Vertragspartei des Staatsvertrages, kann diesen somit nicht verletzen und folglich seine Souveränität auch nicht verlieren. Kennzeichnend für die Theorie *Hobbes* ist die Schrankenlosigkeit der Souveränität. Während *Bodin* die Souveränität unter anderem an das Völkerrecht gebunden sah, negierte *Hobbes* jegliche Bindungen der souveränen Macht. Einzig allein deren Bestand und die durch diese erfolgende Befriedung

---

105 *Grimm*, Souveränität, 2009, S. 25; *Schliesky*, Souveränität und Legitimität von Herrschaftsgewalt, 2004, S. 77.

106 *Grimm*, Souveränität, 2009, S. 25.

107 *Dreier*, Souveränität, in: Görres-Gesellschaft, Staatslexikon, Bd. 4, 1988, S. 1203, 1204.

108 *Randelzhofer*, § 17 Staatsgewalt und Souveränität, in: Isensee/Kirchhof, HStR II, 3. Aufl. 2004, Rdnr. 16; *Verdross/Simma*, Universelles Völkerrecht, 3. Aufl. 2010, S. 26.

109 *Klippel*, Art. Staat und Souveränität, VI.-VIII., in: Brunner/Conze/Koselleck, Geschichtliche Grundbegriffe, Bd. 6, 1990, S. 109; *Grimm*, Souveränität, 2009, S. 26.

des Staates waren nach *Hobbes* Theorie entscheidend.[110] *Hobbes* schuf die Idee einer unbeschränkten, absolutistischen Souveränität und bildet damit den Gipfel des absoluten Souveränitätsverständnisses in der Ideengeschichte der Souveränität.[111]

IV. Entwicklungslinien der äußeren Souveränität

Die durch die theoretische Arbeit *Bodins* begleitete Bildung territorialer Herrschaftsräume mit einheitlicher souveräner Herrschaftsgewalt war die Grundlage für die modernen Territorialstaaten. Mit der Abkehr von der *universitas christiana* hin zum Territorialstaat ging die notwendige Differenzierung zwischen „innen" und „außen" einher. Innerhalb der staatlichen Grenzen genoss der Inhaber der Herrschaftsgewalt Souveränität, während er sich im Außenverhältnis anderen Souveränen gegenübersah. Aus der Notwendigkeit die Außenbeziehungen der Vielzahl von unabhängigen Staaten zu koordinieren entstand das Völkerrecht,[112] an welches die Staaten gebunden waren.[113] Das Völkerrecht beruhte auf der Gleichheit der Staaten und verbot grundsätzlich die Einmischung in die inneren Angelegenheiten anderer Staaten. Dieses den unabhängigen und nach außen hin gleichberechtigten Territorialstaat in den Mittelpunkt stellende völkerrechtliche Ordnungsprinzip wird in Anlehnung an den Westfälischen Frieden 1648 als westfälisches System bezeichnet.[114]

Zunächst ging man von einer Bindung an das Völkerrecht als Teil eines über den Staaten stehenden Naturrechts aus. Das aus der scholastischen Moraltheologie stammende Prinzip des Naturrechts beruhte auf der Vorstellung einer natürlichen Verbindung aller Individuen und leitete daraus allgemein verbindliche Rechtssätze ab, die von dem Willen der jeweiligen Souveräne unabhängig waren und durch diese mithilfe völkerrechtlicher Verträge lediglich ausgestaltet werden

---

110 *Klippel,* Art. Staat und Souveränität, VI.-VIII., in: Brunner/Conze/Koselleck, Geschichtliche Grundbegriffe, Bd. 6, 1990, S. 110 f.; *Randelzhofer,* § 17 Staatsgewalt und Souveränität, in: Isensee/Kirchhof, HStR II, 3. Aufl. 2004, Rdnr. 22; *Grimm,* Souveränität, 2009, S. 31 ff.

111 *Oeter,* Souveränität – ein überholtes Konzept, in: FS Steinberger, 2002, 259, 263.

112 *Boldt,* Art. Staat und Souveränität, IX.-X., in: Brunner/Conze/Koselleck, Geschichtliche Grundbegriffe, Bd. 6, 1990, 129, 150.

113 *Boldt,* Art. Staat und Souveränität, IX.-X., in: Brunner/Conze/Koselleck, Geschichtliche Grundbegriffe, Bd. 6, 1990, 129, 150; *Steinberger,* Sovereignty, in: Bernhardt, EPIL, Vol. 4, 2. Aufl. 2000, 500, 507.

114 Dabei ist der Bezug auf den Westfälischen Frieden historisch stark vereinfacht, wenn nicht sogar falsch, *Besson,* Sovereignty, in: MPEPIL, Rdnr. 14.

konnten. Die äußere Souveränität war durch die Bindung an die naturrechtlichen Grundsätze beschränkt. Im Laufe der Zeit wurde die Naturrechtslehre graduell vom Völkerrechtspositivismus verdrängt. Verbindliches Völkerrecht konnte demnach nur durch konsensuales Handeln souveräner Staaten entstehen. Die Folge des Positivismus war letzten Endes die Frage nach der Sinnhaftigkeit eines Völkerrechts als Ganzem. Denn wenn ein souveräner Staat nur kraft seines souveränen Willens an das Völkerrecht gebunden war, konnte er die Bindungswirkung aufgrund seiner Souveränität ebenfalls jederzeit wieder rückgängig machen. Nur konsequent war da die Haltung der Leugner des Völkerrechts.

Insbesondere *Hegel* vertrat,[115] dass das Völkerrecht nicht mehr als ein *„äußere[s] Staatsrecht"* sei und die Gestaltung der Außenbeziehungen allein dem Willen der souveränen Staaten unterliege. Konfliktfälle könnten demnach nur durch Kriege gelöst werden.[116] *Jellinek* anerkannte zwar die Geltung des Völkerrechts, doch war Souveränität auch für ihn *„die Eigenschaft eines Staates, kraft welcher er nur durch eigenen Willen rechtlich gebunden werden kann"*.[117] Die Zeit zwischen der Mitte des 18. Jahrhunderts bis zu Beginn des ersten Weltkriegs wird folgerichtig als die Epoche der absoluten Souveränität bezeichnet.[118] Die Reichweite des Konzepts der „absoluten Souveränität" wird besonders deutlich, wenn man bedenkt, dass zu dieser Zeit den souveränen Staaten ein fast unbegrenztes *ius ad bellum* gewährt wurde; das Recht zum Krieg wurde als essentieller Bestandteil der Souveränität verstanden.[119]

---

115 So bereits vor *Hegel*: *Hobbes* und *Spinoza*, vgl. *Verdross/Simma*, Universelles Völkerrecht, 3. Aufl. 2010, §§ 18 ff.; *Dahm/Delbrück/Wolfrum*, Völkerrecht, Bd. I/1, 2. Aufl. 1989, S. 215.

116 *Hegel*, Grundlinien der Philosophie des Rechts, 4. Aufl. 1821, §§ 330 ff.; dazu *Verdross/Simma*, Universelles Völkerrecht, 3. Aufl. 2010, § 20, der darauf hinweist, dass *Hegel* sich der historischen Abhängigkeit seiner Theorie bewusst war und eine aufsteigende Entwicklung des Völkerrechts vorhersah; *Boldt*, Art. Staat und Souveränität, IX.–X., in: Brunner/Conze/Koselleck, Geschichtliche Grundbegriffe, Bd. 6, 1990, 129, 150; zum prägenden Einfluss *Hegels Hobe*, Der offene Verfassungsstaat zwischen Souveränität und Interdependenz, 1998, S. 54 f. Die Ansicht *Hegels* trieb sein Schüler *Lasson* noch auf die Spitze: „Der Staat kann sich also niemals einer Rechtsordnung wie überhaupt keinem Willen ausser ihm unterwerfen. Mithin ist der Zustand, der zwischen den Staaten obwaltet ein vollkommen rechtloser." *Lasson*, Princip und Zukunft des Völkerrechts, 1871, S. 22.

117 *Jellinek*, Die Lehre von den Staatenverbindungen, 1862, S. 34.

118 *Steinberger*, Sovereignty, in: Bernhardt, EPIL, Vol. 4, 2. Aufl. 2000, 500, 510.

119 *Steinberger*, Sovereignty, in: Bernhardt, EPIL, Vol. 4, 2. Aufl. 2000, 500, 501; *Oeter*, Souveränität ein überholtes Konzept, in: FS Steinberger, 2002, 259, 272 f.

Im Gegensatz zu dieser Entwicklung steht die im 19. Jahrhundert einsetzende verstärkte internationale Zusammenarbeit der Staaten. Als Reaktion auf den technischen Fortschritt wählten die Staaten den Weg der Kooperation und gründeten grenzüberschreitende Verwaltungsunionen wie beispielsweise die internationale Telegraphenunion und den Weltpostverein.[120] Die Gründung des Völkerbundes nach dem Ersten Weltkrieg 1919 unterstützt, trotz dessen eher schwachen Ausgestaltung, die These einer Bindung der souveränen Staaten an das Völkerrecht. *Kelsen* fordert sogar *„die Existenz einer objektiven, von aller 'Anerkennung' unabhängigen, über den Einzelstaaten stehenden Völker-, richtiger Weltrechtsordnung“* dafür müsse *„[d]ie Souveränitätsvorstellung freilich [...] radikal verdrängt werden“*.[121] Die Theorie *Kelsens* fand keine allgemeine Unterstützung.[122] Nach den Schrecken des 2. Weltkrieges erreichte die internationale Zusammenarbeit mit der Gründung der Vereinten Nationen und regionalen Integrationen wie der Europäischen Union ein neues Ausmaß. Mit der Aufnahme des Gewaltverbots in die UN-Charta wurde den Staaten das zuvor für ihre Souveränität als essentiell betrachtete *ius ad bellum* endgültig aberkannt.[123] Diese Entwicklung rückte auch die Frage nach der Reichweite der staatlichen Souveränität erneut ins Licht der Aufmerksamkeit. Aber auch das Konzept der Souveränität an sich wurde ausgiebig kritisiert bis hin zur gänzlichen Bestreitung ihrer Existenz.

B. Trotz aller Kritik: Relevanz der souveränen Staatlichkeit

Immer mehr grenzüberschreitende Sachverhalte wie beispielsweise die globalisierten Handelsströme, die Digitalisierung und der internationale Terrorismus

---

120 Zu internationalen Kooperation im 19. Jahrhundert *Hobe*, Der offene Verfassungsstaat zwischen Souveränität und Interdependenz, 1998, S. 49 ff.

121 *Kelsen*, Das Problem der Souveränität und die Theorie des Völkerrechts, unveränd. Neudruck der 2. Aufl. 1928, S. 320.

122 *Oeter*, Souveränität – ein überholtes Konzept?, in: FS Steinberger, 2002, 259, 275.

123 Ansätze ein Kriegsverbot zu etablieren finden sich in der Völkerrechtspraxis jedoch bereits früher. Bereits die Satzung des Völkerbundes schränte das *ius ad bellum* ein, wenngleich Krieg innerhalb der aufgestellten Schranken zulässig blieb und militärische Gewalt außerhalb des Kriegsbegriffs zulässig blieb. Von großer Bedeutung für die Entwicklung des *ius contra bellum* ist der *Briand-Kellogg-Pakts* 1928, in welchem ein umfassendes Kriegsverbot statuiert wurde, wobei dieses nur für die Vertragsparteien bindend war und auch militärische Gewalt unterhalb der Schwelle des Krieges nicht umfasste. Vgl. zur Entwicklung *Heintschel von Heinegg*, in: Ipsen, Völkerrecht, 6. Aufl. 2014, § 51 Rdnr. 8 ff.

stellen die Staaten vor Aufgaben, die sie allein nicht oder nicht mehr sinnvoll lösen können. Um die sich stellenden Herausforderungen zu bewältigen, ist eine immer enger werdende Vernetzung der Staaten untereinander – beispielsweise in Form völkerrechtlicher Verträge oder der Gründung von internationalen Organisationen – notwendig geworden.[124] Die Kehrseite der effektiveren Aufgabenbewältigung ist eine intensivere Prädeterminierung durch überstaatliche Normen. Zum einen sind die Staaten, die sich der Kooperation geöffnet haben, vielfältigen Bindungen aus völkerrechtlichen Verträgen unterworfen und zum anderen haben sie viele Kompetenzen, die einst ureigene staatliche Kompetenzen waren an internationale Organisationen übertragen. Sofern es sich um eine supranationale internationale Organisation handelt, wird deren Rechtsakten von ihren Mitgliedstaaten in den nationalen Rechtsordnungen sogar Vorrang vor nationalen Rechtsakten eingeräumt. Gemessen am westfälischen Verständnis von Souveränität, das unbegrenzte Herrschaftsmacht voraussetzt, liegt die Schlussfolgerung nahe, dass ein moderner Staat, der völkerrechtlich stark vernetzt ist, seine Souveränität eingebüßt hat. Schließlich ist er nicht mehr in der Lage seine Entscheidungen frei und unabhängig zu treffen.

Manche Autoren ziehen diese simple, vom „modernen Zeitgeist" beflügelte Schlussfolgerung und setzen bereits zum Abgesang auf die souveräne Staatlichkeit insgesamt an.[125] Dabei legen die Kritiker jedoch meist eine falsche, veraltete Souveränitätsvorstellung zugrunde. Sie wählen ein absolutes Verständnis der Souveränität als Ausgangsbasis und ziehen dann, da der Staat kraft internationaler Einbindung nicht mehr allumfassend unabhängig entscheiden kann, den Schluss, dass dieser an sich nicht mehr souverän sei. Blickt man jedoch auf die Entwicklungsgeschichte der Souveränität zurück, so versteht bereits *Bodin* Souveränität als rechtlich gebundene Herrschaftsgewalt.[126] Die Unterstellung eines *„omnipotent[en]"*[127] Staates geht selbst für die Ära der größten nationalen Machtfülle ins Leere, denn sogar damals unterlagen Staaten Bindungen

---

124 Grundlegend zur Globalisierung und deren Folgen *Hingst,* Auswirkungen der Globalisierung auf das Recht der völkerrechtlichen Verträge, 2001, S. 19 ff.

125 U.a. *Henkin,* International Law: Politics and Values, 1995, S. 10; *Schreuer,* EJIL 4 (1993), 447; *Krasner,* Sovereignty. Organized Hypocrisy, 1999; *MacCormick,* Questioning Sovereignty, 1999; *Kokott,* Die Staatsrechtslehre und die Veränderung ihres Gegenstandes: Konsequenzen von Europäisierung und Internationalisierung, VVDStRL 63, 2004, 7; *Lowe,* Sovereignty and International Economic Law, in: Shan/Simons/Singh, Redefining Sovereignty in International Economic Law, 2008, S. 77.

126 Vgl. oben S. 41.

127 *Herrmann,* Währungshoheit, Währungsverfassung und subjektive Rechte, 2010, S. 92.

und Einschränkungen.[128] So waren die Staaten im Außenverhältnis, im Bestreben ihre eigene Machtposition auszuweiten, immer auch von der Reaktion der anderen Staaten abhängig. Man denke hier beispielsweise nur an die ausgeprägte Bündnispolitik des Deutschen Kaiserreichs. Die Messlatte der absoluten Souveränität war somit schon immer ungeeignet, zumal ihr jeglicher normativer Mehrwert fehlt. Die Öffnung der Staaten zur Kooperation und das Eingehen von Bindungen ist vielmehr Beweis und Ausdruck der staatlichen Souveränität als für deren Auflösung.[129]

Die Abneigung gegen den Begriff liegt aber auch in seiner historischen Belastung begründet. Die überspitzen nationalen Bestrebungen Mitte des 20. Jahrhunderts haben letztlich das Konzept der Souveränität, mit der ihm seit Anfang an innewohnenden Entwicklungsoffenheit, zu ihren Zwecken missbraucht. Diese negative Belastung darf jedoch nicht von dem auch heute noch relevanten Kern der Souveränität ablenken, zumal eine bloße Umdeklarierung etwa in Unabhängigkeit oder Völkerrechtsunmittelbarkeit nicht zielführend ist.[130] Zudem wäre der teilweise geforderte Verzicht auf staatliche Souveränität höchst problematisch. So basiert die heutige zwischenstaatliche Völkerrechtsordnung auf souveränen Staaten. Wie *di Fabio* trefflich beschreibt, ist die Souveränität *„derjenige Baustein im Gebilde […], der nicht hinausbewegt werden kann, ohne daß die gesamte Architektur zum Einsturz käme."*[131] Denn die souveränen Staaten sind essentiell für die Legitimation und die Effektivität der heutigen Völkerrechtsordnung. In der Völkerrechtsordnung als Konsensordnung fußt die Rechtsbildung auf den einzelnen souveränen Staaten. Diese sichern durch die Zustimmung nach ihren jeweiligen innerstaatlichen Verfassungen mittelbar das entstandene Völkerrecht ab. Im Falle von demokratischen Verfassungsstaaten bedeutet dies darüber hinaus eine demokratische Legitimation völkerrechtlicher Normen. Eine solche Legitimationsstruktur kann die internationale Ordnung aus sich heraus (zumindest) heute noch nicht leisten. Vielmehr entstünden ohne die Mediatisierung durch souveräne Staaten vom Willen der Bürger losgelöste

---

128 So bereits *Kelsen*, Das Problem der Souveränität und die Theorie des Völkerrechts, unveränd. Neudruck der 2. Aufl. 1928, S. 7; *Hillgruber*, JZ 2002, 1072, 1073.

129 *Hillgruber*, JZ 2002, 1073, 1076; *Herrmann*, Währungshoheit, Währungsverfassung und subjektive Rechte, 2010, S. 92.

130 *Randelzhofer*, § 17 Staatsgewalt und Souveränität, in: Isensee/Kirchhof, HStR II, 3. Aufl. 2004, Rdnr. 8.

131 *Di Fabio*, Das Recht offener Staaten, 1998, S. 124.

Herrschaftsstrukturen, die eine „*globale [...] Despotie*“ möglich erscheinen lassen.[132]

Gleichzeitig würde ein Verzicht auf staatliche Souveränität auch die Effektivität der Rechtsdurchsetzung insgesamt beeinträchtigen. Kraft Bündelung der Herrschaftsbefugnisse auf eine übergeordnete, souveräne staatliche Ebene, sind nur Staaten zum effektiven Vollzug von Recht auf ihrem Hoheitsgebiet fähig. Hingegen ist eine internationale Ordnung nicht fähig, das von ihr gesetzte Recht durchzusetzen, da sie nicht über die notwendigen Strukturen verfügt. Eine Abkehr von der Souveränität würde daher einen gewaltigen Effektivitätsverlust bedeuten.

Souveränität verstanden als gebündelte Herrschaftsmacht verhindert das Nebeneinander diverser mit Herrschaftsbefugnissen ausgestatteter Akteure und somit schließlich eine „Refeudalisierung“ der Herrschaftsmacht.[133] Denn mit der Aufteilung von Herrschaftsbefugnissen auf eine Vielzahl von Trägern gehen Zurechnungsunsicherheiten sowie die eben dargestellten Legitimations- und Effektivitätslücken einher. Um diesen Rückschritt zu vermeiden ist ein „*normativer Zurechnungsendpunkt*“ in Form eines Souveräns rechtstheoretisch unverzichtbar.[134] Nun erscheint es durchaus denkbar, diesen Zurechnungsendpunkt auf eine höhere Ebene zu verlagern und gleichsam zu globalisieren.[135] Aber wie *Seiler* zutreffend untersuchte, sind weder die UN, die internationale Gemeinschaft oder das Völkerrecht in ihrer heutigen Gestalt dafür geschaffen den Staat als Souverän zu ersetzen.[136]

---

132 *Oeter*, Souveränität – ein überholtes Konzept?, in: FS Steinberger, 2002, 259, 287 ff.; positiver bezüglich der Füllung der entstehenden Legitimationslücke *Di Fabio*, Das Recht offener Staaten, 1998, S. 129 ff.

133 *Oeter*, Souveränität – ein überholtes Konzept?, in: FS Steinberger, 2002, 259, 289; *Seiler*, Der souveräne Verfassungsstaat zwischen demokratischer Rückbindung und überstaatlicher Einbindung, 2005, S. 207.

134 *Seiler*, Der souveräne Verfassungsstaat zwischen demokratischer Rückbindung und überstaatlicher Einbindung, 2005, S. 205 ff.

135 Zur Schwierigkeit eines Ersatzes *Jackson*, Sovereignty: Outdated Concept or New Approaches, in: Shan/Simons/Singh, Redefining Sovereignty in International Economic Law, 2008, S. 3, 11: “[...] [S]overeignty is deeply interwoven into the fabric of international law, and to abandon, wholesale, the concept of ‘sovereignty’ requires a very serious thought about a substitue that could efficiently fill the gaps left by its absence.”

136 *Seiler*, Der souveräne Verfassungsstaat zwischen demokratischer Rückbindung und überstaatlicher Einbindung, 2005, S. 205 ff.

Das Konzept der souveränen Staatlichkeit ist folglich zumindest in der heutigen Situation ohne Alternative. Es garantiert Effektivität und Legitimität und schafft somit auch die Basis für eine funktionierende internationale Ordnung. Aber mit der ihr innewohnenden Entwicklungsoffenheit ist die Souveränität ebenso dafür gerüstet, eine weiterschreitende Öffnung der Verfassungsstaaten zu begleiten.[137]

C. Aktuelle Souveränitätskonzeption und ihre Grenzen

I. Kategorisierung des Souveränitätsdogmas

Das Verständnis der Souveränität wird nicht nur durch die historische Bedingtheit des Begriffs, sondern auch durch seine vielgestaltigen Bedeutungsinhalte erschwert. Gängig ist die Unterscheidung zwischen positiver, negativer, innerer, äußerer, politischer und rechtlicher Souveränität.[138] Die Differenzierungen ermöglichen zwar eine konkretere Auseinandersetzung mit dem ansonsten sehr abstrakten Phänomen, doch dürfen die Differenzierungen nicht als chinesische Mauern verstanden werden, sondern vielmehr als verschiedene Facetten eines Phänomens.[139] So ist der Übergang zwischen den einzelnen Kategorien entweder fließend wie beispielsweise zwischen der rechtlichen und politischen Souveränität oder beide Merkmale ergänzen einander. Da eine juristische Untersuchung der Souveränität erfolgen soll ist zunächst festzustellen, inwieweit es sich bei der Souveränität überhaupt um einen Rechtsbegriff handelt und wie dieser von der politischen Souveränität abzugrenzen ist.

1. Souveränität ein Rechtsbegriff?

Neben der rechtlichen weist der Begriff der Souveränität seit jeher auch eine politische Dimension auf.[140] Eine saubere Trennung der beiden Kategorien ist schwierig, denn wie *Krüger* richtig feststellt steht *„die Souveränität auf der*

---

137 *Breuer*, Souveränität in der Staatengemeinschaft, in: FS Klein, 2013, 747, 764.

138 Vgl. hierzu *Schwarzenberger*, The Forms of Sovereignty, CLP 1957, 264; *Dicke*, Die Intervention mit wirtschaftlichen Mitteln im Völkerrecht, 1978, S. 56 ff.; *Müller-Wewel*, Souveränitätskonzepte im geltenden Völkerrecht, 2003, S. 172 ff.

139 Auf die Gefahr der isolierten Betrachtung verweist auch *Müller-Wewel*, Souveränitätskonzepte im geltenden Völkerrecht, 2003, S. 171.

140 So bemerkt auch *Kelsen*: „Wie kein anderer Begriff hat gerade derjenige der Souveränität das theoretische Mäntelchen für höchst praktische Postulate abgegeben [...].", *Kelsen*, Das Problem der Souveränität und die Theorie des Völkerrechts, unveränd. Neudruck der 2. Aufl. 1928, S. 1.

Grenze zwischen Recht und Wirklichkeit".[141] Dem Konzept der Souveränität wohnt seit jeher ein starker Machtbezug inne, von dem auch *Carl Schmitts* viel zitierter Grundsatz *„Souverän ist, wer über den Ausnahmezustand entscheidet"* geprägt ist.[142] Denn der Natur des Ausnahmezustands ist es geschuldet, dass sich in diesem faktische Macht gegen rechtliche Ordnung durchsetzt.[143] Ohne die enge Verzahnung von Recht und Macht zu leugnen, ist eine Unterscheidung des rechtlichen und politischen Verständnisses von Souveränität methodisch vorzuziehen, denn beide Methoden verfolgen unterschiedliche Erkenntnisziele.[144]

Die Politikwissenschaft rückt die tatsächliche Machtentfaltung in den Mittelpunkt ihrer Betrachtung und untersucht, inwiefern ein Staat *„alle wesentlichen Staatsfunktionen selbstständig ausüben"* kann.[145] Entscheidend ist, ob der Staat die Fähigkeit besitzt seine Entscheidungen ohne äußere Einflüsse zu treffen. Wird in der Öffentlichkeit über schwindende Souveränität eines Staates geklagt, bezieht sich dies meist auf dessen fehlende Fähigkeit seine politische Position in einer Sachmaterie durchzusetzen. Denkt man diesen Ansatz weiter, so dürften in der heutigen Staatenordnung tatsächlich nur noch sehr wenige Staaten als souverän gelten. Denn in der heutigen globalisierten Welt unterliegen Staaten vielfältigen faktischen Abhängigkeiten, sodass in letzter Konsequenz vielleicht nur noch die Atommächte als wirklich souverän bezeichnet werden können. Aber selbst diese haben sich durch Abkommen und Mitgliedschaften in internationalen Organisationen vielfältigen Bindungen unterworfen. Die Annahme einer absoluten politischen Souveränität ist somit eine Illusion, vielmehr kann es immer nur um graduelle Abstufungen politischer Souveränität gehen. Wegen seiner Koppelung an tatsächliche politische Gegebenheiten leidet der politische Souveränitätsbegriff an Vagheit.[146] Daher ist das politische Verständnis der Souveränität für juristische Zwecke ungeeignet.

An dieser Stelle tritt der Mehrwert des juristischen Souveränitätsbegriffs zu Tage, denn *„als Rechtsbegriff fragt er nicht nach dem Sein der Staatspraxis, sondern dem Sollen im Konfliktfall"*.[147] Die aus der Souveränität folgende

---

141 *Krüger*, Souveränität und Staatengemeinschaft, in: Deutsche Gesellschaft für Völkerrecht, Zum Problem der Souveränität, 1957, S. 1.

142 *Schmitt*, Politische Theologie, 2. Ausg. 1934, S. 11.

143 Zum starken politischen Bezug von *Schmitts* Ansatz *di Fabio*, Das Recht offener Staaten, 1998, S. 123.

144 *Koppensteiner*, Die europäische Integration und das Souveränitätsproblem, 1963, S. 24.

145 *Verdross/Simma*, Universelles Völkerrecht, 3. Aufl. 2010, § 36.

146 *Verdross/Simma*, Universelles Völkerrecht, 3. Aufl. 2010, § 36; *Herrmann*, Währungshoheit, Währungsverfassung und subjektive Rechte, 2010, S. 90.

147 *Di Fabio*, Das Recht offener Staaten, 1998, S. 124.

Letztentscheidungsbefugnis nach innen und nach außen ist normativ.[148] Denn diese ist nicht (mehr) gottgegeben, sondern entspringt dem Recht. Aus ihrer Normativität folgen ihre rechtliche Einbindung und gleichzeitig ihre Begrenzbarkeit durch Recht.[149] Insofern erlaubt der normative Begriff eine abstraktere und zugleich differenziertere Betrachtung des Phänomens der Souveränität. Wer ein normatives Verständnis von Souveränität ablehnt, deklassiert Souveränität letztlich zu einem Synonym für politische Macht und entwertet damit dessen Begriffsinhalt.

Obwohl Souveränität ein Rechtsbegriff ist, erscheint es falsch, die politische Dimension der Souveränität als irrelevant abzuweisen. Denn normative Souveränität ohne jegliche politische Macht ist nicht vorstellbar. Ein Minimum an politischer Souveränität muss man logischerweise für die Existenz normativer Souveränität voraussetzen.[150] Auch wenn den beiden Dimensionen unterschiedliche Bedeutungsinhalte zugeordnet sind und diese deshalb auch auseinanderfallen können, ist eine definitive Unterscheidung zwischen normativer und politischer Souveränität nicht möglich. *Besson* beschreibt das Verhältnis deshalb als *„imperfect logical relationship“* also eine unvollkommene logische Beziehung.[151]

Um die Situation eines souveränen Schuldnerstaates im Umfeld seiner Insolvenz richtig einzuordnen, darf man richtigerweise die duale Struktur von Souveränität bestehend aus der tatsächlichen Fähigkeit Hoheitsmacht wirksam auszuüben und dem dahinterstehenden normativen Konzept nicht leugnen. In Kenntnis der grundlegenden Unterschiedlichkeit der Konzepte, wird, um Verwechslungen in dieser Arbeit entgegenzuwirken, die politische Souveränität im Folgenden als Autonomie bezeichnet, während mit Souveränität das normative Konzept der Souveränität gemeint ist.[152]

---

148 *Randelzhofer,* § 17 Staatsgewalt und Souveränität, in: Isensee/Kirchhof, HStR II, 3. Aufl. 2004, Rdnr. 23.

149 *Hillgruber,* JZ 2002, 1072, 1073.

150 *Müller-Wewel,* Souveränitätskonzepte im geltenden Völkerrecht, 2003, S. 184.

151 *Besson,* Sovereignty, in: MPEPIL, Stand: April 2011, Rdnr. 63; Ebenso *Howse,* Sovereignty, Lost and Found, in: Shan/Simons/Singh, Redefining Sovereignty in International Economic Law, 2008, S. 75:
"In understanding the significance of globalisation [...] for sovereignty we must always bear in mind the fundamentally dual or ambiguous nature of the concept – that it remains both a statement of a normative ideal [...] and a judgement about the actual capacity of states [...] to affect or determine outcomes."

152 Vgl. dazu *Teusch,* Die Staatengesellschaft im Globalisierungsprozess, 2003, S. 85 f.

2. *Die innere und äußere Souveränität*

Des Weiteren wird im Schrifttum eine Unterscheidung zwischen der äußeren und inneren Dimension der Souveränität vorgenommen.[153] Innere Souveränität bezieht sich auf die Binnenstruktur eines Staates und bedeutet das Vorhandensein einer höchsten, ungeteilten Herrschaftsgewalt.[154] Diese Gewalt zeichnet sich dadurch aus, dass ihr die alleinige Rechtsetzungs- und Rechtsdurchsetzungsbefugnis zukommt, auch wenn diese durch verschiedene Instanzen ausgeübt wird.[155] Die äußere Souveränität hingegen bezeichnet die Unabhängigkeit eines Staates in seinen Beziehungen nach außen.[156]

Gleichwohl ist zu beachten, dass die Unterscheidung zwischen innerer und äußerer Souveränität *„in gewisser Weise künstlich"* ist.[157] Vielmehr stellen beide Formen keine unabhängigen rechtlichen Kategorien dar, sondern vielmehr zwei Seiten derselben Medaille.[158] Denn ein Mindestmaß an innerer Souveränität ist Voraussetzung für die Existenz als Staat und somit auch für das Bestehen von äußerer Souveränität. Zudem ist denkbar, dass äußere Abhängigkeiten auch auf die innere Souveränität durchschlagen, wenn z.B. aufgrund äußerer Einflussnahme eine unabhängige Rechtssetzung nicht mehr möglich ist.

---

153 *Dicke,* Die Intervention mit wirtschaftlichen Mittel im Völkerrecht, 1978, S. 68 ff.; *Hillgruber,* JZ 2002, 1072, 1074; *Müller-Wewel,* Souveränitätskonzepte im geltenden Völkerrecht, 2003, S. 203; *Randelzhofer,* § 17 Staatsgewalt und Souveränität, in: Isensee/Kirchhof, HStR II, 3. Aufl. 2004, Rdnr. 24; *Schliesky,* Souveränität und Legitimität von Herrschaftsgewalt, 2004, S. 124.

154 *Dicke,* Die Intervention mit wirtschaftlichen Mitteln im Völkerrecht, 1978, S. 59; *Verdross/Simma,* Universelles Völkerrecht, 3. Aufl. 2010, § 35.

155 *Schließky,* Souveränität und Legitimität von Herrschaftsgewalt, 2004, S. 147 f.; *Zippelius,* Allgemeine Staatslehre, 16. Aufl. 2010, S. 53 f.

156 *Dicke,* Die Intervention mit wirtschaftlichen Mitteln im Völkerrecht, 1978, S. 59; *Hillgruber,* JZ 2002, 1072, 1074; *Randelzhofer,* § 17 Staatsgewalt und Souveränität, in: Isensee/Kirchhof, HStR II, 3. Aufl. 2004, Rdnr. 23; diese Umschreibung beruht letztlich auf dem Schiedsspruch *Hubers* im *Islands of Palmas*-Fall vom 4.4.1928 "Sovereignty in the relations between States signifies independence.", Reports of International Arbitral Awards II, S. 831, 838.

157 *Doehring,* Internationale Organisationen und Souveränität, in: Festgabe Forsthoff, 1967, 105, 110.

158 *Dicke,* Die Intervention mit wirtschaftlichen Mitteln im Völkerrecht, 1978, S. 59 f.; *Müller-Wewel,* Souveränitätskonzepte im geltenden Völkerrecht, 2003, S. 209; *Randelzhofer,* § 17 Staatsgewalt und Souveränität, in: Isensee/Kirchhof, HStR II, 3. Aufl. 2004, Rdnr. 24; *Schließky,* Souveränität und Legitimität von Herrschaftsgewalt, 2004, S. 124;

Ein einprägsames Beispiel für diesen Zusammenhang bietet die Geschichte des Fürstentums Andorra. Dieses unterstand historisch bedingt der geteilten Herrschaftsgewalt des Bischofs von Urgell und des jeweiligen französischen Staatsoberhaupts. Als sog. Kondominium wurde Andorra keine Völkerrechtssubjektivität und folglich keine äußere Souveränität zuerkannt. Mit dem Erlass der Verfassung 1993, die die Rechte des Bischofs von Urgell und des französischen Staatsoberhaupts auf repräsentative Aufgaben beschränkte und das Fürstentum Andorra schuf, wurde Andorra zunächst nach innen souverän. Mit der darauffolgenden Aufnahme in die UN folgte schließlich auch die Anerkennung äußerer Souveränität.[159]

Als Ausnahme zu dieser gegenseitigen Bedingtheit von innerer und äußerer Souveränität werden Protektorate wie z.B. das Fürstentum Monaco angeführt.[160] Das Fürstentum hat sich verpflichtet völkerrechtliche Verträge nur nach vorheriger Zustimmung Frankreichs abzuschließen, während es nach innen volle Gebiets- und Territorialhoheit besitzt.[161] Daher genieße ein Protektorat zwar innere, aber keine äußere Souveränität.[162] Diese Einschätzung geht jedoch fehl, da Monaco seine Vertragsabschlusskompentenz aufgrund der jederzeitigen Rückholbarkeit nicht endgültig auf Frankreich übertragen hat. Vielmehr bleibt Monaco damit nach außen souverän, auch wenn seine äußere Souveränität eine sehr weitgehende Beschränkung erfahren hat.[163]

Obwohl also die Praktikabilität der Differenzierung zwischen innerer und äußerer Souveränität durchaus in Zweifel gezogen werden kann, ist sie dennoch zweckmäßig, da sich die rechtlichen Betrachtungsebenen eindeutig unterscheiden. Während die innere Souveränität am Verfassungsrecht gemessen wird, ist die äußere Souveränität Gegenstand des Völkerrechts.[164] Ohne den inneren Zusammenhang der beiden Dimensionen zu vergessen, soll daher im Folgenden an der Differenzierung festgehalten werden. Da in der vorliegenden Arbeit die Situation eines Staates in seiner Insolvenz beleuchtet wird und die äußeren Beschränkungen, denen ein Staat in dieser besonderen Situation unterliegt, im Fokus stehen werden, wird die Darstellung der insofern relevanten äußeren Souveränität den Schwerpunkt bilden.

---

159 Vgl. *Stein/von Buttlar/Kotzur,* Völkerrecht, 14. Aufl. 2016, Rdnr. 286; *von Arnauld,* Völkerrecht, 3. Aufl. 2016, Rdnr. 95.

160 *Besson,* Sovereignty, in: MPEPIL, Stand: April 2011, Rdnr. 73.

161 *Stein/von Buttlar/Kotzur,* Völkerrecht, 14. Aufl. 2016, Rdnr. 287, 302 ff.

162 *Besson,* Sovereignty, in: MPEPIL, Stand: April 2011, Rdnr. 73.

163 Ähnlich zu Protektoraten *von Arnauld,* Völkerrecht, 3. Aufl. 2016, Rdnr. 95.

164 So auch *Müller-Wewel,* Souveränitätskonzepte im geltenden Völkerrecht, 2003, S. 209.

II. Die aktuelle Konzeption der äußeren Souveränität

1. Rechtliche Grundlagen

a) Rechtliche Verankerung

Bevor die inhaltliche Auseinandersetzung mit dem Souveränitätsprinzip erfolgt stellt sich die Frage, ob und wie dieses rechtlich verankert ist. Problematisch an dieser Stelle ist, dass Souveränität nicht nur als ein Prinzip des Völkerrechts, sondern zugleich auch als eine seiner Quellen angesehen wird.[165] Wäre die Souveränität selbst eine Quelle des Völkerrechts, wäre eine Rechtsgrundlage nicht auszumachen. Doch scheint die Einstufung als Völkerrechtsquelle verfehlt, auch wenn man das gewöhnliche Verständnis einer Völkerrechtsquelle i.S.d. Art. 38 I IGH-Statut ausblendet. So folgt aus der Souveränität selbst nicht unmittelbar das Völkerrecht.

Die Feststellung, dass Souveränität Quelle des Völkerrechts sei, bezieht sich vielmehr auf die antiquierte Vorstellung, Völkerrecht könne allein auf der Grundlage staatlichen Konsenses entstehen. Mit der heutigen Völkerrechtsordnung stimmt dieses Verständnis jedoch nicht mehr überein.[166] Denn beim Abschluss völkerrechtlicher Verträge spielen die souveränen Staaten zwar eine gewichtige Rolle, doch auch internationale Organisationen kommen als potentielle Vertragsparteien infrage. Ein ähnliches Bild ergibt sich bei der Entstehung von Völkergewohnheitsrecht. Hier ist die Praxis der souveränen Staaten ebenfalls von großer Bedeutung, allerdings kann ein Staat sich auch durch entgegenstehende Übung nicht mehr den elementaren Regeln des *ius-cogens* entziehen.

Obwohl sie keine Quelle des Völkerrechts ist, kann die Souveränität doch als ein grundlegendes Prinzip des Völkerrechts bezeichnet werden.[167] Als solches müsste die staatliche Souveränität aber auch auf eine rechtliche, wenn auch nicht unbedingt geschriebene Grundlage zurückzuführen sein. Zunächst stößt man auf die kodifizierte Verankerung des Prinzips der Souveränität in Art. 2 Nr. 1 UN-Charta. Allerdings wird in Art. 2 Nr. 1 UN-Charta nicht die Souveränität an sich, sondern der Grundsatz der souveränen Gleichheit statuiert.[168] Aus der Gründungsgeschichte der UN ergibt sich, dass die Souveränität ganz

---

165 „[…] both a source of international law and international law-based […]", *Besson*, Sovereignty, in: MPEPIL, Stand: April 2011, Rdnr. 85.

166 Vgl. S. 43.

167 "The sovereignty of states represents the basic constitutional doctrine of the law of nations […].", *Crawford*, Brownlie's Principles of Public International Law, 8. Aufl. 2012, S. 447.

168 Art. 2 UN-Charta lautet: "The Organization and its Members, in pursuit of the Purposes stated in Article 1, shall act in accordance with the following Principles.

bewusst zu einem *„attributiven Adjektiv“* der Gleichheit degradiert wurde.[169] Durch diese Formulierung wurde über die Hervorhebung der Gleichheit die dafür denknotwendige Eingliederung der Staaten in die internationale Gemeinschaft in den Mittelpunkt gestellt, während die wechselseitige Unabhängigkeit der Staaten untereinander beibehalten wurde.[170] Die Verbundenheit zur internationalen Gemeinschaft wird weiterhin durch die Interpretation des Prinzips der souveränen Gleichheit in der *Friendly Relations Declaration*, welche von allen Mitgliedstaaten der Vereinten Nationen abgeschlossenen wurde,[171] bekräftigt:

> *"All States enjoy sovereign equality. They have equal rights and duties and are equal members of the international community, notwithstanding differences of an economic, social, political or other nature."*

Es lässt sich folglich festhalten, dass das Prinzip der Souveränität im Völkerrecht nicht ausdrücklich kodifiziert wurde, wohl aber als Attribut des Gleichheitsprinzips. Jedenfalls dürfte es sich beim Prinzip der Souveränität jedoch um einen durch die Staatenpraxis erstarkten völkergewohnheitsrechtlichen Grundsatz handeln.[172] Hinsichtlich der territorialen Souveränität geht auch der IGH in seiner Rechtsprechung explizit von einer gewohnheitsrechtlichen Verfestigung des Souveränitätsprinzips aus.[173]

b) Teil des ius-cogens

Außerdem verbleibt die Frage, ob das Prinzip der Souveränität Bestandteil des *ius-cogens* ist. Als solches würde ihm zwar – aufgrund der fehlenden

---

1. The Organization is based on the principle of the sovereign equality of all its Members. […]." Der Begriff der souveränen Gleichheit wurde auf der Konferenz von San Francisco ausdrücklich als neuer Terminus eingeführt, vgl. dazu *Fassbender/Bleckmann*, Art. 2 (1), in: Simma u.a., The Charter of the United Nations, 2. Aufl. 2002, Rdnr. 45 f.

169 *Fassbender*, Die Souveränität des Staates als Autonomie im Rahmen der völkerrechtlichen Verfassung, in: FS Jayme, 2004, S. 1094.

170 *Fassbender*, Die Souveränität des Staates als Autonomie im Rahmen der völkerrechtlichen Verfassung, in: FS Jayme, 2004, S. 1094 f.

171 Declaration on Principles of International Law concerning Friendly Relations and Co-operation among States in accordance with the Charter of the United Nations, UN-Dok. A/RES/25/2625.

172 *Besson*, Sovereignty, in: MPEPIL, Stand: April 2011, Rdnr. 87.

173 ICJ Rep. 1949, 4, 35, *The Corfu Channel Case*; ICJ Rep. 1986, 14, Rdnr. 212, *Nicaragua*.

Normenhierarchie des Völkerrechts – wohl kein höherer Rang,[174] aber doch jedenfalls eine verfestigte Geltungskraft zukommen.[175] Art. 53 S. 2 WVK definiert als *ius-cogens*-Norm *„eine Norm, die von der internationalen Staatengemeinschaft in ihrer Gesamtheit angenommen und anerkannt wird als eine Norm, von der nicht abgewichen werden darf und die nur durch eine spätere Norm des allgemeinen Völkerrechts derselben Rechtsnatur geändert werden kann."* Einheitlich als *ius-cogens* Normen anerkannt sind das Gewaltverbot, das Verbot des Völkermordes und des Sklavenhandels, die Achtung elementarer Menschenrechte und das Verbot der Apartheid.[176] Über die Zugehörigkeit des Souveränitätsprinzips zu den *ius-cogens* Normen herrscht indes Uneinigkeit. *Besson* subsumiert das Souveränitätsprinzip aufgrund seiner grundlegenden Bedeutung und allgemeinen Anerkennung durch die internationale Gemeinschaft unter die Definition des Art. 53 S. 2 WVK und geht somit von dem Vorliegen einer *ius-cogens*-Norm aus.[177] Andere Literaturstimmen vertreten hingegen, dass das Prinzip der Souveränität als Strukturnorm des Völkerrechts zu unbestimmt sei, um Bestandteil des *ius-cogens* zu sein.[178]

Strukturnormen grundsätzlich als *ius-cogens*-Normen auszuschließen ist in dieser Generalität nicht nachvollziehbar. Nicht nur, dass das Völkerrecht den Terminus der Strukturnorm selbst nicht kennt,[179] sondern auch, dass es nicht überzeugt warum eine grundlegende völkerrechtliche Ordnungsstruktur nicht Teil des *ius-cogens* sein sollte; ist doch gerade eine perpetuierte formelle Ordnung entscheidend für Stabilität einer rechtlichen Ordnung. Dementsprechend schützen diverse nationale Verfassungen formelle Strukturen durch eine Art Ewigkeitsklausel. Ein Beispiel bildet das deutsche Grundgesetz. Dieses garantiert

174 Von einem höheren Rang der *ius cogens*-Normen geht dagegen beispielsweise *von Arnauld,* Völkerrecht, 3. Aufl. 2016, Rdnr. 285, 290 aus.

175 *Stein/von Buttlar/Kotzur,* Völkerrecht, 14. Aufl. 2016, Rdnr. 147; *Dahm/Delbrück/Wolfrum*, Völkerrecht, Bd. I/3, 2. Aufl. 2002, S. 711.

176 *Von Arnauld,* Völkerrecht, 3. Aufl. 2016, Rdnr. 288.

177 *Besson,* Sovereignty, in: MPEPIL, Stand: April 2011, Rdnr. 89; dafür auch *zu Dohna,* Die Grundprinzipien des Völkerrechts über die freundschaftlichen Beziehungen und die Zusammenarbeit zwischen den Staaten, 1973, S. 235, der zumindest die institutionelle Garantie der Souveränität als *ius cogens* einstuft.

178 *Dahm/Delbrück/Wolfrum*, Völkerrecht, Bd. I/3, 2. Aufl. 2002, S. 716; *Heintschel von Heinegg,* in: Ipsen, Völkerrecht, 6. Aufl. 2014, § 16 Rdnr. 60; ein falsches Souveränitätsverständnis zugrundelegend *Mosler,* SchwJIR 1968, 9, 35 f.

179 Terminologie entwickelt von *Mosler,* SchwJIR 1968, 9, 33, der unter Strukturnorm „Normen, die aus dem organisatorischen Gefüge der Staatengesellschaft herrühren" versteht.

über die Ewigkeitsklausel des Art. 79 III GG diversen Strukturvorgaben wie beispielsweise der föderalen Ordnung der Bundesrepublik einen intensiven Schutz.[180] Aber auch die amerikanische Verfassung enthält eine strukturelle Sicherung des Föderalismus, indem sie in Art. 5 bestimmt, dass *„keinem Staat [...] ohne seine Zustimmung das gleiche Stimmrecht im Senat entzogen werden [darf]"*.[181]

Das Ausschlusskriterium der Unbestimmtheit vermag grundsätzlich zu überzeugen, da eine Norm, deren Inhalt zu unbestimmt ist um ihre Verletzung festzustellen, auch nicht von der verfestigten Geltungskraft einer *ius-cogens* Norm profitieren kann. Gleichzeitig muss man sich vor Augen halten, dass auch den bereits anerkannten Normen des *ius-cogens* ein gewisser Auslegungsspielraum innewohnt wie beinahe jeder juristischen Norm. So ist das als *ius-cogens* allseits anerkannte Gewaltverbot ebenfalls nicht abschließend definiert. Aktuell wird eine ungeschriebene Ausnahme zum Gewaltverbot in Fällen schwerer Menschenrechtsverletzungen (sog. *responsibility to protect*) kontrovers diskutiert.[182] Selbst anerkannte zwingende Völkerrechtsnormen sind somit nicht abschließend geklärt und bieten Raum für Auslegung.

Das Souveränitätsprinzip scheint zunächst aufgrund seines sich historisch ständig wandelnden Bedeutungsinhalts wahrlich nicht präzise umgrenzt zu sein.[183] Allerdings sind in erster Linie die sich aus der Souveränität ergebenen Rechte und Pflichten von Veränderungen umfasst, während der Bestand des Prinzips der souveränen Staatlichkeit an sich, gleichsam einer institutionellen Garantie, über Jahrhunderte unverändert geblieben ist und auch von der internationalen Gemeinschaft bisher – trotz mancher Weltstaatsutopien – nicht ernsthaft infrage gestellt wurde.[184] Die Souveränität als institutionelle Garantie und somit gerade auch als Strukturnorm als *ius-cogens* zu klassifizieren ist durchaus zu befürworten. Denn als solche erfüllt sie zum einen die durch die

---

180 Vgl. zum Schutz der föderalen Ordnung der Bundesrepublik ausführlich *Herdegen,* in: Maunz/Dürig, GG-Kommentar, Loseblatt, Art. 79 GG, Rdnr. 87 ff., 96 ff., 152 ff.

181 Weitere strukturelle Sicherungen finden sich u.a. auch in der französischen, griechischen oder türkischen Verfassung, vgl. dazu ausführlich *Häberle,* Verfassungsrechtliche Ewigkeitsklauseln, in: FS Haug, 1986, S 81, 84 ff.

182 Ausführlich zur Responsibility to Protect u.a. *Verlage,* Responsibility to protect, 2009; *Kolb,* The responsibility to protect in international law, 2011.

183 Zur historischen Bedingtheit des Prinzips siehe S. 37 ff.

184 Diese Differenzierung nimmt auch *zu Dohna,* Die Grundprinzipien des Völkerrechts über die freundschaftlichen Beziehungen und die Zusammenarbeit zwischen den Staaten, 1973, S. 235, vor.

WVK aufgestellten Kriterien, zum anderen ist sie als Institutsgarantie nicht zu unbestimmt.

Insgesamt ist jedoch anzumerken, dass die Bedeutung des *ius-cogens* an sich in der Staatenpraxis sowie der Spruchpraxis der internationalen Gerichte eher auf geringe Resonanz stößt, sodass die Frage nach der Zugehörigkeit zum *ius-cogens* nicht zu hoch gehängt werden sollte.[185]

2. Äußere Souveränität als Völkerrechtsunmittelbarkeit

a) Äußere Souveränität als ein vom „Völkerrecht definierter Rechtsstatus“[186]?

Es bleibt zu untersuchen, welcher Inhalt dem völkergewohnheitsrechtlichen Prinzip der Souveränität in seiner heutigen Konzeption zugemessen wird. Noch Anfang des 19. Jahrhunderts wurde die völlige Unabhängigkeit der einzelnen Staaten zur obersten Prämisse erhoben. Exemplarisch für dieses Verständnis statuierte *Max Huber* 1928 in seinem Schiedsspruch im *Las Palmas* Fall: *„Sovereignty in the relations between States signifies independence.“*[187] Mit dem Übergang vom Koexistenz- zum Kooperationsvölkerrecht Mitte des 19. Jahrhunderts änderte sich auch die Souveränitätskonzeption.

Das heute bestehende Souveränitätsverständnis ist von einem starken Völkerrechtsbezug geprägt. Nicht mehr der von allen und allem unabhängige Staat steht im Mittelpunkt des Verständnisses, sondern ein in die Völkerrechtsordnung ein- und untergeordneter Staat. Eine im Schrifttum vertretene Ansicht geht sogar soweit, die Souveränität als vom Völkerrecht vollständig abhängiges Institut darzustellen. Die Souveränität sei ein vom *„Völkerrecht definierter Rechtsstatus“*.[188] Die Lehre von der „absoluten Völkerrechtsbindung“ geht jedoch zu weit, denn sie degradiert das Prinzip der Souveränität zu einer inhaltslosen Hülle. Würde der Inhalt der Souveränität nur noch durch den jeweiligen Status des Völkerrechts bestimmt und somit einem ständig andauernden Änderungsperpetuum unterworfen, dann wäre das Prinzip der Souveränität ohne Mehrwert

185 *Heintschel von Heinegg*, in: Ipsen, Völkerrecht, 6. Aufl. 2014, § 16 Rdnr. 53 ff.

186 *Fassbender*, Die Souveränität des Staates als Autonomie im Rahmen der völkerrechtlichen Verfassung, in: FS Jayme, 2004, S. 1095.

187 RIAA, Band II, S. 838.

188 *Fassbender*, Die Souveränität des Staates als Autonomie im Rahmen der völkerrechtlichen Verfassung, in: FS Jayme, 2004, S. 1095; ähnlich *Oeter*, Souveränität – ein überholtes Konzept, in: FS Steinberger, 2002, 259, 276; so auch schon *Kelsen*, Das Problem der Souveränität und die Theorie des Völkerrechts, unveränd. Neudruck der 2. Aufl. 1928.

und schließlich redundant. Vielmehr würden alle relevanten Rechtssätze vom übergeordneten Völkerrecht bereitgestellt. Wer also die Existenz und den Inhalt des Souveränitätsprinzips an den jeweiligen Stand des Völkerrechts knüpft, der verkennt die Staaten als genuine Völkerrechtssubjekte mit der ihnen inhärenten Herrschaftsgewalt.[189] Die Lehre von der „absoluten Völkerrechtsbindung" geht daher zu weit.

b) Völkerrechtsunmittelbarkeit als wesentliches Kriterium

Die herrschende Auffassung beschreibt äußere Souveränität als „Völkerrechtsunmittelbarkeit".[190] Völkerrechtsunmittelbar ist ein Staat dann, wenn er nicht anderen Staaten und deren Rechtsordnungen untergeordnet ist, sondern unabhängig über seine inneren und äußeren Angelegenheiten entscheiden kann. In seiner Willensausübung ist er allein an die allgemeinen Regeln des Völkerrechts gebunden. Weiteren Bindungen unterliegt ein Staat nur, sofern er diesen zustimmt.[191] Die Völkerrechtsordnung stellt eine Koordinationsordnung dar, in der jede Rechtserzeugung von zwischenstaatlichem Konsens getragen sein muss.[192] Nach der Souveränitätskonzeption Anfang des 19. Jahrhunderts noch völlig undenkbar bedeutet heute Souveränität Unabhängigkeit im Ordnungsrahmen des Völkerrechts. Dadurch wird anerkannt, dass Staaten heute in einer internationalen Völkerrechtsordnung eingebunden sind.

Die Beschreibung von äußerer Souveränität als Völkerrechtsunmittelbarkeit ist jedoch nicht ohne Kritik geblieben. Schon *Verdross* kritisierte das Kriterium der Völkerrechtsunmittelbarkeit als unzulänglich. Denn auch internationale Organisationen gelten als Völkerrechtssubjekte und sind als solche quasi völkerrechtsunmittelbar. Sogar Individuen werden heute insbesondere im Rahmen

---

189 So auch *Bleckmann*, AVR 23 (1985), 450, 465 Fn. 58.

190 Vgl. nur *Dahm/Delbrück/Wolfrum*, Völkerrecht, Bd. I/1, 2. Aufl. 1989, S. 216; *Randelzhofer*, § 17 Staatsgewalt und Souveränität, in: Isensee/Kirchhof, HStR II, 3. Aufl. 2004, Rdnr. 25; *Stein/von Buttlar/Kotzur*, Völkerrecht, 14. Aufl. 2016, Rdnr. 515; *Graf Vitzthum*, in: Graf Vitzthum/Proeßl, Völkerrechts, 7. Aufl. 2016; 1. Abschnitt Rdnr. 46; *Epping*, in: Ipsen, Völkerrecht, 6. Aufl. 2014, § 5 Rdnr. 138.

191 *Dahm/Delbrück/Wolfrum*, Völkerrecht, Bd. I/1, 2. Aufl. 1989, S. 216; *Steinberger*, Sovereignty, in: Bernhardt, EPIL, Vol. 4, 2. Aufl. 2000, 500, 512; *Breuer*, Souveränität in der Staatengemeinschaft, in: FS Klein, 2013, 747, 748 f.; *Oeter*, Souveränität – ein überholtes Konzept, in: FS Steinberger, 2002, 259, 276.

192 *Hillgruber*, JZ 2002, 1072, 1074 f.

ihrer völkerstrafrechtlichen Verantwortlichkeit als Subjekte des Völkerrechts eingestuft und sind somit ebenfalls unmittelbar dem Völkerrecht unterstellt.[193]

Die Schwäche des Begriffs versucht *Bindschedler* dadurch aufzulösen, dass er nur solchen Völkerrechtssubjekten, die ausschließlich dem Völkerrecht unterstellt sind, als souverän einstuft.[194] Nach diesem Ansatz scheiden zumindest Individuen als Völkerrechtssubjekte aus. Jedoch unterstehen auch internationale Organisationen keiner anderen Rechtsordnung als der Völkerrechtsordnung und sind somit ausschließlich völkerrechtsunmittelbar. Die Verschärfung des Kriteriums der Völkerrechtsunmittelbarkeit als ausschließliches kann die Abgrenzungsschwierigkeiten daher nicht beseitigen.[195]

Koppensteiner probiert das Dilemma auf eine andere Weise zu lösen. So führt er an, dass zwar Staaten wie internationale Organisationen völkerrechtsunmittelbar seien, doch von unterschiedlicher Qualität. Während die staatliche Völkerrechtssubjektivität originärer Natur sei, ist die internationaler Organisationen nur eine, durch den staatlichen Gründungsakt abgeleitete. Außerdem sei die Völkerrechtsunmittelbarkeit internationaler Organisationen im Vergleich zu der von Staaten nicht von Dauer, da diese auch wieder aufgelöst werden könnten. Aus der unterschiedlichen Qualität der Völkerrechtsunmittelbarkeit folgert *Koppensteiner*, dass die Völkerrechtsunmittelbarkeit als alleiniges Bestimmungskriterium für äußere Souveränität genügt.[196]

Tatsächlich sind internationale Organisationen keiner anderen Rechtsordnung als der Völkerrechtsordnung unterstellt. Diese Position genießen sie jedoch kraft Gründungsakt, sie ist also von den Staaten abgeleitet. Auf Grundlage dieses Ableitungsverhältnisses können Mitgliedstaaten auch nach der Gründung weiterhin auf die Organisationen einwirken bis hin zu deren Auflösung. Internationale Organisationen sind somit zwar keiner anderen Rechtsordnung unterstellt, diese Völkerrechtsunmittelbarkeit ist jedoch nicht ihre eigene Rechtsposition, sondern eine abgeleitete. Sie sind folglich nicht alleine dem Völkerrecht unterstellt, da sie in existenzieller Weise von ihren Mitgliedstaaten abhängig sind. In diesem Verständnis überzeugt die herrschende Meinung, die äußere Souveränität als Völkerrechtsunmittelbarkeit definiert.

---

193 *Breuer*, Souveränität in der Staatengemeinschaft, in: FS Klein, 2013, 747, 749, der insofern *Verdross*, Völkerrecht, 2. Aufl. 1950 zitiert.

194 *Bindschedler*, Rechtsfragen der europäischen Einigung, 1954, S. 70.

195 So auch *Koppensteiner*, Die europäische Integration und das Souveränitätsproblem, 1963, S. 40 f.

196 *Koppensteiner*, Die europäische Integration und das Souveränitätsproblem, 1963, S. 41 ff.

c) *Die Fähigkeit zur völkerrechtliche Bindung als Ausdruck staatlicher Souveränität*

Auch wenn der von allen Bindungen unabhängige Staat eine nie der Realität entsprechende Illusion darstellt, sind Staaten im Zeitalter der Globalisierung ganz besonders gefordert, auf völkerrechtlicher Ebene mit anderen Akteuren zu kooperieren und Bindungen in Form bi- oder multilateraler völkerrechtlicher Verträge abzuschließen, um grenzüberschreitende Probleme gemeinsam zu lösen. Dadurch wird die Ausübung konkreter Hoheitsbefugnisse durch den einzelnen Staat natürlich teilweise in einem erheblichen Maße völkerrechtlich prädeterminiert.

Doch bereits der *Ständige Internationale Gerichtshof* erkannte in seinem Urteil im *Wimbledon*-Fall 1923 an: „*The Court declines to see in the conclusion of any treaty by which a State undertakes to perform or refrain from performing a particular act, an abandonment of its sovereignty. [...] [T]he right of entering into international engagements is an attribute of State sovereignty.*"[197]

Selbst wenn der einzelne Staat also durch völkerrechtliche Bindungen in der Ausübung seiner Hoheitsbefugnisse beschränkt ist, wird die staatliche Souveränität dadurch nicht verletzt. Es ist vielmehr Ausdruck der staatlichen Souveränität, dass sich ein Staat völkerrechtlichen Bindungen unterwerfen und Verpflichtungen eingehen kann.[198] In der völkerrechtlichen Kooperation eines Staates unter anderem durch Abschluss völkerrechtlicher Verträge oder Gründung und Mitgliedschaft in internationalen Organisationen manifestiert sich seine Souveränität.

III. Grenzen der Souveränität

1. *Keine grenzenlose Souveränität*

Doch nicht jede Bindung lässt die Souveränität eines Staates unberührt. Die äußerste Grenze der Souveränität bildet die staatliche Existenz. Durch die freiwillige, endgültige Eingliederung in einen anderen Staat und der damit verbundenen Unterordnung unter eine fremde nationale Rechtsordnung, verliert ein

---

197 StIGH, *Wimbledon Case*, PCIJ Series A, N°1 (1923), 15, 25.

198 *Hillgruber*, Der Staat 53 (2014), 475, 486; *ders.*, JZ 2002, 1072, 1074 f.; *Oeter*, Souveränität – ein überholtes Konzept?, in: FS Steinberger, 2002, 259, 276; *Fassbender*, Die Souveränität des Staates als Autonomie im Rahmen der völkerrechtlichen Verfassung, in: FS Jayme, 2004, 1089, 1094; *Giegerich*, Die Souveränität als Grund- und Grenzbegriff, in: FS Schmidt-Jortzig, 2011, 603, 610.

Staat seine Völkerrechtsunmittelbarkeit und damit seine Souveränität.[199] Falsch ist es folglich, wenn im Zusammenhang mit staatlichen Insolvenzen von einer mangelnden Liquidierbarkeit eines Staates aufgrund der staatlichen Souveränität ausgegangen wird.[200] Die Souveränität ist kein selbsterfüllendes perpetuum, wie der Fall von *failed states* eindrücklich vor Augen führt.[201] Eine Liquidation von außen mittels militärischer Gewalt ist aufgrund des völkerrechtlichen Gewaltverbots zwar unzulässig, aber theoretisch ist es nicht ausgeschlossen, dass ein Staat seine Souveränität verliert, indem er sich aufgrund seiner finanziellen Schwierigkeiten freiwillig in einen anderen Staat eingliedert.

Richtig hingegen ist, dass ein *„Staat [...] nicht auf Liquidierbarkeit und Untergang, sondern auf Fortexistenz angelegt"* ist [202] und somit versuchen wird, seine Existenz möglichst lange aufrecht zu erhalten. Jedem Verfahren dem sich ein Staat im Zusammenhang mit seiner Insolvenz unterwirft, wird somit der Prämisse seiner Fortexistenz unterliegen. Aber auch das Völkerrecht ist durch den Grundsatz der größtmöglichen Kontinuität geprägt, nach welchem die Existenz eines Staates nur dann erlischt, wenn die staatlichen Strukturen vollständig untergegangen sind.[203] Deshalb wird es regelmäßig auch im Sinne der Staatengemeinschaft sein die Fortexistenz eines Staates und damit seine Souveränität zu sichern, um die Stabilität der internationalen Ordnung zu wahren.

Unterhalb dieser Schwelle führen Bindungen nicht zu einem Verlust der Souveränität, können diese aber empfindlich verletzen. Aus der Souveränität folgt, dass ein Staat nur Bindungen unterliegt, die er selbst freiwillig eingegangen ist.[204] Verpflichtungen, die außerhalb des freien staatlichen Willens entspringen,

---

199 *Giegerich*, Die Souveränität als Grund- und Grenzbegriff, in: FS Schmidt-Jortzig, 2011, 603, 610.

200 *Reinisch*, in: Kodek/Reinisch, Staateninsolvenz, 2011, S. 184; *Kirchhof*, § 214 Der deutsche Staat im Prozeß der europäischen Integration, in: Isensee/Kirchhof, HStR X, 3. Aufl. 2012, Rdnr. 110.

201 Ebenso *von Lewinski*, Aspekte der Staateninsolvenz in der Europäischen Union, in: ZEW, Vorträge und Berichte, Nr. 189, 2011, S. 3.

202 *Kirchhof*, § 214 Der deutsche Staat im Prozeß der europäischen Integration, in: Isensee/Kirchhof, HStR X, 3. Aufl. 2012, Rdnr. 110.

203 *Dahm/Delbrück/Wolfrum*, Völkerrecht, Bd. I/1, 2. Aufl. 1989, S. 137.

204 *Dahm/Delbrück/Wolfrum*, Völkerrecht, Bd. I/1, 2. Aufl. 1989, S. 216; *Hillgruber*, JZ 2002, 1072, 1075; *Müller-Wewel*, Souveränitätskonzepte im geltenden Völkerrecht, 2003, S. 212, 322; *Fassbender*, Die Souveränität des Staates als Autonomie im Rahmen der völkerrechtlichen Verfassung, in: FS Jayme, 2004, 1089, 1090; *Breuer*, Souveränität in der Staatengemeinschaft, in: FS Klein, 2013, 747, 749; durchaus kritisch *Oeter*, Souveränität – ein überholtes Konzept?, in: FS Steinberger, 2002, 259, 276 ff.

beeinträchtigen hingegen die staatliche Souveränität und können den Tatbestand der völkerrechtswidrigen Intervention erfüllen.

Die Möglichkeit sich von einmal eingegangenen Bindungen wieder zu lösen wird in der Literatur häufig als entscheidendes Kriterium für die Beurteilung von Souveränität benannt. Solange sich ein Staat einseitig von einmal eingegangenen Bindungen wieder lösen kann, sei er weiterhin souverän. In welcher Form die Loslösung erfolgt erscheint grundsätzlich irrelevant zu sein. Von besonderer Bedeutung sind dabei die Beendigung durch Kündigung, Rücktritt und die Berufung auf die *clausula rebus sic stantibus.*[205]

Auffällig ist, dass viele Abhandlungen Freiwilligkeit und Lösbarkeit zwar als relevante Grenzen benennen, sich jedoch mit Enummerierung begnügen und eine ausführliche Auseinandersetzung mit den genannten Kriterien vermissen lassen. Eine Auseinandersetzung mit Grenzen der Souveränität ist jedoch unverzichtbar. Neben den anerkannten Kriterien der Freiwilligkeit und Lösbarkeit soll zudem die „Zwischenphase" zwischen Bindung und potentieller Lösung auf ihre Relevanz für die Souveränität untersucht werden.

2. *Freiwilligkeit der Bindungen*

Der StIGH statuierte in seinem viel zitierten *Lotus*-Urteil bereits 1927, dass völkerrechtliche Bindungen dem freien, staatlichen Willen entspringen.[206] Offen bleibt jedoch, was unter dem Kriterium der Freiwilligkeit im völkerrechtlichen Sinne eigentlich zu verstehen ist. In der Völkerrechtslehre findet sich keine ausführliche Behandlung des Terminus der Freiwilligkeit. Auch die Literaturstimmen, die die Freiwilligkeit der Bindung eindeutig als Kriterium für die Souveränitätsbetrachtung aufstellen, führen nicht aus, was unter Freiwilligkeit zu verstehen ist.[207] Die Frage, unter welchen Umständen eine Bindung nicht auf dem Willen eines Staates basiert und folglich seine Souveränität verletze, bleibt offen.

---

205 *Verdross,* Die völkerrechtliche und politische Souveränität der Staaten, in: FS Heydte, 1977, 703, 708; *Hillgruber,* JZ 2002, 1072, 1075.

206 StIGH, Urteil vom 7.9.1927, *Lotus,* PCIJ Ser. 10, 18: "International law governs relations between independent States. The rules of law binding upon States therefor emanate from their own free will as expressed in conventions or by usages generally accepted as expressing principles of law and established in order to regulate the relations between these co-existing independent communities or with a view to the achievement of common aims. Restrictions upon the independence of States cannot therefore be presumed."

207 *Dahm/Delbrück/Wolfrum,* Völkerrecht, Bd. I/1, 2. Aufl. 1989, S. 216; *Hillgruber,* JZ 2002, 1072, 1075; *Müller-Wewel,* Souveränitätskonzepte im geltenden Völkerrecht,

a) *Formale Abgrenzung*

Streng formal könnte das Vorliegen irgendeines Akts der Zustimmung durch den betreffenden Staat für die Bejahung seiner Freiwilligkeit genügen. Völkerrechtliche Verbindlichkeiten, die auf völkerrechtlichen Verträgen beruhen, wären demnach immer souveränitätswahrend, da diese immer aufgrund staatlichen Zustimmungsakts zustande kommen. Doch bereits Völkergewohnheitsrecht ist nicht mehr eindeutig auf einen staatlichen Zustimmungsakt zurückführbar. Entsteht eine völkergewohnheitsrechtliche Norm durch eine von der entsprechenden Rechtsüberzeugung getragenen Staatenpraxis, sind alle Staaten an diese Norm gebunden, auch wenn sie an der Staatenpraxis nicht mitgewirkt haben. Eine Zustimmung kann dann nur in der Unterlassung eines Widerspruchs gegen die Entstehung einer Norm gesehen werden. Wenn aber auch Schweigen als freiwillige Zustimmung gewertet wird, wird eine Abgrenzung schwierig. Zudem scheidet bei militärisch erzwungenen Zustimmungsakten eine freiwillige Bindung offensichtlich aus. Eine rein formale Betrachtungsweise ist somit nicht zielführend.

b) *Freiheit von äußerer politischer Einflussnahme*

Nach allgemeinem Sprachverständnis setzt Freiwilligkeit freien Willen voraus. Entscheidend könnte insofern sein, ob eine Verpflichtung allein auf endogenen Ursachen beruht. Stimmt ein Staat einer Verpflichtung nur zu, weil er von einem anderen Staat dazu bestimmt wurde, müsste Freiwilligkeit verneint werden. In der Deklaration der Vereinten Nationen über die Unzulässigkeit von Interventionen in die inneren Angelegenheiten von Staaten wurde ein dementsprechendes weites Verständnis vertreten und jedwede Einflussnahme auf Staaten verboten.[208] Allerdings sind politische Verhandlungen für das Gelingen des heutigen Kooperationsvölkerrechts unabdingbare Voraussetzung.[209] Es ist an der politischen Tagesordnung, Verhandlungspositionen auszunutzen und gewissen Druck auf Staaten auszuüben, um Mehrheiten zu schaffen und am Ende ein konsensuales Verhandlungsergebnis zu erzielen. Verstünde man Freiwilligkeit

---

2003, S. 212, 322; *Fassbender*, Die Souveränität des Staates als Autonomie im Rahmen der völkerrechtlichen Verfassung, in: FS Jayme, 2004, 1089, 1090; *Breuer*, Souveränität in der Staatengemeinschaft, in: FS Klein, 2013, 747, 749; durchaus kritisch *Oeter*, Souveränität – ein überholtes Konzept?, in: FS Steinberger, 2002, 259, 276 ff.

208 UN-Dok. A/RES/36/103.

209 „Kooperation und wechselseitige Beeinflussung bedingen einander", *Dahm/Delbrück/Wolfrum*, Völkerrecht, Bd. I/3, 2. Aufl. 2002, S. 803.

als Freiheit von äußerer politischer Einflussnahme, würde jede staatliche Kooperation verhindert. Ein solch enges Verständnis widerspricht der heutigen Souveränitätskonzeption und ist daher abzulehnen.

c) *Freiheit von Zwang*

Auch wenn das Kriterium der Freiwilligkeit im Rahmen der Souveränität bisher keine vertiefte Auseinandersetzung erfahren hat, kann diesbezüglich auf die ausführlichen Diskussionen, um das völkerrechtliche Interventionsverbot geblickt werden. Denn staatliche Souveränität ist das Schutzgut des völkerrechtlichen Interventionsverbots.[210] Jede völkerrechtswidrige Intervention stellt zugleich auch eine Verletzung staatlicher Souveränität dar. Die Wertungen bezüglich des Interventionsverbots können somit auch auf die Souveränität übertragen werden. Allerdings ist der Umfang des Interventionsverbots bis heute umstritten.

Unumstritten umfasst das Interventionsverbot, das sich insoweit mit dem in Art. 2 Nr. 4 UN-Charta statuierten Gewaltverbot deckt, den nicht gerechtfertigten Einsatz oder Androhung militärischer Gewalt.[211] Weitgehende Einigkeit besteht darüber, dass neben militärischen Eingriffen auch nicht-militärische Handlungen völkerrechtswidrige Interventionen darstellen können. Als entscheidendes Kriterium für eine Intervention wird die Ausübung von Zwang oder dessen Androhung benannt.[212] In seinem viel zitierten *Nicaragua*-Urteil hat auch der IGH die Zwangsanwendung in den Mittelpunkt seiner Definition einer völkerrechtswidrigen Intervention gestellt:

> *„Intervention is wrongful when it uses methods of coercion in regard to such choices which must remain free ones. The element of coercion, which defines, and indeed forms the very essence of the prohibited intervention, is particularly obvious in the case of an intervention which uses force […].“*[213]

Demnach erfüllen solche Handlungen nicht die Voraussetzungen für eine völkerrechtswidrige Intervention, die unter der Schwelle des Zwangs liegen. Allerdings

---

210 "[T]he raison d'être of the non-intervention rule is the protection of the sovereignty of the State.", *Kunig,* Intervention, Prohibition of, MPEPIL, Stand: April 2008, Rdnr. 9; vgl. im Zusammenhang auch die Definition des IGH: „A prohibited intervention must be one bearing on matters in which each State is permitted, by the the principle of State sovereignty, to decide freely.", ICJ Rep. 1986, 14, 108, *Nicaragua;* ausführlich dazu *Dicke,* Die Intervention mit wirtschaftlichen Mitteln, 1978, S. 18 ff.

211 S. nur *Stein/von Buttlar/Kotzur,* Völkerrecht, 14. Aufl. 2016, Rdnr. 642; *Heintschel von Heinegg,* in: Ipsen, Völkerrecht, 6. Aufl. 2014, § 51 Rdnr. 45.

212 Vgl. *von Arnauld,* Völkerrecht, 3. Aufl. 2016, Rdnr. 357.

213 ICJ Rep. 1986, 14, 108, *Nicaragua.*

herrscht über die Abgrenzung von unzulässigem Zwang und erlaubter politischer Einflussnahme im Schrifttum sowie in der völkerrechtlichen Praxis Uneinigkeit. Die von der Staatenpraxis anerkannte *Friendly Relations*-Deklaration schweigt zu diesem Punkt.[214] Weitergehende Definitionen wie beispielsweise die der Charta über die wirtschaftlichen Rechte und Pflichten von 1974[215] haben keinen Eingang in die Staatenpraxis gefunden und können daher auch nicht als Teil des Völkergewohnheitsrechtes gelten.[216] In der Völkerrechtsliteratur wird versucht über verschiedene Kriterien wie beispielsweise die Sozialadäquanz, Verhältnismäßigkeit oder Friedensbedrohung eine Definition der unzulässigen Eingriffsformen und somit eine Abgrenzung zu erlaubten politischen Handlungen zu ermöglichen. Diese konnten sich aber allesamt nicht durchsetzen.[217]

Eine Abgrenzung erfolgt deshalb heute mithilfe von Fallgruppen. Eine dieser Fallgruppen ist die wirtschaftliche Zwangsausübung (*economic coercion*).[218] Diese ist für die vorliegende Arbeit besonders relevant, da sie eine besondere sachliche Nähe zu der Situation der Staateninsolvenz aufweist, in welcher generell keine militärische Gewalt relevant wird, sondern vielmehr finanzieller Druck aufgebaut wird.

Unter allen bestehenden Fallgruppen ist die der *economic coercion* wiederum besonders umstritten.[219] Grundsätzlich ist anerkannt, dass auch wirtschaftliche

---

214 "No State or group of States has the right to intervene, directly or indirectly, for any reason whatever, in the internal or external affairs of any other State. Consequently, armed intervention and all other forms of interference or attempted threats against the personality oft he State or against its political, economic and cultural elements, are in violation of international law.", UN Dok. A/RES/25/2625, Declaration on Principles of International Law concerning Friendly Relations and Co-operation among States in accordance with the Charter of the United Nations.

215 Art. 1 der Charta statuiert die sehr offene Definition: "Every State has the sovereign and inalienable right to choose its economic system as well as it political, social and cultural systems in accordance with the will of its people, without outside interference, coercion or threat in any form whatsoever."; UN-Dok. A/RES/29/3281, Charter of Economic Rights and Duties of States.

216 *Stein/von Buttlar/Kotzur*, Völkerrecht, 14. Aufl. 2016, Rdnr. 635, 644; *Heintschel von Heinegg*, in: Ipsen, Völkerrecht, 6. Aufl. 2014, § 51 Rdnr. 48.

217 Ausführlich zu den verschiedenen Ansätzen *Dicke*, Die Intervention mit wirtschaftlichen Mitteln im Völkerrecht, 1978, S. 177 ff.

218 Aktuell zur Ukraine-Krise *Boor/Nowrot*, Von Wirtschaftssanktionen und Energieversorgungssicherheit: Völkerrechtliche Betrachtungen zu staatlichen Handlungsoptionen in der Ukraine-Krise, Friedens-Warte 89 (2014), 211.

219 *Kunig*, Intervention, Prohibition of, in: MPEPIL, Stand: April 2008, Rdnr. 25.

Zwangsmittel unter das Interventionsverbot fallen können, aber auch, dass die Ausübung wirtschaftlichen Drucks auf einen anderen Staat ein bewährtes außenpolitisches Mittel ist. Die weitreichende wirtschaftliche Verknüpfung der Staaten untereinander bewirkt, dass beinahe jede wirtschaftliche Handlung eines Staates Konsequenzen für einen anderen Staat hat. Um das Interventionsverbot nicht unverhältnismäßig aufzublähen und damit schließlich der Bedeutungslosigkeit preiszugeben, wurde versucht mithilfe von Kriterien wie beispielsweise der Intensität, der Zweck-Mittel-Relation oder auch der Zielsetzung des sanktionierenden Staates die bloße Einflussnahme von der Intervention abzugrenzen.[220] Da diese Kriterien jedoch schwierig nachzuweisen und zudem von der Staatenpraxis noch nicht anerkannt sind, wird auch an dieser Stelle auf Fallgruppen zurückgegriffen.[221] Doch auch bei der Einteilung der Fallgruppen herrscht große Uneinigkeit. Während eine Blockade von der Literatur noch recht einhellig als Intervention eingestuft wird, gehen die Meinungen zur Einordnung eines Embargos weit auseinander. Die Einschätzungen reichen vom Vorliegen einer völkerrechtswidrigen Intervention,[222] im Grenzbereich zur völkerrechtswidrigen Intervention liegend[223] bis dahin, dass keine Intervention vorliegt.[224] Einigkeit besteht hingegen wieder darüber, dass die Instrumentalisierung von Wirtschaftsentwicklungshilfe als Druckmittel keine Intervention darstellt.[225] Klarheit könnten völkerrechtlich kodifizierte Verbote von verschiedenen Verhaltensweisen bringen, doch völkervertraglich lassen sich nur vereinzelt Einschränkungen wirtschaftlicher Sanktionen entnehmen, wie beispielsweise das in Art. I GATT statuierte Meistbegünstigungsprinzip.[226] Letztlich muss in Anlehnung der

---

220 *Stein/von Buttlar/Kotzur*, Völkerrecht, 14. Aufl. 2016, Rdnr. 651; *Kunig*, Intervention, Prohibition of, in: MPEPIL, Stand: April 2008, Rdnr. 25.

221 *Dicke*, Die Intervention mit wirtschaftlichen Mitteln im Völkerrecht, 1978, S. 199; a.A. *Kewenig*, Die Anwendung wirtschaftlicher Zwangsmaßnahmen im Völkerrecht, BDGV 22 (1982), 7, 16, der dafür plädiert die einzelnen Kriterien im „Bündel" anzuwenden.

222 *Von Arnauld*, Völkerrecht, 3. Aufl. 2016, Rdnr. 372.

223 *Kunig*, Intervention, Prohibition of, in: MPEPIL, Stand: April 2008, Rdnr. 26.

224 *Dicke*, Die Intervention mit wirtschaftlichen Mitteln im Völkerrecht, 1978, S. 221 f. m.w.N.; *Heintschel von Heinegg*, in: Ipsen, Völkerrecht, 6. Aufl. 2014, § 51 Rdnr. 48.

225 *Dicke*, Die Intervention mit wirtschaftlichen Mitteln im Völkerrecht, 1978, S. 225 ff.; *Kunig*, Intervention, Prohibition of, in: MPEPIL, Stand: April 2008, Rdnr. 26.

226 Vgl. dazu *Bockslaff*, Das völkerrechtliche Interventionsverbot als Schranke außenpolitisch motivierter Handelsbeschränkungen, 1987, S. 76 ff.; Für eine Ausweitung völkerrechtlicher Verbote wirtschaftlichen Zwangs *de lege ferenda Dicke*, Die Intervention mit wirtschaftlichen Mitteln im Völkerrecht, 1978, S. 225 ff.; ausführlich

bestehenden Kategorien im Wege der Einzelfallauslegung entschieden werden, ob eine unzulässige Zwangsausübung vorliegt.

3. *Lösbarkeit der eingegangenen Bindungen*

Neben der Freiwilligkeit wird das Kriterium der einseitigen Lösbarkeit sehr häufig für die Beurteilung eines potentiellen staatlichen Souveränitätsverlustes herangezogen.[227] Bereits 1953 stellte *van Kleffens* die *„irrevocability"* als ein entscheidendes Kriterium fest, um die Souveränität eines Staates zu beurteilen.[228] Aber auch in der aktuelleren Literatur wird die einseitige Lösbarkeit von Verpflichtungen immer wieder als das relevante Kriterium benannt.[229] Insbesondere im Rahmen der Diskussion um die Souveränität der Mitgliedstaaten der EU wurde – noch bevor ein Austrittsrecht ausdrücklich in den Verträgen verankert wurde – immer wieder die ungeschriebene Austrittsmöglichkeit der Mitgliedstaaten betont, um zu begründen, warum diese weiterhin souverän seien.[230] Die Prämisse wird allgemein also folgendermaßen formuliert: Solange ein Staat die Möglichkeit innehat sich einseitig von einer einmal eingegangenen Bindung wieder zu lösen, bleibt er souverän.

Dabei ist das Kriterium der einseitigen Lösbarkeit auf die Überlegung zurückzuführen, dass staatliche Souveränität einen Staat als ausschließlichen Inhaber aller Hoheitsmacht voraussetzt. Durch die Existenz einer einseitigen Lösungsmöglichkeit, bleibt der Staat letztlich Ausgangspunkt aller Hoheitsrechte und Kompetenzen, auch wenn diese übertragen oder eingeschränkt wurden. Denn durch die Möglichkeit der Auflösung von Bindungen sind Kompetenzen und

---

zum Meistbegünstigungsgrundsatz *Herrmann/Weiß/Ohler*, Welthandelsrecht, 2. Aufl. 2007, S. 174 ff.

227 Siehe nur *Verdross/Simma*, Universelles Völkerrecht, 3. Aufl. 2010, §§ 36; *Hillgruber*, JZ 2002, 1072, 1075; *ders.*, Der Staat 53 (2014), 475, 486; *Oeter*, Souveränität – ein überholtes Konzept?, in: FS Steinberger, 2002, S. 277.

228 *Van Kleffens*, RdC 82 (1953 I), 1, 120.

229 Siehe nur *Verdross/Simma*, Universelles Völkerrecht, 3. Aufl. 2010, §§ 36; *Hillgruber*, JZ 2002, 1072, 1075; *ders.*, Der Staat 53 (2014), 475, 486; *Oeter*, Souveränität – ein überholtes Konzept?, in: FS Steinberger, 2002, S. 277; *Müller-Wewel*, Souveränitätskonzepte im geltenden Völkerrecht, 2003, S. 334 ff.

230 *Di Fabio*, Das Recht offener Staaten, 1998, S. 124: „Im Staatenbund ist souverän, wer das Recht des Austritts besitzt."; *Oeter*, Souveränität – ein überholtes Konzept?, in: FS Steinberger, 2002, S. 277; *Randelzhofer*, § 17 Staatsgewalt und Souveränität, in: Isensee/Kirchhof, HStR II, 3. Aufl. 2004, Rdnr. 34; *Herrmann*, Währungshoheit, Währungsverfassung und subjektive Rechte, 2010, S. 95 f.

Hoheitsrechte über ein Ableitungsverhältnis immer noch originär beim Staat verankert, sodass die Eingehung von Bindungen schließlich keine Änderung des rechtlichen Status des Staates als potentiell allzuständigem Subjekt bewirkt.

Allerdings bleibt die Literatur, ähnlich wie beim Kriterium der Freiwilligkeit, eine eingehendere Untersuchung des Kriteriums der einseitigen Lösbarkeit schuldig. Meist wird lediglich festgestellt, dass eine Lösung *„durch Kündigung, Rücktritt oder Berufung auf die clausula rebus sic stantibus"* möglich sein muss.[231] Um das Kriterium praktisch anzuwenden ist eine theoretische Auseinandersetzung wiederum unerlässlich.

a) Lösung durch Völkerrechtsbruch

Im klassischen Völkerrecht war die Frage nach der Lösbarkeit einfach zu beantworten, denn durch das damals noch anerkannte *ius ad bellum*, war es den Staaten praktisch jederzeit möglich sich durch siegreiche kriegerische Auseinandersetzung von ihren vertraglichen Pflichten zu lösen.[232] Eine Möglichkeit, die Staaten nach dem heute gültigen Völkerrecht glücklicherweise nicht mehr offen steht.

Aber auch heute ist es denkbar, dass Staaten sich ihren bestehenden Verpflichtungen faktisch entziehen, indem sie Völkerrecht einfach brechen. Teilweise wird gerade diese Option als Ausdruck von Souveränität verstanden.[233] Eine Bezugnahme auf die faktische Option des Völkerrechtsbruchs verlässt allerdings das Terrain des Normativen und kehrt zu reinen Machtkategorien zurück, denn realistischerweise haben nicht alle Staaten die politische Macht eingegangene Verpflichtungen einseitig aufzulösen. Tatsächlich mögen manche Staaten die Autonomie besitzen Völkerrecht zu brechen; dies ist aber dann eine Frage der politischen Autonomie und nicht normativer Souveränität. Souveränität steht aber nicht außerhalb des Rechts, sondern ist rechtsgebunden. Ein staatlicher Völkerrechtsbruch ist damit *„nie Ausdruck seiner Souveränität, sondern*

231 Vgl. *Hillgruber*, JZ 2002, 1072, 1075; ausführlicher in diesem Punkt *Müller-Wewel*, Souveränitätskonzepte im geltenden Völkerrecht, 2003, S. 334 ff.

232 *Heller* verwies auf die *debellatio* und damit auf die „Möglichkeit, sich aller seiner Rechtsverpflichtungen gegen ein anderes Völkerrechtssubjekt durch völlige Vernichtung desselben zu entledigen", *Heller*, Die Souveränität, 1927, S. 162, *Doehring*, Internationale Organisationen und Souveränität, in: FG Forsthoff, 1967, 105, 112.

233 *Heller*, Die Souveränität, 1927, S. 149; *Giegerich*, Die Souveränität als Grund- und Grenzbegriff, in: FS Schmidt-Jortzig, 2011, 603, 610.

stets rechtswidrig"[234] und führt bisweilen nicht zum Untergang einer völkerrechtlichen Verpflichtung, sondern schafft als völkerrechtliches Delikt vielmehr neue.

Für Deutschland stellte das BVerfG jüngst klar, dass der nationale Gesetzgeber völkerrechtliche Verträge durch spätere innerstaatliche Gesetze überschreiben darf (sog. Treaty Override). Seine Entscheidung begründete das BVerfG nicht ausdrücklich mit der Souveränität Deutschlands, sondern stützte seine Entscheidung auf das grundgesetzliche Demokratieprinzip. Denn das Demokratieprinzip verlange, dass der spätere parlamentarische Gesetzgeber nicht automatisch an die Entscheidungen des früheren Gesetzgebers gebunden werde. Allerdings betonte auch das BVerfG, dass der dadurch entstandene Völkerrechtsverstoß nicht unbeachtlich sei und erkennt dessen Folgen wie Schadensersatzpflicht an.[235]

b) Lösungsmöglichkeiten im Rahmen des aktuellen Völkerrechts

Entscheidend für die Beurteilung staatlicher Souveränität kann es daher nur sein, ob einem Staat im Rahmen des aktuellen Völkerrechts Lösungsmöglichkeiten offenstehen.

(1) Lösbarkeit von völkerrechtlichen Verträgen

Ob sich ein Staat nach der geltenden Völkerrechtsordnung von einem Vertrag lösen kann, bestimmt sich zunächst aus dem Vertrag selbst. Zum einen kann dieser von Anfang an befristet sein oder eine auflösende Bedingung beinhalten.[236] Zum anderen kann im Vertrag auch ein spezielles Kündigungs- oder auch Rücktrittsrecht vorgesehen sein. Enthält der Vertrag selbst keine Vorschriften kann auf völkergewohnheitsrechtlichen Normen über die Beendigung von Verträgen, die weitgehend in der Wiener Vertragsrechtskonvention kodifiziert sind, zurückgegriffen werden.[237]

---

234 *Seiler*, Der souveräne Verfassungsstaat zwischen demokratischer Rückbindung und überstaatlicher Einbindung, 2005, S. 102.

235 *BVerfG*, Beschluss v. 15.12.2015, 2 BvL 1/12.

236 Vgl. nur den auf 50 Jahre befristeten Vertrag über die Gründung der Europäischen Gemeinschaft für Kohle und Stahl (EGKS).

237 Obwohl die WVK nur für die derzeit 114 Vertragsparteien bindend ist, wird aufgrund der weitreichenden Kodifikation von völkerrechtlichen Gewohnheitsrecht von einer „nahezu universellen Geltung" der Konvention ausgegangen, *Heintschel von Heinegg*, in: Ipsen, Völkerrecht, 6. Aufl. 2014, 3. Kapitel vor § 10 Rdnr. 5; auch der IGH hat mehrfach darauf verwiesen, dass die WVK insoweit Völkergewohnheitsrecht kodifiziert vgl. nur ICJ Rep. 1997, 7, 38, *Gabčíkovo-Nagymaros*.

Von der Möglichkeit Kündigungs- und Rücktrittsrechte im Vertrag festzuschreiben wird in der völkerrechtlichen Praxis häufig Gebrauch gemacht.[238] Sind Lösungsmöglichkeiten vorgesehen, so kann eine Vertragspartei sich nach Art. 54 lit. a) WVK nach den vertraglichen Bestimmungen vom Vertrag lösen. Da es jedoch an dieser Stelle unmöglich ist alle potentiellen Vertragsregelungen zu analysieren, werden im Folgenden die allgemeinen Regelungen zur Beendigung völkerrechtlicher Verträge in den Fokus genommen.

Enthält ein Vertrag keine Regelung zu seiner Beendigung, ist er also auf unbegrenzte Dauer abgeschlossen, kann dieser nach Art. 56 WVK ausnahmsweise doch einseitig beendet werden, wenn sich das aus der Entstehungsgeschichte oder der Natur des Vertrages ergibt. Insbesondere die Auslegung des Begriffs „Natur des Vertrages" ist aufgrund seiner Unbestimmtheit umstritten. Ursprünglich wurde bei der Entwicklung des Art. 56 I lit. b) WVK vor allem an Bündnis- und Handelsverträge gedacht.[239] Teilweise wird das Kündigungsrecht nach Art. 56 I lit. b) WVK auf solche Verträge begrenzt, die lediglich Partikularinteressen der Vertragsparteien zum Inhalt haben, ohne dabei Gemeinschaftsinteressen zu berühren.[240] Jedenfalls hat der Staat, der sich auf ein Kündigungsrecht aus der Natur des Vertrages beruft, dieses auch nachzuweisen.

Des Weiteren ist eine einseitige Lösung möglich, wenn die andere Vertragspartei den Vertrag erheblich verletzt hat (Art. 60 WVK) oder die Vertragserfüllung nachträglich unmöglich geworden ist (Art. 61 WVK). Die Berufung auf die Unmöglichkeit der Vertragserfüllung ist einem Staat jedoch verwehrt, wenn er die Unmöglichkeit durch die Verletzung einer Vertragsverpflichtung oder einer sonstigen gegenüber einer anderen Vertragspartei bestehenden internationalen Verpflichtung selbst herbeigeführt hat.

Schließlich kann sich eine Vertragspartei aufgrund des grundlegenden Wandels der Umstände nach Art. 62 WVK vom Vertrag lösen (*clausula rebus sic stantibus*). Dafür ist es aber notwendig, dass die geänderten Umstände eine wesentliche Grundlage für die Zustimmung der Vertragsparteien darstellten und die Änderung der Umstände das Ausmaß der aufgrund des Vertrags noch zu erfüllenden Verpflichtungen tief greifend umgestalten würde. Ein Staat kann sich nicht auf die *clausula rebus sic stantibus* berufen, wenn er die grundlegende

---

238 Vgl. zu den vielfältigen Möglichkeiten den Vertrag zu gestalten Handbook of Final Clauses, UN-Dok. ST/LEG/6, S. 54 ff.

239 *Stein/von Buttlar/Kotzur*, Völkerrecht, 14. Aufl. 2016, Rdnr. 101.

240 *Feist*, Kündigung, Rücktritt und Suspendierung von multilateralen Verträgen, 2001, S. 208.

Änderung der Umstände durch Verletzung einer Vertragsverpflichtung oder einer sonstigen gegenüber einer anderen Vertragspartei bestehenden internationalen Verpflichtung selbst herbeigeführt hat.

Der Überblick über die einseitigen Lösungsmöglichkeiten von völkerrechtlichen Verträgen zeigt, dass sich die einseitige Beendigung von völkerrechtlichen Verträgen schwierig gestaltet, es sei denn im Vertrag wurde durch die Vertragsparteien bereits ein Kündigungs- oder Rücktrittsrecht festgeschrieben. Ansonsten unterliegt eine Lösung vom Vertrag strengen Voraussetzungen. So dürfte der Nachweis, dass sich ein Beendigungsrecht aus der Entstehungsgeschichte oder der Natur des Vertrages ergibt, obwohl dort eben kein Beendigungsrecht vorgesehen wurde, regelmäßig Schwierigkeiten bereiten. Nach Art. 60 WVK ist ein Staat von der erheblichen Vertragsverletzung der anderen Vertragspartei abhängig und nach Art. 61 WVK vom Eintritt der nachträglichen Unmöglichkeit. Als „letzter Anker“ wird meist die Berufung auf die *clausula rebus sic stantibus* angeführt,[241] doch auch dafür stellt die Völkerrechtslehre hohe Hürden auf.

Hinzu kommt, dass nur durch die vertraglich festgesetzten sowie die sich nach Art. 56 ergebenden Kündigungs- und Rücktrittsrechte eine Lösung allein durch den freien Willensentschluss der Staaten herbeigeführt werden kann, während die Herbeiführung der übrigen Lösungstatbestände entweder beim Vertragspartner (Art. 60 WVK) oder außerhalb der Sphäre der Vertragsparteien (Art. 61, 62 WVK) liegen. Eine Lösung vom Vertrag aus autonomen Gründen ist außerhalb derjenigen Verträge, die selbst eine Lösungsmöglichkeit bereithalten, nur in seltenen Fällen möglich.

Die Erschwerung der Lösung von völkerrechtlichen Verträgen ist letztlich der Durchsetzung der im völkerrechtlichen Prinzip *pacta sunt servanda* postulierten Rechtssicherheit geschuldet. Denn völkerrechtliche Verträge, als wichtige Pfeiler der modernen Völkerrechtsordnung, sollen grundsätzlich Bestand haben und daher einer jederzeitigen einseitigen Loslösung durch eine Vertragspartei nicht offenstehen, die der vorherigen konsensualen Einigung der Vertragsparteien zuwiderlaufen würde.[242]

(2) Austrittsmöglichkeit aus internationalen Organisationen

Neben der Lösungsmöglichkeit von völkerrechtlichen Verträgen stellt sich die Frage, inwieweit sich Staaten als Mitgliedstaaten einer internationalen

---

241 Siehe nur *Giegerich*, Die Souveränität als Grund- und Grenzbegriff, in: FS Schmidt-Jortzig, 2011, 603.

242 *Dahm/Delbrück/Wolfrum*, Völkerrecht, Bd. I/3, 2. Aufl. 2002, S. 717.

Organisation von dieser wieder lösen können, d.h. ihnen ein Austrittsrecht zukommt. Letztlich stellt der Austritt aus einer internationalen Organisation die Kündigung des Gründungsvertrags als einem völkerrechtlichen Vertrag dar. Insofern könnte, was die Austrittsmöglichkeiten betrifft, auf den vorangegangenen Abschnitt über die Lösungsmöglichkeit von völkerrechtlichen Verträgen verwiesen werden. Allerdings ist es durchaus denkbar, dass sich aus dem besonderen Charakter von Gründungsverträgen auch Besonderheiten für deren Lösbarkeit ergeben. Unproblematisch kann die Kündigung erfolgen, wenn im Gründungsvertrag selbst ein Kündigungsrecht statuiert ist. Dies ist für viele internationale Organisationen der Fall wie beispielsweise den Europarat (Art. 7 Satzung des Europarats) oder auch alle Sonderorganisationen der UN außer der WHO.[243] Ist in den Gründungsverträgen internationaler Organisationen wie beispielsweise den UN oder auch der WHO wiederum kein Austrittsrecht vorgesehen, dann wirft die Frage nach dem Austritt jedoch Probleme auf.

Auch im Rahmen der EU war vor dem Inkrafttreten des Vertrags von Lissabon 2009 kein Austrittsrecht statuiert; heute ist ein solches ausdrücklich in Art. 50 EUV vorgesehen. Vor Einführung eines Austrittsrechts wurde zum Teil bestritten, dass die allgemeinen völkerrechtlichen Regeln über die Beendigung völkerrechtlicher Verträge auf den Austritt aus der Union anwendbar seien. Denn durch die europäische Integration sei eine auf Dauer angelegte autonome Rechtsordnung entstanden, der sich die Mitgliedstaaten nicht einseitig entziehen könnten. So formulierte Ipsen:

> *„Durch die Verträge sind von den Mitgliedstaaten unabhängige Gemeinschaften entstanden. Ihre Existenz und Wirksamkeit entzieht sich einseitiger Disposition einzelner Mitgliedstaaten. Das steht in erster Linie einem 'Sezessionsrecht' entgegen."*[244]

Teilweise wird im Rahmen von internationalen Organisationen der Perpetuierung des Rechtszustands getragen vom gemeinsamen Konsens der Vertragsparteien, ein noch höherer Stellenwert beigemessen als bei völkerrechtlichen Verträgen. Dies ist einerseits nachvollziehbar, da eine internationale Organisation eine verfestigte völkerrechtliche Struktur bildet, deren Fortgeltung von den Vertragsstaaten zum Zeitpunkt des Vertragsschlusses eben auch gewünscht war.

---

243 Vgl. dazu *Zeidler*, Der Austritt und Ausschluss von Mitgliedern aus den Sonderorganisationen der Vereinten Nationen, 1990, S. 17, 47 ff.

244 *Ipsen*, Europäisches Gemeinschaftsrecht, 1972, S. 100 f.; ebenso *Everling*, Sind die Mitgliedstaaten der Europäischen Gemeinschaft noch Herren der Verträge?, in: FS Mosler, 1983, 173, 183 ff.

Allerdings eröffnet das Völkergewohnheitsrecht sowieso nur in sehr begrenzten Ausnahmefällen Beendigungstatbestände, sodass der Fortbestand internationaler Organisationen völkergewohnheitsrechtlich grundsätzlich geschützt ist. Zudem überzeugt es nicht, dass völkergewohnheitsrechtliche Normen als Teil der übergeordneten allgemeinen Völkerrechtsordnung unanwendbar sein sollen, wenn im Rahmen des speziellen Rechts der internationalen Organisation insofern gerade keine Regelung getroffen wurde.[245] Richtigerweise sind die Normen des Völkergewohnheitsrechts auch beim Austritt aus internationalen Organisationen anzuwenden. Damit stellen sich ähnliche Probleme wie im vorangegangenen Abschnitt. Ergibt sich aus der Entstehungsgeschichte oder der Natur des Vertrags ein Lösungsrecht oder haben sich die grundlegenden Umstände derart geändert, dass eine Berufung auf die *clausula rebus sic stantibus* möglich ist?

Letztlich wird in der Staatenpraxis ein Austrittsrecht aus internationalen Organisationen auch dann bejaht, wenn in den Gründungsverträgen kein explizites Austrittsrecht geregelt ist. In Bezug auf die UN genügt ein Verweis auf deren angestrebte Universalität nicht, um ein Lösungsrecht zu verneinen. Schließlich enthält auch die UN-Charta keine Pflicht zur Mitgliedschaft, sondern sieht sogar den Ausschluss von Mitgliedstaaten vor. Tatsächlich ist Indonesien 1965 auch erfolgreich aus den UN ausgetreten, als Malaysia als Sicherheitsratsmitglied gewählt wurde, auch wenn dieser im Nachhinein nur als ruhende Mitgliedschaft interpretiert wurde.[246] Für die EU wurde vor der Einführung eines ausdrücklichen Austrittsrechts durch den Vertrag von Lissabon jedenfalls durch die Berufung auf die *clausula rebus sic stantibus* eine Lösung der Mitgliedstaaten für möglich erachtet.[247] Durch die Aufnahme eines ausdrücklichen Austrittsrechts in Art. 50 EUV durch den Vertrag von Lissabon hat sich diese Diskussion erübrigt.

Im Rahmen der Diskussion um ein Austrittsrechts aus internationalen Organisationen wird teilweise sogar angenommen, dass den Staaten aufgrund ihrer Souveränität eine immerwährende faktische Lösungsmöglichkeit zukommt.

---

245 *Huber*, AöR 116 (1991), 210, 222; *Meng*, Das Recht der internationalen Organisationen, 1979, S. 119 ff.

246 *Klein/Schmahl*, in: Graf Vitzthum/Proeßl, Völkerrecht, 7. Aufl. 2016, 4. Abschnitt Rdnr. 79.

247 U.a. *Huber*, AöR 116 (1991), 210, 222; *Randelzhofer*, § 17 Staatsgewalt und Souveränität, in: Isensee/Kirchhof, HStR II, 3. Aufl. 2004, Rdnr. 34. Auch das BVerfG ging bereits in seiner Maastricht-Entscheidung davon aus, dass die Mitgliedstaaten ihre Mitgliedschaft „durch einen gegenläufigen Akt" auch wieder beenden könnten, BVerfGE 89, 155, 190.

Auch wenn Staaten kein rechtlich verankertes Austrittsrecht zustünde, könnte sie wohl niemand daran hindern sich tatsächlich von der Organisation zu lösen.[248] Auch wenn fraglich ist, ob eine solche Möglichkeit tatsächlich besteht,[249] widerspricht ein solch faktisches Verständnis der Souveränität als Rechtsbegriff. Vielmehr führt dieser Ansatz zu einer Verlagerung auf eine beliebige politische, wenn nicht sogar militärische Ebene. Der militärisch Stärkere kann sich im Zweifel faktisch immer von seinen Bindungen lösen. Ferner stellt eine solche Argumentation die Völkerrechtsordnung als Rechtsordnung gänzlich infrage. Wenn Staaten alles tun können, nur weil sie Staaten und daher souverän sind, käme dies einer „Rückkehr“ zum bereits überwundenen Dogma der absoluten, machtzentrierten Souveränität gleich. Zudem führt der Verweis auf die faktische Lösungsmöglichkeit zu einem juristischen Zirkelschluss, wenn man davon ausgeht, dass ein Staat an sich noch souverän ist, wenn er sich von eingegangenen Bindungen lösen kann und andererseits darauf verweist, dass Souveräne sich jederzeit von ihren Bindungen lösen können.[250] Auf eine faktische Austrittsmöglichkeit kann es daher im Rahmen der Untersuchung der rechtlichen Souveränität der Staaten nicht ankommen.

(3) Lösbarkeit von Völkergewohnheitsrecht

Völkergewohnheitsrecht entsteht durch eine allgemeine Staatenpraxis, die von einer entsprechenden Rechtsüberzeugung getragen wird. Die Bildung basiert auf staatlichem Konsens. Einzelne Staaten können die Entstehung von Völkergewohnheitsrecht jedoch nicht verhindern, sie können sich als *persistent objector* lediglich der Bindung durch das Völkergewohnheitsrecht entziehen. Eine einmal entstandene völkergewohnheitsrechtliche Norm kann von einem einzelnen Staat nicht derogiert werden. Vielmehr bedarf es für die Änderung oder Abschaffung einer völkergewohnheitsrechtlichen Norm wieder eine von einer

---

248 Vgl. BVerfGE 89, 155, 190; *Randelzhofer*, § 17 Staatsgewalt und Souveränität, in: Isensee/Kirchhof, HStR II, 3. Aufl. 2004, Rdnr. 34, der auf den Austritt Grönlands aus der EWG verweist; *Stein/von Buttlar/Kotzur*, Völkerrecht, 14. Aufl. 2016, Rdnr. 371.

249 Zu Recht kritisch *Möllers*, Staat als Argument, 2. Aufl. 2011, S. 400: „es erscheint wenig aussagekräftig, all das als möglich zu definieren, was nicht zur Auflösung staatlicher Ordnung führt“; ebenfalls kritisch *Blanke*, DÖV 1993, 412, 420; *Müller-Wewel*, Souveränitätskonzepte im geltenden Völkerrecht, 2003, S. 335.

250 So aber *Randelzhofer*, § 17 Staatsgewalt und Souveränität, in: Isensee/Kirchhof, HStR II, 3. Aufl. 2004, Rdnr. 34: „Es entspricht der faktischen Komponente der Souveränität, daß diese tatsächliche Austrittsmöglichkeit genügt, den Verlust der Souveränität der Mitgliedstaaten zu verneinen.“.

Rechtsüberzeugung getragene abweichende allgemeine Staatenpraxis. Zwar können einflussreiche Staaten durch ihre Handlungen eine Änderung des Völkergewohnheitsrechts anstoßen, doch auch sie können sich nicht einseitig von einer bestehenden gewohnheitsrechtlichen Norm lösen.[251]

Des Weiteren besteht für die Staaten die Möglichkeit durch völkerrechtliche Verträge gewohnheitsrechtliche Normen abzubedingen. Diese Abbedingung entfaltet dann aber nur gegenüber den jeweiligen Vertragspartnern Wirkung, denn Drittstaaten kann die Vereinbarung aufgrund der *pacta-tertiis*-Regel nicht vorgehalten werden. Eine Abbedingung von Normen des *ius-cogens* ist auch durch Vertrag nicht möglich. Eine einseitige Lösungsmöglichkeit von Völkergewohnheitsrecht existiert folglich nicht.

c) Bewertung des Kriteriums

Die vorgenommene Untersuchung der Lösungsmöglichkeiten eines Staates im Rahmen des Völkergewohnheitsrechts, des Vertragsrechts und des Austritts aus internationalen Organisationen hat ergeben, dass den Staaten nach der heutigen Völkerrechtsordnung eine jederzeitige Lösung von völkerrechtlichen Bindungen nicht mehr möglich ist. Im Bereich des Völkergewohnheitsrechts ist eine einseitige Lösung sogar ausgeschlossen. Im Bereich der völkerrechtlichen Verträge ist eine Lösung möglich, wenn diese Möglichkeit bereits im Vertrag statuiert ist, ansonsten aber nur unter engen Voraussetzungen. Scheidet auch ein durch die Entstehungsgeschichte bzw. Natur des Vertrages impliziertes Lösungsrecht aus, so verbleibt dem Staat letztlich nur noch die Berufung auf die Unmöglichkeit oder die *clausula rebus sic stantibus.* Das Eintreten dieser Tatbestände liegt jedoch außerhalb der Sphäre der Staaten. In vielen Fällen können sich Staaten daher nicht von ihren Bindungen lösen, wenn sie aus autonomer Entscheidung nicht mehr gebunden sein wollen.

Fraglich ist, ob Staaten, bei all diesen Einschränkungen überhaupt noch als souverän bezeichnet werden können. Besinnt man sich auf den hinter dem Kriterium der einseitigen Lösbarkeit stehendem Sinn und Zweck, dass durch eine bestehende Lösungsmöglichkeit der Staat im Wege eines Ableitungsverhältnisses weiterhin Ausgangspunkt aller übertragenen Kompetenzen und Hoheitsrechte und damit mittelbar allzuständig bleibt, ist zu bezweifeln ob auch nur eine

251 Vgl. zur Herausbildung neuer völkergewohnheitsrechtlicher Normen im Zusammenhang mit der Intervention der USA in Nicaragua ICJ Rep. 1986, 14, 109, *Nicaragua*; zur Bindungswirkung des Völkergewohnheitsrechts im klassischen Völkerrecht ausführlich *Müller-Wewel*, Souveränitätskonzepte im geltenden Völkerrecht, 2003, S. 224 f.

potentiell eintretende Lösungsmöglichkeit dem Sinn und Zweck genügt. Zum einen könnte man argumentieren, dass ein Staat, der sich kein Kündigungsrecht vorbehalten hat, das „Schicksal" des betroffenen Hoheitsrechts aus den Händen gegeben hat. Denn er kann darauf keinen unmittelbaren Einfluss mehr nehmen. Ist dem Staat die Rückholung eines Hoheitsrechts aus autonomer Entscheidung nicht mehr möglich, so kann das entsprechende Hoheitsrecht auch nicht mehr eindeutig beim Staat verortet werden. Auf der anderen Seite sind Hoheitsrechte, für die eine potentiell eintretende Lösungsmöglichkeit verbleibt, weiterhin auf den Staat rückführbar. Dieses enge Verhältnis äußert sich auch in der Zwischenphase zwischen Verpflichtung und Lösung. Im Rahmen von völkerrechtlichen Verträgen behält ein Staat die Interpretationsherrschaft über seine Verpflichtungen und auch in internationalen Organisationen bleiben Mitgliedstaaten die „Herren der Verträge".[252] Eine potentielle Lösungsmöglichkeit genügt folglich, um das Ableitungsverhältnis zwischen Staaten und ihren Hoheitsrechten aufrechtzuerhalten und damit Souveränität zu gewährleisten. Die Einschränkung einer jederzeit möglichen Lösung ist vielmehr der Stabilität der Völkerrechtsordnung insgesamt geschuldet und entspricht dem Verständnis von Souveränität als Völkerrechtsunmittelbarkeit.[253]

Ungeklärt bleibt weiterhin wie die mangelnde Lösungsmöglichkeit von Völkergewohnheitsrecht mit der staatlichen Souveränität vereinbar ist, da diese ja zumindest die potentielle Lösungsmöglichkeit von völkerrechtlichen Bindungen voraussetzt. Die vertiefte Bindungswirkung von Völkergewohnheitsrecht basiert auf der Weiterentwicklung der Völkerrechtsordnung im klassischen Sinne, die mit dem *ius ad bellum* eine jederzeitige Lösungsmöglichkeit vorsah, hin zu einer allgemein gültigen objektiven Werteordnung. Das Völkergewohnheitsrecht bildet einen grundlegenden Teil dieser Werteordnung. Eine jederzeitige Loslösbarkeit von dem vom Konsens der Staatengemeinschaft getragenen Völkergewohnheitsrecht würde einer Negation der völkerrechtlichen Grundordnung gleichkommen und damit einer Besinnung auf einen vorvölkerrechtlichen Zustand. Damit kann die mangelnde Lösbarkeit von Völkergewohnheitsrecht keine Einschränkung der staatlichen Souveränität bedeuten, sondern ist vielmehr Folge einer weiterentwickelten Völkerrechtsordnung.

---

252 Zur Relevanz der Zwischenphase zwischen Bindung und Lösung sogleich, siehe S. 77 ff.

253 *Giegerich*, Die Souveränität als Grund- und Grenzbegriff, in: FS Schmidt-Jortzig, 2011, 603, 610.

Alles in allem muss also bemerkt werden, dass das Kriterium der einseitigen Lösbarkeit in der heutigen Völkerrechtsordnung keine Wirkung entfaltet. Denn zum einen ist das Völkergewohnheitsrecht von der Anwendbarkeit des Kriteriums ausgeschlossen und zum anderen besteht durch die Berufung auf die *clausula rebus sic stantibus* stets eine potentielle Lösungsmöglichkeit von Verträgen, die dazu führt, dass die staatliche Souveränität zumindest im Rahmen der aktuell gültigen Völkerrechtsordnung gewahrt bleibt. Auch ist es nicht ausgeschlossen, dass sich das Kriterium mit weiteren Entwicklungen des Völkerrechts weiter verändert, insbesondere steht es einer weiteren Schaffung allgemeinverbindlicher Normen nicht entgegen. Letztlich erweist sich das so häufig als entscheidend herangezogene Kriterium der einseitigen Lösbarkeit nur als wenig weiterführend.

4. *Phase zwischen Bindung und Lösung*

Nachdem bisher mit den Kriterien der Freiwilligkeit und der Lösungsmöglichkeit der Anfang und das Ende völkerrechtlicher Bindungen untersucht wurden, ist es naheliegend auch die Zwischenphase auf ihre Souveränitätsrelevanz zu untersuchen. Zunächst drängt sich die Frage auf, ob es ein zwingender Bestandteil von Souveränität ist, dass Staaten selbst über den Inhalt ihrer völkerrechtlichen Bindungen entscheiden können, ihnen also nach Eingang einer Bindung die Interpretationsherrschaft über dieselbe weiterhin obliegt. Des Weiteren folgen insbesondere aus der Mitgliedschaft in internationalen Organisationen weitere Verpflichtungen für die Mitgliedstaaten. Es ist deshalb ebenfalls zu erörtern, inwieweit die staatliche Souveränität durch solche Sekundärrechtsakte beeinflusst wird.

a) Interpretationsherrschaft über eingegangene Verpflichtungen

Grundsätzlich haben die Vertragsparteien die Interpretationsherrschaft über ihre völkervertraglichen Pflichten inne.[254] Eine für alle Vertragsparteien verbindliche Auslegung kann im Wege der authentischen Auslegung, die auf dem Konsens aller Vertragsparteien basiert, vorgenommen werden. Folglich ist allein der Wille der Vertragsparteien für die Auslegung der Verpflichtungen maßgeblich.

Etwas anderes gilt nur, wenn die verbindliche Auslegung der Verträge Schiedsgerichten oder Gerichten wie dem EuGH übertragen worden ist. Eine solche

---

254 *Hillgruber*, JZ 2002, 1072, 1075; *Verdross/Simma*, Universelles Völkerrecht, 3. Aufl. 2010, § 37; *Heintschel von Heinegg*, in: Ipsen, Völkerrecht, 6. Aufl. 2014, § 7 Rdnr. 1 f.

Übertragung der „Auslegungskompetenz“ erfordert zwar eine vertragliche Festschreibung, die wiederum den Konsens der Vertragsparteien erfordert, doch besteht dann für die Staaten grundsätzlich keine Einwirkungsmöglichkeit mehr auf die Auslegung der vertraglichen Verpflichtung. An dieser Stelle ist die Auslegung zur Vertragsänderung abzugrenzen, denn eine Vertragsänderung ändert die Grundlage des staatlichen Konsenses und bedarf daher der Zustimmung der Staaten, da ansonsten nicht mehr von einer freiwilligen Bindung gesprochen werden kann. Anders als die Vertragsänderung ist jede Auslegung jedoch auf den ursprünglichen Verpflichtungsakt rückführbar. Würde diese Grenze durch ein Gericht überschritten, handelte es sich bei dessen Entscheidung womöglich um einen *ultra-vires*-Akt und die Vertragsstaaten wären daran grundsätzlich nicht mehr gebunden.[255] Zudem können die Vertragsparteien auf Auslegungen, die ihrem Willen nicht entsprechen, ihrerseits mit Vertragsänderungen reagieren – im äußersten Fall mit Kündigung bzw. Austritt. Auch ohne Interpretationsherrschaft bleiben die Vertragsstaaten damit dennoch die „Herren“ über ihre Verpflichtungen, weil diese weiterhin auf deren freien Willen zurückführbar sind. Folglich ist die Interpretationsherrschaft über eigene Verpflichtung keine Voraussetzung, um die Souveränität eines Staates zu wahren.[256] Allerdings kann die Abgrenzung zwischen zulässiger und unzulässiger Auslegung in der Praxis überaus schwierig sein. Zumeist wird dem auslegenden Organ dabei ein recht weiter Spielraum eingeräumt.

b) Mehrheitsentscheidungen als Souveränitätsverletzungen

Sehen Verträge die Möglichkeit bindender Mehrheitsentscheidungen vor, dann bedeutet dies ebenfalls einen gewissen Kontrollverlust für die Vertragsstaaten. Denn sofern in Verträgen das Einstimmigkeitsprinzip niedergelegt ist, ist jede Entscheidung von der Zustimmung aller Vertragsstaaten getragen. Weicht die Beschlussfassung in einer Staatenverbindung von der Regel der Einstimmigkeit ab, so kann ein Staat mit seiner Stimme das Eintreten von weiteren Bindungen nicht mehr verhindern; sie basieren nicht mehr auf seiner Zustimmung. Damit verliert ein einzelner Staat Einfluss auf die ihn in der Folge treffenden Verpflichtungen.[257]

255 Siehe zu *ultra-vires*-Akten S. 80 ff.

256 So auch *Möllers*, Der Staat als Argument, 2. Aufl. 2011, S. 402.

257 *Dahm*, Völkerrecht II, 1961, S. 64, der darin „eine gewisse Preisgabe der staatlichen Hoheitsgewalt“ sieht.

Das wirft die Frage auf, ob Mehrheitsentscheidungen die staatliche Souveränität beeinträchtigen. Dafür könnte sprechen, dass das Prinzip der Einstimmigkeit aus der *„uneingeschränkten einzelstaatlichen Souveränität“* abgeleitet wurde.[258] Doch bereits in der klassischen Völkerrechtsperiode wurde das Einstimmigkeitsprinzip mehrfach durchbrochen.[259] Schon die Rheinschifffahrtsakte von 1868 eröffnete die Möglichkeit eines Mehrheitsbeschlusses.[260] Seitdem sehen viele Staatenverbindungen in ihren Statuten Mehrheitsentscheidungen vor. Auch die Europäische Union bedient sich Mehrheitsentscheidungsmechanismen, so beschließt beispielsweise auch der Rat der Europäischen Union nach Art. 16 III EUV grundsätzlich mit qualifizierter Mehrheit, allerdings wird für essentielle Fragen wie beispielsweise der Beitritt eines neuen Mitgliedstaates (Art. 49 EUV) weiterhin Einstimmigkeit verlangt.[261]

Die Ableitung des Einstimmigkeitserfordernisses aus der Souveränität übersieht, dass sich die Staaten durch die Zustimmung zum Gründungsvertrag der Staatenverbindung freiwillig an Mehrheitsentscheidungen gebunden haben. Jede Mehrheitsentscheidung beruht damit auf einer freiwilligen staatlichen Selbstbindung.[262] Zudem unterliegen Mehrheitsentscheidungen immer auch den Vorgaben aus dem zu Grunde liegenden völkerrechtlichen Vertrag. Ein völkerrechtlicher Satz, nach dem Mehrheitsentscheidungen die staatliche Souveränität verletzen, existiert folglich nicht.[263]

Eine Grenze wird allerdings dort zu ziehen sein, wo durch Mehrheitsentscheidung der ursprünglich konsentierte Vertrag wesentlich geändert werden soll, denn dann ist die grundlegende Zustimmung zur Bindung betroffen. Auch an dieser Stelle ist in der Praxis jedoch mit Abgrenzungsschwierigkeiten zu rechnen.

---

258 *Brinkmann*, Majoritätsprinzip und Einstimmigkeit in den Vereinten Nationen, 1978, S. 6.

259 „Die geschichtliche Entwicklung des Einstimmigkeitsprinzips ist unlösbar verknüpft mit der Geschichte seiner Ausnahmen und Durchbrechungen.“, *Schwarz-Liebermann von Wahlendorf*, Einstimmigkeitsprinzip, in: Schlochauer, Wörterbuch des Völkerrechts, Bd. 1, 2. Aufl. 1960, S. 416; ebenso *Müller-Wewel*, Souveränitätskonzepte im geltenden Völkerrecht, 2003, S. 218.

260 *Schwarz-Liebermann von Wahlendorf*, Einstimmigkeitsprinzip, in: Schlochauer, Wörterbuch des Völkerrechts, Bd. 1, 2. Aufl. 1960, S. 416.

261 *Schwarz-Liebermann von Wahlendorf*, Einstimmigkeitsprinzip, in: Schlochauer, Wörterbuch des Völkerrechts, Bd. 1, 2. Aufl. 1960, S. 417.

262 *Brinkmann*, Majoritätsprinzip und Einstimmigkeit in den Vereinten Nationen, 1978, S. 6.

263 So auch *Müller-Wewel*, Souveränitätskonzepte im geltenden Völkerrecht, 2003, S. 218.

c) Ultra-vires-Akte als Souveränitätsverletzungen

Ist ein Staat Mitglied einer Staatenverbindung so ist es möglich, dass deren Organe Handlungen vornehmen, die die Kompetenzen überschreiten, die der Organisation von den Mitgliedstaaten vertraglich gewährt wurden, sog. *ultra-vires*-Akte.[264] Teilweise wird vertreten, dass kompetenzwidrige Handlungen die Souveränität der Mitgliedstaaten verletzen.[265] Denn *ultra-vires*-Akte setzten sich über die ursprüngliche Zustimmung der Mitgliedstaaten hinweg und seien deshalb nicht mehr von der ursprünglichen mitgliedstaatlichen Zustimmung getragen.

Die Feststellung, dass *ultra-vires*-Akte gegen die originäre mitgliedstaatliche Zustimmung verstoßen, trifft zu. Allerdings verstoßen solche Akte damit ebenfalls gegen die der Organisation zugrundeliegenden Verträge und entfalten daher für die Mitgliedstaaten keine Rechtswirkung.[266] Jedoch ist zu beachten, dass in der Realität sehr häufig umstritten sein wird, ob ein *ultra-vires*-Akt vorliegt oder nicht. Entscheidend ist also, wer über das Vorliegen eines *ultra-vires*-Akts entscheidet. Liegt die Entscheidungskompetenz auf der Ebene der Organisation, so besteht für die Mitgliedstaaten die Gefahr einer „Fehlentscheidung" aus ihrer Sicht, wodurch letztendlich eine Bindung an *ultra-vires*-Akte resultiert. In der Realität der internationalen Organisationen kann zwischen zwei „Szenarien" unterschieden werden. Im ersten ist eine Institution auf der Ebene der internationalen Organisation vertraglich bestimmt über das Vorliegen von *ultra-vires*-Akten zu entscheiden. Im zweiten besteht keine Regelung zur Beurteilung von *ultra-vires*-Akten.[267]

---

264 Der Begriff des *ultra-vires*-Akts kann auch weiter verstanden werden, vgl. *Mayer*, Kompetenzüberschreitung und Letztentscheidung, 2000, S. 22 ff., abrufbar unter: http://www.whi-berlin.eu/mus150.pdf, zuletzt aufgerufen am 20.3.2017. Das hier gewählte Begriffsverständnis einer sachlichen Kompetenzüberschreitung entspricht dem Verständnis *ultra-vires*-Akte im engeren Sinne.

265 *Schilling*, AVR 33 (1995), 69, 91 f.; *Meessen*, IMF Conditionality and State Sovereignty, in: Oppermann/Petersmann, Reforming the International Economic Order, 1987, S. 176 f. bezüglich des IWF; ebenso bezüglich des IWF, aber die zusätzliche Voraussetzung der Verletzung der Ziele des IWF-Übereinkommens aufstellend *Weigeldt*, Die Konditionalität des Internationalen Währungsfonds in ihrem Verhältnis zur Staatssouveränität und zu den Menschenrechten, 1999, S. 158 f.

266 *Hillgruber*, JZ 2002, 1075, 1076; ebenso *Doehring*, Völkerrecht, 2. Aufl. 2004, Rdnr. 203.

267 Zu den beiden Szenarien siehe *Klein/Schmahl*, in: Graf Vitzthum/Proeßl, Völkerrecht, 7. Aufl. 2016, 4. Abschnitt Rdnr. 194.

Ist im Systemgefüge einer internationalen Organisation ein Organ vorgesehen, dass über das Vorliegen von Kompetenzverstößen entscheidet (Szenario I), ist grundsätzlich davon auszugehen, dass dessen Entscheidung für die Mitgliedstaaten auch letztverbindlich ist.[268] Im System der Europäischen Union ist es beispielsweise der EuGH, der über die Nichtigkeit von Unionsrechtsakten im Wege der Nichtigkeitsklage (Art. 263 AEUV) oder des Vorabentscheidungsverfahrens (Art. 267 I lit. b AEUV) entscheidet. Diese Konstellation birgt für die Mitgliedstaaten die Gefahr von Fehlentscheidungen und damit für sie verbindliche Verdoppelung des Kompetenzverstoßes. Jedoch wird man darauf verweisen müssen, dass sich die Mitgliedstaaten freiwillig dem Letztentscheidungsrecht der in den Verträgen vorgesehenen Institutionen sowie den Regeln über deren Formation und Entscheidungsfindung unterworfen haben. Auch aus nationaler Sicht begangene Auslegungsfehler sind von den Mitgliedstaaten grundsätzlich hinzunehmen. Bei besonders gravierenden Kompetenzverstößen dürfte den Mitgliedstaaten zudem die Möglichkeit der Beendigung der Mitgliedschaft offenstehen, sodass das Letztentscheidungsrecht auf Ebene der Organisation die Souveränität des Mitgliedstaats grundsätzlich nicht beeinträchtigt.

Allerdings wird ein Letztentscheidungsrecht auf Ebene einer internationalen Organisation von mitgliedstaatlicher Seite nur begrenzt akzeptiert. Selbst bei einer so tiefgreifend integrierten Organisation wie der Europäischen Union, deren Rechtsakte sogar mit Vorrang gegenüber mitgliedstaatlichem Recht ausgestattet sind, wird die Letztentscheidungsbefugnis des EuGH von den Mitgliedstaaten nicht umfassend anerkannt. So hat das BVerfG in seiner Rechtsprechung eine Kontrollkompetenz für Unionsrechtsakte verbunden mit einem Verwerfungsrecht für *ultra-vires*-Akte der Union entwickelt.[269] Dieses hat es in seinem *Honeywell*-Beschluss auf evidente Fälle der Kompetenzüberschreitung

---

268 *Klein/Schmahl*, in: Graf Vitzthum/Proeßl, Völkerrecht, 7. Aufl. 2016, 4. Abschnitt Rdnr. 194.

269 Siehe BVerfGE 89, 155, 188: „Würden etwa europäische Einrichtungen oder Organe den Unions-Vertrag in einer Weise handhaben oder fortbilden, die von dem Vertrag, wie er dem deutschen Zustimmungsgesetz zugrunde liegt, nicht mehr gedeckt wäre, so wären die daraus hervorgehenden Rechtsakte im deutschen Hoheitsbereich nicht verbindlich. Die deutschen Staatsorgane wären aus verfassungsrechtlichen Gründen gehindert, diese Rechtsakte in Deutschland anzuwenden. Dementsprechend prüft das Bundesverfassungsgericht, ob Rechtsakte der europäischen Einrichtungen und Organe sich in den Grenzen der ihnen eingeräumten Hoheitsrechte halten oder aus ihnen ausbrechen."

beschränkt, aber dennoch aufrechterhalten.[270] Das BVerfG begründete diese eingeschränkte Überprüfungskompetenz und damit letztlich die Aufrechterhaltung seiner Letztentscheidungskompetenz damit, dass eine letztverbindliche *ultra-vires*-Kontrolle durch das BVerfG notwendig sei, um die *„anerkannten grundlegenden politischen und verfassungsmäßigen Strukturen souveräner Mitgliedstaaten"* zu wahren und damit letztendlich auf die mitgliedstaatliche Souveränität.[271] Ähnlich wie das BVerfG verfahren auch die letztinstanzlichen Gerichte vieler Mitgliedstaaten der Union.[272] Wenn sogar im Rahmen der Union eine mitgliedstaatliche Überprüfung praktiziert wird, so wird man ein eingeschränktes Überprüfungsrecht durch die Mitgliedstaaten auch im Rahmen schwächer integrierter Organisationen anerkennen müssen.

Anders gestaltet sich die Lage bei Organisationen, die selbst keine Entscheidungsinstanz vorsehen, wie beispielsweise die UN (Szenario II). So ist es beispielsweise äußerst umstritten, ob und inwieweit Entscheidungen des UN-Sicherheitsrates überprüft werden können. Nach einer Auffassung steht in Ermangelung einer Überprüfungsinstanz jedem einzelnen Mitgliedstaat die Kontrolle der Kompetenzwahrung zu.[273] Durch die selbstständige Überwachung der Einhaltung ihrer ursprünglichen Zustimmung werde sichergestellt, dass sich diesbezüglich kein Konflikt ergebe. Die entgegengesetzte Ansicht geht jedoch davon

---

270 BVerfGE 126, 286, 304 f.: „Eine Ultra-vires-Kontrolle durch das Bundesverfassungsgericht kommt darüber hinaus nur in Betracht, wenn ersichtlich ist, dass Handlungen der europäischen Organe und Einrichtungen außerhalb der übertragenen Kompetenzen ergangen sind [...]. Ersichtlich ist ein Verstoß gegen das Prinzip der begrenzten Einzelermächtigung nur dann, wenn die europäischen Organe und Einrichtungen die Grenzen ihrer Kompetenzen in einer das Prinzip der begrenzten Einzelermächtigung spezifisch verletzenden Art überschritten haben (Art. 23 Abs. 1 GG), der Kompetenzverstoß mit anderen Worten hinreichend qualifiziert ist [...]. Dies bedeutet, dass das kompetenzwidrige Handeln der Unionsgewalt offensichtlich ist und der angegriffene Akt im Kompetenzgefüge zwischen Mitgliedstaaten und Union im Hinblick auf das Prinzip der begrenzten Einzelermächtigung und die rechtsstaatliche Gesetzesbindung erheblich ins Gewicht fällt [...]."

271 BVerfGE 123, 267, 354. Zuletzt hat das BVerfG seine Rechtsprechung nochmals bestätigt, siehe BVerfG, Urteil vom 21.6.2016 – 2 BvR 2728/13 u.a. und Urteil vom 13.10.2016 – 2 BvR 1368/16 u.a.

272 Ausführliche Untersuchung bei *Mayer*, Kompetenzüberschreitung und Letztentscheidung, 2000, S. 145 ff., abrufbar unter: http://www.whi-berlin.eu/mus150.pdf, zuletzt aufgerufen am 20.3.2017. Siehe auch Verweis in BVerfG, Urteil vom 21.6.2016 – 2 BvR 2728/13 u.a., Rdnr. 142.

273 *Schilling*, AVR 33 (1995), 69, 100.

aus, dass kein nationales Überprüfungsrecht bestehe, da sich die Mitgliedstaaten kontroversen Entscheidungen sonst immer durch das „Hintertürchen" des *ultra-vires*-Aktes entziehen könnten und so letztlich das Entscheidungsmonopol des Sicherheitsrats untergraben würde; die Beurteilung der Wirksamkeit obliege vielmehr dem Sicherheitsrat allein.[274] Doch auch eine unbegrenzte Befolgungspflicht für Beschlüsse des Sicherheitsrates kann nicht überzeugen. Denn diese würde dem Verständnis der Völkerrechtsordnung als Rechtsordnung und auch der universellen Geltung der Menschenrechte widersprechen. Überzeugend ist daher ein begrenztes Überprüfungsrecht durch die Mitgliedstaaten und ein damit einhergehendes Verwerfungsrecht für Akte des Sicherheitsrates bei hinreichend qualifizierten Verstößen anzunehmen.[275] Besteht sogar eine Überprüfungskompetenz der Mitgliedstaaten für Beschlüsse des Sicherheitsrates, der in der Völkerrechtsordnung eine herausragende Stellung einnimmt, dann ist anzunehmen, dass sich diese Wertung auch auf andere internationale Organisationen übertragen lässt, die keine eigene Überprüfungsinstanz vorsehen.

Nach der heutigen Rechtslage können Staaten wohl *ultra-vires*-Akte weiterhin mit dem Verweis auf ihre Souveränität zurückzuweisen. Dies gilt sowohl für Organisationen, die eine eigenständige Überprüfungsinstanz vorsehen als auch für Organisationen ohne eine solche. Allerdings bedarf es für eine Zurückweisung durch einen Mitgliedstaat einer qualifizierten Kompetenzüberschreitung. Die Mitgliedstaaten sind daher jedenfalls vor schwerwiegenden Kompetenzüberschreitungen durch die Organisation geschützt. Kleinere Kompetenzverstöße sind hingegen von den Mitgliedstaaten hinzunehmen, die sich freiwillig durch Beitritt gebunden haben und welchen darüber hinaus die Möglichkeit der Lösung von der Organisation zusteht.[276]

---

274 *Dahm*, Völkerrecht II, 1961, S. 212; *Delbrück*, Art. 25, in: Simma u.a., The Charter of the United Nations, 2. Aufl. 2002, Rdnr. 17.

275 Siehe dazu ausführlich *Payandeh*, ZaöRV 2006, 41, 57 ff.; *von Arnauld*, Völkerrecht, 3. Aufl. 2016, Rdnr. 156, 625 ff. Ebenso für eine Kontrolle auf Ebene der EU wegen Grundrechtsverletzungen der EuGH im Rahmen seiner *Kadi*-Rechtsprechung: „Eine solche gerichtliche Kontrolle ist unerlässlich, um einen gerechten Ausgleich zwischen der Erhaltung des internationalen Friedens und der internationalen Sicherheit und dem Schutz der Grundfreiheiten und -rechte der betroffenen Person, die gemeinsame Werte der UNO und der Union darstellen, zu gewährleisten.", EuGH, Rs. C-584/10 P u. a., *Kadi II*, ECLI: EU: C:2013:518, Rn. 131.

276 A.A. für die UN *Schilling*, AVR 33 (1995), 69, 91 f., der eine automatische Souveränitätsverletzung durch *ultra-vires*-Akte annimmt; ebenso für den IWF *Meessen*, IMF Conditionality and State Sovereignty, in: Oppermann/Petersmann, Reforming the International Economic Order, 1986, S. 117, 121 ff.

d) *In der Zwischenphase Rückführbarkeit auf anfänglichen Konsens entscheidend*

Die Untersuchung der Zwischenphase zwischen freiwilliger Bindung und Lösung hat gezeigt, dass nach der aktuellen Dogmatik in dieser Phase grundsätzlich keine Beeinträchtigungen der Souveränität drohen. So ist es nicht erforderlich, dass die Mitgliedstaaten die Interpretationsherrschaft über die von ihnen eingegangenen Verpflichtungen behalten. Auch Mehrheitsentscheidungen und *ultra-vires*-Akte beeinträchtigen die Souveränität der Mitgliedstaaten nicht. Allerdings ist eine Grenze zu ziehen, wenn in der Zwischenphase der ursprüngliche Konsens sei es durch Auslegung, Mehrheitsentscheidung oder Kompetenzüberschreitung maßgeblich verändert wird. Dann ist nämlich die Freiwilligkeit der Bindung nicht mehr gegeben. Insofern bestimmt das Kriterium der Freiwilligkeit auch das Stadium der Zwischenphase. Allerdings ist festzustellen, dass die Mitgliedstaaten in der Zwischenphase die Zügel über die eingegangenen Bindungen zu einem gewissen, nicht zu unterschätzendem Teil aus der Hand gegeben haben, sodass sie sich zu einem gewissen Grad extensive Auslegungen der vertraglichen Grundlagen wie insbesondere der Kompetenzvorschriften gefallen lassen müssen. Solange aber eine Rückführung auf die anfängliche, freiwillige Verpflichtung gelingt, liegt keine Souveränitätsbeeinträchtigung vor, sondern lediglich eine Einschränkung der politischen Autonomie.

5. *Grenzbereiche staatlicher Souveränität*

Im aktuellen Völkerrecht gibt es Bereiche, für die die Geltung staatlicher Souveränität besonders kontrovers diskutiert wird.[277] Gleichwohl zeigt die Analyse der nachfolgenden Grenzbereiche, dass diese sich ohne Probleme mit staatlicher Souveränität als Völkerrechtsunmittelbarkeit vereinbaren lassen.

a) *Ius-cogens*

Als *ius-cogens* werden zwingende Normen des Völkerrechts bezeichnet. Dabei kann es sich um völkervertragliche oder gewohnheitsrechtliche Normen handeln, entscheidend ist die besondere rechtliche Qualität, die diesen zugemessen wird. Art. 53 S. 2 WVK definiert *ius-cogens* als *„Norm, die von der internationalen Staatengemeinschaft in ihrer Gesamtheit angenommen und anerkannt wird als eine Norm, von der nicht abgewichen werden darf und die nur durch eine spätere Norm des allgemeinen Völkerrechts derselben Rechtsnatur geändert werden*

277 Zur allgemeinen Kritik an der Souveränitätskonzeption siehe oben, S. 44 ff.

kann." Eine *ius-cogens* Norm ist folglich doppelt vom staatlichen Konsens getragen. Zum einen hängt ihre Entstehung vom Willen der Staaten ab, sie muss von der internationalen Staatengemeinschaft anerkannt sein. Des Weiteren muss ihre besondere rechtliche Qualität aufgrund fehlendem geschriebenen Recht gewohnheitsrechtlich begründet sein. Für eine solche gewohnheitsrechtliche Anerkennung ist eine entsprechende Staatenpraxis und *opinio iuris* notwendig.

Für die Entstehung neuen Gewohnheitsrechts genügt eine *„Quasi-Universalität"*.[278] Grundsätzlich können einzelne Staaten die Entstehung gewohnheitsrechtlicher Normen nicht vermeiden, sich aber durch Protest als *persistent objector* deren Bindung entziehen. Anders verhält es sich nach Literaturstimmen im Falle der zwingenden Qualität des *ius-cogens*. Gegen eine im Entstehen befindliche *ius-cogens*-Norm soll eine *persistent objection* ausgeschlossen sein.[279] Als Beispiel einer so gestalteten Staatenpraxis wird meist Südafrikas vergeblicher Protest gegen das Verbot der Rassendiskriminierung, das bereits Geltung als zwingendes Völkergewohnheitsrecht erlangt hatte, genannt.[280] Folglich würde ein Staat auch gegen seinen ausdrücklichen Willen an völkerrechtliche Normen gebunden, ohne die Möglichkeit sich von diesen zu lösen. Ein solches Verständnis würde eine *„erste Einbruchstelle in das Dogma von der Souveränität der Staaten"* darstellen, *„die nur an Normen gebunden sind, die mit ihrem ausdrücklichen Willen oder doch zumindest nicht gegen diesen entstanden sind"*.[281]

Die traditionelle Ansicht geht jedoch immer noch davon aus, dass eine *persistent objection* auch gegen die zwingende Wirkung der Normen des *ius-cogens* möglich ist.[282] Dadurch würde allerdings die universelle Bindung an besonders bedeutsame Rechtsinhalte unterlaufen, das Institut des *ius-cogens* insgesamt konterkariert. Ein weiterer Ansatz nimmt deshalb an, dass das Verbot der *persistent objection* gegenüber *ius-cogens* Normen selbst völkergewohnheitsrechtlich verfestigt ist.[283] Der Ausschluss der Figur des *persistent objectors* im Rahmen des

278 *Von Arnauld*, Völkerrecht, 3. Aufl. 2016, Rdnr. 252.

279 *Dahm/Delbrück/Wolfrum*, Völkerrecht, Bd. I/3, 2. Aufl. 2002, S. 627; *Peters*, Völkerrecht, Allgemeiner Teil, 4. Aufl. 2016, S. 81; *von Arnauld*, Völkerrecht, 3. Aufl. 2016, Rdnr. 256.

280 Vgl. *Herdegen*, Völkerrecht, 15. Aufl. 2016, § 16 Rdnr. 13.

281 *Paulus*, Die internationale Gemeinschaft im Völkerrecht, 2001, S. 331; deshalb von einer „Auflösungstendenz" der Souveränität ausgehend *Kokott*, ZaöRV 2004, 517, 521.

282 *Kadelbach*, Zwingendes Völkerrecht, 1992, 194 ff.; wohl auch *Elias*, Persistent Objector, in: MPEPIL, Stand: September 2006, Rdnr. 18.

283 Breuer, Souveränität in der Staatengemeinschaft, in: FS Klein, 2013, 747, 752; wohl auch Hillgruber, Der Staat 53 (2014), 475, 483 f.

ius-cogens wäre dann seinerseits auf den Willen der souveränen Staaten zurückzuführen. Zweifelhaft ist jedoch, ob für die Annahme eines entsprechenden Völkergewohnheitsrechtssatz eine ausreichende Staatenpraxis mit der dazugehörigen *opinio iuris* besteht.

Ist ein so gearteter Satz des Völkergewohnheitsrechts jedoch nicht nachzuweisen, überzeugt es nicht, eine *persistent objection* gegenüber *ius-cogens* auszuschließen. Ein solcher Ausschluss erscheint zwar systematisch sinnvoll und auch wünschenswert, wäre aber übereilt. Bis zur Etablierung einer dahingehenden Staatenpraxis mit der entsprechenden Rechtsüberzeugung, müsste es daher bei der Möglichkeit einer *persistent objection* bleiben, auch wenn an diese wohl hohe Anforderungen zu stellen sind. Die Kategorie des *ius-cogens* basiert somit auch auf dem freien Willen der Staaten, denn sowohl seine Existenz, als auch seine unabdingbare Wirkung basieren auf dem Konsens der Staaten. Die staatliche Souveränität wird durch *ius-cogens* folglich nicht überlagert, vielmehr bewegt sich diese Rechtsfigur in der zwischenstaatlichen, konsensbasierten Völkerrechtsordnung.

b) Europäische Union

Die mitgliedstaatliche Einbindung in internationale Organisationen wirft Fragen nach den Grenzen der Souveränität auf. Doch insbesondere die Souveränität der Mitgliedstaaten der Europäischen Union war Gegenstand einer breiten wissenschaftlichen Diskussion.[284] Denn im Vergleich zu „herkömmlichen" internationalen Organisationen nimmt die Union für das Unionsrecht unmittelbare Wirkung in den nationalen Rechtsordnungen und im Konfliktfall Anwendungsvorrang vor dem mitgliedstaatlichen Recht in Anspruch. Des Weiteren ist es auf Unionsebene auch möglich, gegen den Willen eines Mitgliedstaats Recht zu setzen.[285] Ein Mitgliedstaat kann demnach auch ohne seinen Willen durch

284 Vgl. nur *Bindschedler*, Rechtsfragen der europäischen Einigung, 1954; *ders.*, Betrachtungen über die Souveränität, in: En Hommage à Paul Guggenheim, 1968, 167; *Koppensteiner*, Die europäische Integration und das Souveränitätsproblem, 1963; *Oeter*, ZaöRV 1995, 659; *Baldus*, Der Staat 36 (1997), 381; *MacCormick*, Questioning Sovereignty, 1999; *Denninger*, JZ 2000, 1121; *Hillgruber*, JZ 2002, 1073, 1077 ff.; *Randelzhofer*, § 17 Staatsgewalt und Souveränität, in: Isensee/Kirchhof, HStR II, 3. Aufl. 2004, Rdnr. 24 f.; *Seiler*, Der souveräne Verfassungsstaat zwischen demokratischer Rückbindung und überstaatlicher Einbindung, 2005, S. 254 ff.

285 Der Rat beschließt als eines der beiden Hauptrechtssetzungsorgane grundsätzlich mit qualifizierte Mehrheit, für eine Sperrminorität bedarf es mindestens vier Mitglieder des Rats, Art. 16 III, IV EUV.

Unionsrecht gebunden werden, welches anschließend unmittelbar in der nationalen Rechtsordnung wirkt. Der Effekt des Unionsrechts wird darüber hinaus dadurch verstärkt, dass die Mitgliedstaaten mittlerweile einen großen Teil ihrer Hoheitsrechte auf die Europäische Union übertragen haben. Die Europäische Union stellt damit eine ganz eigene Dimension der Integration dar. Daher ging der EuGH in seinem Urteil in der Rechtssache *Van Gend en Loos* davon aus, dass die Union *„eine neue Rechtsordnung des Völkerrechts darstellt, zu deren Gunsten die Staaten, wenn auch in begrenztem Rahmen, ihre Souveränitätsrechte eingeschränkt haben"*.[286]

Doch ist es fraglich, ob durch die intensive Integration im Rahmen der Europäischen Union die Grenzen des souveränen Nationalstaats tatsächlich schon aufgelöst wurden. Denn die Verpflichtungen durch die Europäische Union beruhen auf der freiwilligen Selbstbindung der Mitgliedstaaten im Rahmen der der Union zugrunde liegenden Verträgen. Ferner sind Änderungen des unionalen Primärrechts grundsätzlich wiederum nur mit der Zustimmung aller Mitgliedstaaten möglich, sodass die grundlegenden Normen des Unionsrechts weiterhin auf dem Konsens der Mitgliedstaaten basieren. Problematisch können in diesem Zusammenhang die durch den Lissabon-Vertrag eingeführten Möglichkeiten der vereinfachten Vertragsänderung insbesondere durch Art. 48 VI, VII EUV gesehen werden, da dadurch die Möglichkeit eröffnet wird, Verträge auch ohne mitgliedstaatliche Zustimmung zu ändern. Wirft man jedoch einen näheren Blick auf die vereinfachten Verfahren in Art. 48 EUV, so fällt auf, dass diese keinen Einfluss auf die freiwillige Bindung der Mitgliedstaaten haben. Denn zum einen betreffen diese Verfahren jeweils keine Grundlagen des mitgliedstaatlichen Konsenses und zum anderen erfordern beide Verfahren zunächst einen einstimmigen Ratsbeschluss und damit eine mitgliedstaatliche Zustimmung. Nach der Rechtsprechung des BVerfG darf die Zustimmung des deutschen Vertreters im Rat zudem nur erfolgen, wenn zuvor eine Zustimmung durch Gesetz im Sinne des Art. 23 I S. 2 und gegebenenfalls S. 3 GG erfolgte.[287]

Auch wenn es durch extensive Rechtsprechung des Gerichtshofs oder intensive Kompetenzausübung durch die übrigen Unionsorgane faktisch zu Einwirkungen auf die vertraglichen Grundlagen der Union kommen mag, stellt die im Unionsrecht bestehende Normhierarchie sicher, dass die Mitgliedstaaten auf der Ebene des Primärrechts jede vorgenommene Auslegung der Verträge wieder außer Kraft setzen können. Ausgangspunkt aller Unionsrechtsakte bilden

286 EuGH, Rs. 26/62, *Van Gend en Loos*, Slg. 1963, 1, 25.
287 BVerfGE 123, 267, 390 f.

weiterhin die Verträge, die – wie bereits dargestellt – auf dem freien Konsens der Mitgliedstaaten basieren. Formell betrachtet ist daher die Verpflichtung entscheidend für die Souveränität, während die Ausgestaltung dieser Verpflichtung durch die vorgesehenen Organe grundsätzlich nicht als souveränitätsbeschränkend eingestuft werden kann,[288] solange der in den Gründungsverträgen niedergelegte mitgliedstaatliche Konsens nicht grundsätzlich berührt ist.

Seit dem Vertrag von Lissabon ist zudem die Möglichkeit eines Austritts aus der Union ausdrücklich in den Verträgen geregelt (Art. 50 EUV). Zuvor war in Art. 51 EUV a.F. noch statuiert, dass die Verträge auf unbegrenzte Zeit gelten. Daraus wurde teilweise abgeleitet, dass ein Austritt nach alter Rechtslage nicht möglich war.[289] Richtigerweise war ein Austritt aber auch schon nach der alten Rechtslage zumindest auf der Grundlage der *clausula rebus sic stantibus* möglich.[290]

Die Mitgliedstaaten bleiben also, trotz der besonders intensiven und durchgreifenden Kooperation im Rahmen der Europäischen Union und den damit verbundenen Einbußen an politischer Autonomie, weiterhin souveräne Staaten.

c) *Responsibility to protect*

Die aktuellste Entwicklung im Zusammenhang mit staatlicher Souveränität ist die erst im Jahre 2001 von einer internationalen Expertenkommission entwickelte *responsibility to protect*.[291] Danach sind Staaten verpflichtet ihre Bevölkerung vor schweren Menschenrechtsverletzungen zu schützen. Erfüllt ein Staat diese Pflicht nicht, so wird dessen Verantwortung für seine Bevölkerung auf die Staatengemeinschaft übertragen. Um die betroffene Bevölkerung vor gravierenden Menschenrechtsverletzungen zu schützen, ist die Staatengemeinschaft im äußersten Fall auch zur Intervention in den jeweiligen Territorialstaat

---

288 *Möllers*, Staat als Argument, 2. Aufl. 2011, S. 402.

289 Beispielsweise *Ipsen*, Europäisches Gemeinschaftsrecht, 1972, S. 100; *Everling*, Sind die Mitgliedstaaten der Europäischen Gemeinschaft noch Herren der Verträge?, in: FS Mosler, 1983, S. 173, 183 ff.

290 *Dagtoglou*, Recht auf Rücktritt von den Römischen Verträgen, in: FS Forsthoff, 1972, 77; *Randelzhofer*, § 17 Staatsgewalt und Souveränität, in: Isensee/Kirchhof, HStR II, 3. Aufl. 2004, Rdnr. 34; für eine Austrittsmöglichkeit ebenfalls BVerfGE 89, 155, 190.

291 International Commission on Intervention and State Sovereignty, The Responsibility to Protect, 2001, abrufbar unter http://responsibilitytoprotect.org/ICISS%20Report.pdf; allerdings ist die hinter der *responsibility to protect* stehende Idee nicht neu und findet sich im Ansatz bereits bei *Thomas Hobbes*, vgl. *Verlage*, Responsibility to Protect, 2009, S. 388 ff.

ermächtigt. Die Entwicklung dieses Topos wird als Ausdruck eines gewandelten Souveränitätsverständnisses gesehen, einer „*Souveränität der Verantwortung*".[292] Die Souveränität des Staates wird in Abhängigkeit der „*souveränitätskonditionierende[n]*"[293] *responsibility to protect* gesetzt. Doch ist die staatliche Souveränität durch diese Norm wirklich eingeschränkt?

Bereits die tatsächliche Bindungswirkung der Norm muss bezweifelt werden. Denn bis jetzt ist unklar, ob sie tatsächlich Teil der geltenden Völkerrechtsordnung geworden ist. Während *Verlage* zu dem Ergebnis kommt, dass es sich bei der *responsibility to protect* bereits um eine geltende Norm des Völkergewohnheitsrechts handelt,[294] ist wohl die herrschende Ansicht, dass es trotz der Aufnahme in das Schlussdokument des UN-Weltgipfels von 2005[295] höchstens eine sogenannte *emerging rule* des Völkerrechts darstellt.[296] Als *emerging rule* käme dem Konzept des *responsibilty to protect* jedoch gerade keine Bindungswirkung zu, sodass keine souveränitätsbeschränkende Wirkung bestünde. Selbst wenn man davon ausgeht, dass sich das Konzept bereits zu einem Satz des Völkergewohnheitsrechts manifestiert habe ist fraglich, ob es überhaupt ein Plus zur bisherigen Rechtslage darstellt. Denn nach Kapitel VII der UN-Charta ist es den Vereinten Nationen auch bisher schon möglich gewesen, bei schwerwiegenden Menschenrechtsverletzungen einzuschreiten[297] mit der Folge, dass der Topos der *responsibility to protect* eigentlich überflüssig ist.[298]

Letztlich kann trotz der viel diskutierten Einschränkung der Souveränität durch die *responsibility to protect* eine solche nach den heute gültigen Maßstäben nicht festgestellt werden.

292 *Von Arnauld,* Völkerrecht, 3. Aufl. 2016, Rdnr. 313; *Verlage,* Responsibility to Protect, 2009, S. 392 f.

293 *Verlage,* Responsibility to Protect, 2009, S. 39.

294 *Verlage,* Responsibility to Protect, 2009, S. 101.

295 UN-Dok. A/RES/60/1, Rdnr. 138 f.

296 UN.-Dok. A/59/562, Report of the High-level Panel on Threats, Challenges and Change, A more secure world: Our shared responsibility, 2004, Rdnr. 203; *Stahn,* AJIL 101 (2007), 99; *Schmeer,* Responsibility to Protect und Wandel von Souveränität, 2010, S. 62 ff.; *Rausch,* Responsibility to protect, 2011, S. 41 ff.; *von Arnauld,* Friedens-Warte 84 (2009), 11, 24 ff.; *ders.,* Werdende Norm oder politisches Konzept?, in: Staak/Krause, Schutzverantwortung in der Debatte, 2014, 55, 63 f.

297 *Gading,* Der Schutz grundlegender Menschenrechte durch militärische Massnahmen des Sicherheitsrates – das Ende staatlicher Souveränität?, 1996, S. 67 ff.

298 *Breuer,* Souveränität in der Staatengemeinschaft, in: FS Klein, 2013, 747, 763.

d) Zwischenschlussfolgerung

Die exemplarische Betrachtung ausgewählter souveränitätssensibler Bereiche der aktuellen Völkerrechtsordnung hat gezeigt, dass diese die Konzeption des souveränen Staates als völkerrechtsunmittelbaren Staat nicht infrage stellen. Vielmehr lassen sie sich ohne Probleme in das bestehende System einordnen. Von dieser Einschätzung bleiben Auswirkungen auf die politische Autonomie von Staaten gleichwohl unberührt.

6. Zusammenfassung: Grenzen der Souveränität

Die Fähigkeit völkerrechtliche Bindungen eingehen zu können und sich dadurch Verpflichtungen aufzuerlegen ist nach der aktuellen Souveränitätskonzeption grundlegender Bestandteil staatlicher Souveränität. Diese Bindungsoffenheit unterliegt aber auch Grenzen. Entscheidende Grenze ist die Freiwilligkeit. Souverän ist ein Staat, der keinen Bindungen unterliegt, welchen er nicht – zumindest indirekt – freiwillig zugestimmt hat. Unfreiwillige Bindungen verletzen hingegen die staatliche Souveränität. Entscheidend bei der Beurteilung, ob eine Bindung freiwillig eingegangen wurde ist, ob – parallel zum Interventionsverbot – unzulässiger Zwang ausgeübt wurde. Dabei kann auf die zum Interventionsverbot gebildeten Fallgruppen zurückgegriffen werden. Das Kriterium der einseitigen Lösbarkeit stellt die einen Souverän auszeichnende potentielle Allzuständigkeit sicher. Diese erfordert aber lediglich eine potentielle Lösungsmöglichkeit beispielsweise nach der *clausula rebus sic stantibus* und entfaltet daher in der aktuellen Völkerrechtsordnung keine Wirkung. In der sog. Zwischenphase kommt es darauf an, dass die Verpflichtung weiterhin auf den ursprünglichen Konsens zurückgeführt werden kann. Wesentliches Kriterium für die Beurteilung von Souveränität bildet folglich die freiwillige Bindung.

3 Der Schuldnerstaat im Umfeld seiner Insolvenz

Die Insolvenz bedeutet für Schuldnerstaaten eine ungeregelte Ausnahmesituation, dennoch unterliegen Staaten vor, während und nach einer Insolvenz vielschichtigen Bindungen. Um diese möglichst umfassend analysieren zu können, soll die Situation des Schuldnerstaats in chronologischer Reihenfolge untersucht werden. Dabei wird bewusst die Perspektive eines betroffenen Schuldnerstaats eingenommen. Beginnend mit der Analyse präventiver Instrumente (A.), wird anschließend die Möglichkeit der Krisenhilfe (B.) näher beleuchtet. Ist ein Staat erst insolvent, stehen ihm zwei grundsätzliche Optionen offen: Die Nichtbedienung (C.I.) und die Restrukturierung seiner Schulden (C.II.).

A. Präventive Instrumente

I. Ausgangspunkt: Anleihenmarkt

Stellten früher Konsortialkredite durch Geschäftsbanken den größten Anteil an der Staatsverschuldung,[299] finanzieren sich Staaten heute überwiegend über Anleihen, die an den Kapitalmärkten begeben werden.[300] Diese Vorgehensweise bietet Staaten ein großes Maß an Flexibilität, denn auf dem internationalen Kapitalmarkt können sie ihren Kapitalbedarf zeitnah und bedarfsgerecht decken. Allerdings wird das Verhalten eines Staates durch die Kapitalmärkte sehr streng überwacht. Wichtige Anhaltspunkte für die Bewertung der Bonität eines Staates bilden die Ratings der großen Ratingagenturen wie beispielsweise *Standard&Poor's* und *Moodys*.[301] Wird ein Staat als finanziell stabil und solide und somit als kreditwürdig eingestuft, kann dieser benötigtes Kapital zu niedrigen Zinsen aufnehmen. Handelt der Staat jedoch nicht im Sinne der Märkte, reagieren diese mit der Anhebung der Zinsen oder stellen die Bereitstellung von

---

299 Ausführlich zu dieser Entwicklung *Szodruch*, Staateninsolvenz und private Gläubiger, 2008, S. 102 ff.

300 Vgl. S. 29.

301 Diese beiden Agenturen kontrollieren den Markt der Ratingagenturen zu 80 %. Nimmt man noch den drittgrößten Akteur *Fitch* dazu, kommen diese zusammen sogar auf 95 %. Siehe http://www.handelsblatt.com/unternehmen/handel-konsumgueter/sundp-moodys-fitch-und-co-die-maechtigen-ratingagenturen-im-ueberblick/4404776.html, zuletzt aufgerufen am 20.3.2017.

Liquidität ein. Dabei reagieren die Kapitalmärkte sehr schnell auf Änderungen der Bonität eines Schuldnerstaates. Die Volatilität der Märkte wird durch die Arbitragegeschäfte international agierender Hedgefonds noch weiter gefördert.[302] Die Abstufung Griechenlands von BBB+ zu BB+ durch die Ratingagentur *Standard&Poor's* im April 2010, hatte beispielsweise im selben Monat einen Zinsanstieg für 10-jährige Staatsanleihen von 2 Prozentpunkten zur Folge. Insgesamt stiegen die Zinsen für 10-jährige griechische Staatsanleihen zwischen Oktober 2009 und September 2011 von 5 % auf 18 %.[303] Dieser rasante Zinsanstieg führte dazu, dass Griechenland nicht mehr in der Lage war, Kredite aufzunehmen und vom Kapitalmarkt praktisch abgeschnitten wurde.

Staaten, die ihren Kapitalbedarf am globalen Kapitalmarkt decken, sind von dessen Akteuren abhängig. Denn die allermeisten Staaten sind bezüglich ihrer Ausgaben höchst unflexibel und sind deshalb auf die Kapitalaufnahme an den Kapitalmärkten angewiesen, um ihren Haushalt zu finanzieren, wenn die Einnahmen hinter den Ausgaben zurückbleiben. Diese Abhängigkeit entfaltet ihre volle Wirkung vor allem in Zeiten der finanziellen Krise, wenn Staaten frisches, fremdes Kapital benötigen und die Kapitalbeschaffung über den Kapitalmarkt nicht mehr oder nur zu sehr hohen Zinsen funktioniert. Aus dieser Abhängigkeit resultieren Einschränkungen der Handlungsfreiräume der zuständigen staatlichen Organe, die sich damit auch auf konkrete politische Vorgaben verengen können. Teilweise wird diese finanzielle Abhängigkeit bereits mit einer Beschränkung der staatlichen Souveränität gleichgesetzt.[304] Andere sehen in der Abhängigkeit von globalen Märkten wiederum keinen Souveränitätsverlust. Die durch die Märkte geschaffenen Impulse stellten lediglich motivierende Einflüsse dar, welchen Staaten in allen Bereichen ihres Handelns ausgesetzt seien. Da jede staatliche Entscheidung letztlich auf irgendwelchen Motiven beruhe, könne von einem Souveränitätsverlust nicht ausgegangen werden.[305]

---

302 *Kerber,* Der verdrängte Finanznotstand, 2002, S. 29, der sich auf die 1998 beginnende Krise in Russland und Südostasien bezieht.

303 Vgl. *Sauerwald,* Der Finanzmarkt und die internationale Verschuldenskrise, 2014, S. 81 f.

304 *Kerber,* Der verdrängte Finanznotstand, 2002, S. 28 f.; kritisch auch *Kirchhof,* Deutschland im Schuldensog, 2012, S. 40 f.

305 Siehe *Erler,* Staatssouveränität und internationale Wirtschaftsverflechtung, in: Zum Problem der Souveränität, Berichte der Deutschen Gesellschaft für Völkerrecht, Heft 1, 1957, S. 29, 40: „Erfahrene oder geglaubte wirtschaftliche und soziale Gesetzlichkeiten können staatliche Entscheidungen motivieren, aber nicht die Funktion der staatlichen Entscheidung übernehmen."; ebenso *Howse,* Sovereignty, Lost and Found, in: Shan/Simons/Singh, Redefining Sovereignty in International Economic Law, 2008,

Nach dem im vorangegangenen Kapitel erarbeiteten Souveränitätsmaßstab, können grundsätzlich nur völkerrechtliche Bindungen den Status des Staates als völkerrechtsunmittelbares Subjekt beeinträchtigen. Die Einflussnahme durch die Kapitalmärkte auf Staaten findet jedoch auf einer faktischen Ebene statt, während diese normativ ungebunden bleiben, sich also auch entgegen den Erwartungen des Kapitalmarktes verhalten können. Zwar ist anzuerkennen, dass faktische Abhängigkeiten im Einzelfall starke tatsächliche Auswirkungen haben können. Dies ändert jedoch nichts daran, dass der Staat trotz des Einflusses der Kapitalmärkte keinen völkerrechtlichen Bindungen unterliegt, die nicht auf seinem Willen basieren und weiterhin die Möglichkeit behält sich anders zu entscheiden. Dieser theoretisch anmutende Ansatz wird in der Praxis anschaulich durch die Vorgehensweise Argentiniens bewiesen, das sich 2001 nach langen Auseinandersetzungen praktisch von den Kapitalmärkten abgekoppelte. Diese Entscheidung war für Argentinien ökonomisch zwar mit schweren Einbußen verbunden, aber dennoch möglich.

Erkennt man an, dass Souveränität normativ ist, können faktische Abhängigkeiten bei der Beurteilung staatlicher Souveränität grundsätzlich keine Rolle spielen. Das normative Verständnis von Souveränität stellt anders als die politische Autonomie nicht die politische Unabhängigkeit von jeglichen äußeren Einflüssen in den Mittelpunkt, sondern die Völkerrechtsunmittelbarkeit eines Staates. Doch die Völkerrechtsunmittelbarkeit eines Staates wird durch dessen faktische Abhängigkeiten gerade nicht beeinflusst, denn die Staaten bleiben in ihrer Willensäußerung immer noch frei. Ein Staat kann folglich an den internationalen Kapitalmärkten stark unter Druck geraten, seine Souveränität verliert er dadurch nach der geltenden äußeren Souveränitätskonzeption nicht.

II. Haushaltsüberwachung

Staaten können sich bei der Aufstellung ihres Haushalts überwachen lassen, um einer Insolvenz durch den Aufbau einer nicht nachhaltigen Staatsverschuldung infolge nachlässiger Haushaltsführung vorzubeugen.[306] Dabei gibt es zwei Arten der Haushaltsüberwachung. Die eine findet durch den Staat selbst statt, indem er sich beispielsweise verfassungsrechtlich zu einer Schuldenbremse verpflichtet

---

S. 62 ff., der den Souveränitätsverlust an globalisierte Märkte als „Story Number 1" bezeichnet; *Herrmann*, Währungshoheit, Währungsverfassung und subjektive Rechte, 2010, S. 93.

306 Zur Bedeutung der Staatsverschuldung für das Eintreten einer Staatsinsolvenz siehe oben S. 23 ff.

(innere Haushaltsüberwachung). Die andere wird durch Einheiten außerhalb des zu überwachenden Staates durchgeführt (äußere Haushaltsüberwachung). Die vorliegende Untersuchung legt den Fokus auf die äußere Haushaltsüberwachung, denn nur durch diese erscheinen unmittelbare Konflikte mit der staatlichen Souveränität denkbar. Äußere Haushaltsüberwachungen finden vorwiegend in bündischen Systemen wie der Europäischen Union, aber auch in der Bundesrepublik statt. Da innere Haushaltsüberwachungen aus innenpolitischen Gründen meist nicht erfolgreich sind, ist eine steigende Tendenz zur äußeren Haushaltsüberwachung festzustellen.[307]

1. Maßnahmen der Haushaltsüberwachung

a) Exemplarische Darstellung äußerer Haushaltsüberwachungsmechanismen

Beispielhaft für verschiedene Formen der äußeren Haushaltsüberwachung werden an dieser Stelle die Haushaltsüberwachung des Bundes gegenüber den Bundesländern, als selbstständigen, nicht aber souveränen Entitäten und der EU gegenüber ihren Mitgliedstaaten, als bislang noch souveränen Staaten, dargestellt.

(1) Überwachung der Haushalte der Bundesländer durch den Bund

Durch die Einfügung des Art. 109a GG und der Einführung des Stabilitätsratsgesetzes (StabiRatG) wurde 2009 mit der Föderalismusreform II in der Bundesrepublik ein gemeinsamer Mechanismus geschaffen, der eine präventive Haushaltsüberwachung und – wenn notwendig – die Ergreifung von Sanierungsprogrammen ermöglicht.[308] Damit folgte man dem BVerfG, das die Schaffung eines Haushaltsüberwachungsmechanismus bereits 2006 in seinem sog. *Berlin*-Urteil angemahnt hatte, da finanzielle Ergänzungszuweisungen durch den Bund lediglich die *Ultima-Ratio* darstellen könnten.[309]

Der sich aus Bundes- und Länderminister zusammensetzende Stabilitätsrat (§ 1 I StabiRatG) überwacht regelmäßig die Haushalte des Bundes und der Länder sowie die nach § 5 StabiRatG vereinbarten Sanierungsverfahren (§ 2 StabiRatG). Die Überwachung der Haushalte basiert dabei auf einem Bericht der jeweiligen Gebietskörperschaft (§ 3 II 1 StabiRatG) und wird veröffentlicht (§ 3 III StabiRatG). Stellt der Stabilitätsrat eine drohende Haushaltsnotlage nach

---

307 *Von Lewinski*, Öffentlichrechtliche Insolvenz und Staatsbankrott, 2011, S. 254.

308 Zu den vorangegangenen rechtspolitischen Erwägungen *von Lewinski*, Öffentlichrechtliche Insolvenz und Staatsbankrott, 2011, S. 410 ff.

309 BVerfGE 116, 327, 393 f.

§ 4 StabiRatG fest, so vereinbart der Stabilitätsrat mit dem Bund oder dem entsprechenden Bundesland ein Sanierungsprogramm, das auf Vorschlägen der betroffenen Einheit basiert (§ 5 I 1, 2 StabiRatG). Allerdings dürfen im Sanierungsprogramm nur Maßnahmen enthalten sein, für die die betroffene Gebietskörperschaft auch kompetent ist (§ 5 I 4 StabiRatG). Grundsätzlich soll durch das Sanierungsprogramm somit die finanzielle Eigenständigkeit der von einer Haushaltsnotlage betroffenen Einheit gewahrt bleiben. Werden nur ungeeignete oder unzureichende Vorschläge für Sanierungsmaßnahmen vorgelegt oder werden die vereinbarten Maßnahmen nur unzureichend umgesetzt, so beschließt der Stabilitätsrat eine Aufforderung zu verstärkten Haushaltssanierung (§ 5 III 1 StabiRatG). Aber auch im Rahmen der verstärkten Haushaltssanierung werden keine materiellen Bedingungen aufgestellt, sondern die betroffene Gebietskörperschaft lediglich aufgefordert, verstärkte Anstrengungen zu unternehmen. Die Kompetenz konkrete Maßnahmen zu unternehmen wird wiederum bei der betroffenen Einheit belassen. Selbst wenn das vereinbarte Sanierungsprogramm nicht die erhofften Fortschritte erzielt, bleibt dem Stabilitätsrat nur die Option ein neues Sanierungsprogramm zu vereinbaren (§ 5 IV StabiRatG). Darüber hinaus fehlen dem Haushaltsüberwachungsmechanismus aus Art. 109a GG i.V.m StabiRatG Sanktionsmöglichkeiten für nicht kooperatives Verhalten der betroffenen Gebietskörperschaft.[310] Die fehlende Sanktionsmöglichkeit und die Offenheit des Prozesses an sich werden mit der Haushaltsautonomie der umfassten Gebietskörperschaften begründet. Da jede Gebietskörperschaft für ihren Haushalt, abgesehen vom Finanzausgleich nach Art. 106 f. GG und der Finanzhilfe im Falle eines bundesstaatlichen Notstands,[311] selbst verantwortlich ist, sei die „Zahnlosigkeit" der bundesstaatlichen Haushaltsüberwachung gerechtfertigt.[312]

310 Die Haushaltsüberwachung stellt eine „bloße Warnung ohne finanzwirksame Konsequenzen" dar, *Kemmler,* DÖV 2009, 549, 552.

311 Für den Eintritt eines solchen Notstands hat das BVerfG in seinem *Berlin*-Urteil jedoch sehr enge Grenzen gesetzt BVerfGE 116, 327.

312 *Von Lewinski,* Öffentlichrechtliche Insolvenz und Staatsbankrott, 2011, S. 414; auf die dadurch erzielte „politische Akzeptanz" weist *Kemmler,* DÖV 2009, 549, 553, hin. Im Reformprozess wurde die Möglichkeit der Sanktionierung durch Sachverständige durchaus kontrovers debattiert. *Häde* sprach sie beispielsweise grundsätzlich für die Möglichkeit der Sanktionierung aus, jedoch gegen Geldbußen, vgl. *Häde,* Stellungnahme zur Vorbereitung der öffentlichen Anhörung der Kommission von Bundestag und Bundesrat zur Modernisierung der Bund-Länder-Finanzbeziehungen am 22. Juni 2007 in Berlin, in: Kommission von Bundestag und Bundesrat, Kommissionsdrucksache 021, 2007, S. 12 f., abrufbar unter http://webarchiv.bundestag.de/cgi/show.php?fileToLoad=1833&id=1134.

Selbst im Fall einer finanziellen Krise soll daher die Eigenverantwortlichkeit für den eigenen Haushalt eines jeden Bundeslandes aufrechterhalten bleiben.

Darüber hinaus bietet das Grundgesetz die Möglichkeit des Bundeszwangs (Art. 37 GG). Allerdings ist die Anwendung von Bundeszwang nach Art. 37 GG aus Anlass einer rein finanziellen Notlage eines Bundeslands ausgeschlossen. Erst wenn die finanzielle Krise sich auf die Erfüllung weiterer Bundespflichten auswirkt, d.h. das Bundesland Bundesgesetze aufgrund seiner finanziellen Krise nicht mehr vollziehen kann, könnte der Bund zur Überbrückung des Notstands *ultima ratio* Bundeszwang einsetzen. Allerdings könnte dieser nicht zur Sanierung des betroffenen Landeshaushalts eingesetzt werden, sondern lediglich zur Überbrückung des konkreten Notstands.[313] Gleichwohl wurde in der Geschichte der Bundesrepublik von der Möglichkeit des Bundeszwangs bis jetzt noch nie Gebrauch gemacht.

Insgesamt lässt sich feststellen, dass eine Haushaltsüberwachung der Länder durch den Bund zwar existiert, aber sehr schwach ausgestaltet ist. Begründet wird diese schwache Ausgestaltung mit der auf dem Bundesstaatsprinzip basierenden und somit durch Art. 79 III, 20 GG abgesicherten Haushaltsautonomie der Länder.

(2) Auf europäischer Ebene: Verschärfung der Haushaltsüberwachung seit der europäischen Staatsschuldenkrise

Auch auf Ebene der EU finden sich Mechanismen zur Haushaltsüberwachung, denn die Wirtschafts- und Währungsunion setzt eine solide Haushaltspolitik der Mitgliedstaaten voraus. Bereits mit Abschluss des Stabilitäts- und Wachstumspakts 1977 – bestehend aus einer Entschließung des Europäischen Rates über den Stabilitäts- und Wachstumspakt und den Verordnungen VO (EG) Nr. 1466/97 und VO (EG) Nr. 1467/97 – wurde durch Primär- und Sekundärrecht ein System der präventiven und korrektiven Haushaltskontrolle geschaffen.[314]

In ihrer präventiven Ausprägung etabliert die europäische Haushaltsüberwachung ein System der multilateralen Überwachung (Art. 121 AEUV). Zu diesem Zweck sind die Mitgliedstaaten nach Art. 121 III AEUV verpflichtet jährliche Stabilitäts- bzw. Konvergenzprogramme vorzulegen. Anhand derer überprüft die Kommission dann, ob die Wirtschaftspolitik eines Mitgliedstaats mit den in Art. 121 II AEUV genannten Grundzügen unvereinbar ist oder

313 Ausführlich zum Bundeszwang *von Lewinski,* Öffentlichrechtliche Insolvenz und Staatsbankrott, 2011, S. 427 ff.

314 Vgl. *Weber,* EuR 2013, 375, 376 f.

das ordnungsgemäße Funktionieren der Wirtschafts- und Währungsunion zu gefährden droht und leitet gegebenenfalls die notwendigen Maßnahmen ein (Art. 122 IV AEUV).

Die korrektive Komponente der europäischen Haushaltsüberwachung umfasst das Verfahren bei übermäßigem Defizit.[315] Nach Art. 126 I AEUV sind die Mitgliedstaaten verpflichtet übermäßige Defizite zu vermeiden. Was unter einem „übermäßigen Defizit" zu verstehen ist, ist näher in Protokoll Nr. 12 dargelegt. Demnach sind die Mitgliedstaaten verpflichtet, ihr jährliches Haushaltsdefizit auf 3 % des BIPs und ihre Verschuldung auf 60 % des BIPs zu beschränken. Um für die Einhaltung der Stabilitätskriterien zu sorgen, ist ein gestaffeltes Prüfungs- und Sanktionsverfahren vorgesehen. Bei einem nicht gerechtfertigten Verstoß gegen die Stabilitätskriterien erfolgt zunächst eine Empfehlung des Rates an den betroffenen Staat (Art. 126 VII AEUV), die dann wiederum veröffentlicht werden kann (Art. 126 VIII AEUV). Gegen Mitglieder der Eurozone können zudem weitergehende Sanktionen nach Art. 126 IX bis XI AEUV verhängt werden. Die möglichen Sanktionen sind abschließend in Art. 126 XI AEUV aufgeführt. In einem gestaffelten Maßnahmenkatalog ist vorgesehen, den betreffenden Mitgliedstaat vor der Emission von Anleihen zur Veröffentlichung von zusätzlichen Angaben zu verpflichten, die Europäische Investitionsbank zu ersuchen, ihre Darlehenspolitik gegenüber dem Mitgliedstaat zu überprüfen, den Mitgliedstaat zu einer unverzinslichen Einlage in angemessener Höhe bei der Union zu verpflichten und als *ultima ratio* eine angemessene Geldbuße zu verhängen.[316]

Mit dem Eintritt der europäischen Staatsschuldenkrise 2010 offenbarte sich jedoch, dass das bisher existierende Regelungsregime übermäßige Haushaltsdefizite – als einer der maßgeblichen Ursachen der Krise – nicht verhindern konnte und somit in seiner bisherigen Ausgestaltung und Anwendung untauglich war.[317] Deshalb wurde im Zuge der Staatsschuldenkrise insbesondere die präventive Haushaltsüberwachung reformiert, indem sekundärrechtlich die Regelungen des Stabilitäts-und Wachstumspakts verschärft und völkervertraglich die Schaffung nationaler Fiskalregeln vereinbart wurden.

---

315 Dazu *Herrmann*, Europäische Wirtschafts- und Währungsunion, in: Ehlers/Fehling/Pünder, Besonderes Verwaltungsrecht, Bd. 1, 3. Aufl. 2012, § 10 Rdnr. 52 ff.

316 Vor der Verhängung von Sanktionen wird allerdings generell zurückgeschreckt. So wurde eine Geldbuße noch nie verhängt, vgl. *Weber*, EuR 2013, 375, 377; *Hamer*, in: von der Groeben/Schwarze/Hatje, Europäisches Unionsrecht, 7. Aufl. 2015, Art. 126, Rdnr. 130 a.E.

317 Vgl. nur *Antpöhler*, ZaöRV 2012, 353, 359: „Die Schwächen dieses System wurden durch die Schuldenkrise schonungslos aufgedeckt".

Zuerst wurde durch das sog. *Six Pack* die bisher bestehende Haushaltsüberwachung ausgeweitet und verschärft.[318] Neben die Überwachung des Haushaltsdefizits tritt ein durch VO (EU) Nr. 1176/2011 eingeführter Mechanismus zur Überwachung makroökonomischer Ungleichgewichte. Mittels eines Scoreboards beurteilt die Kommission jedes Jahr, ob in einem Mitgliedstaat makroökonomische Ungleichgewichte in Form eines Defizits oder eines Überschusses auftreten (Art. 3, 4 VO (EU) Nr. 1176/2011). Treten übermäßige Defizite auf, so wird ein ans Primärrecht angelehntes Verfahren eingeläutet. Auf die Veröffentlichung des Verstoßes folgt die Abgabe einer Empfehlung durch den Rat, die neben der Feststellung eines übermäßigen Ungleichgewichts auch Maßnahmenempfehlungen enthält (Art. 7 II VO (EU) Nr. 1176/2011). Daraufhin hat der betroffene Mitgliedstaat nach Art. 8 VO (EU) Nr. 1176/2011 einen Korrekturmaßnahmenplan vorzulegen, dessen Einhaltung von der Kommission überwacht (Art. 9 VO (EU) Nr. 1176/2011) und vom Rat bewertet wird (Art. 10 VO (EU) Nr. 1176/2011). Die Mitgliedstaaten der Eurozone können zudem nach VO (EU) Nr. 1174/2011 sanktioniert werden. Zudem wurde durch die rechtsverbindliche Einführung des Europäischen Semesters durch VO (EU) Nr. 1175/2011 der Zeitpunkt der Kontrolle zeitlich vorverlegt. So ist ein nationaler Haushalt nun schon überprüfbar, bevor er überhaupt auf nationaler Ebene verabschiedet wurde.

Am weitgreifendsten sind wohl die Reformen des Sanktionsmechanismus.[319] Dieser wurde auf alle drei Säulen des Stabilitäts- und Wachstumspakts erstreckt.[320] Zwar hat sich am primärrechtlich verankerten Sanktionsinstrumentarium nichts geändert, doch wurde das Verfahren erheblich gestrafft. Dazu zählt die Einführung eines neuen Abstimmungsmodus im Rat, der sog. umgekehrt qualifizierten Mehrheit. Empfehlungen der Kommission gelten danach als angenommen, es sei denn sie werden mit qualifizierter Mehrheit abgelehnt. Eine Zustimmung des Rates ist folglich für die Verhängung von Sanktionen grundsätzlich nicht mehr erforderlich. Außerdem wurde der in Art. 126 XI AEUV vorgesehenen Geldbuße eine „prominentere Rolle“[321] eingeräumt. Diese kann nach Art. 11 VO (EU) Nr. 1177/2011 im Rahmen des korrektiven Arms des Stabilitäts- und Wachstumspakts nun direkt verhängt werden, ohne dass zuvor eine

318 Das sog. Sixpack besteht aus den folgenden sechs Sekundärrechtsakten VO (EU) Nr. 1173/2011, ABl. 2011 L 306/1; VO (EU) Nr. 1175/2011, ABl. 2011 L 306/12; VO (EU) Nr. 1177/2011, ABl. 2011 L 306/33; VO (EU) Nr. 1174/2011, ABl. 2011 L 306/8; VO (EU) Nr. 1176/2011, ABl. 2011 L 306/25 und RL 2011/85/EU, ABl. 2011 L 306/41.

319 Vgl. *Antpöhler,* ZaöRV 2012, 353, 364.

320 Vgl. ausführlich dazu *Pilz/Dittmann,* ZEuS 2012, 53, 60 ff.

321 *Pilz/Dittmann,* ZEuS 2012, 53, 65.

unverzinsliche Einlage verlangt wurde. Die Geldbuße beträgt bis zu 0,5 % der Wirtschaftsleistung und besteht aus einer festen Komponente i.H.v. 0,2 % des BIPs und einem variablen Teil.[322]

Der Vertrag über Stabilität, Koordinierung und Steuerung in der Wirtschafts- und Währungsunion (kurz: Fiskalpakt) wurde aufgrund mangelnder Unterstützung durch Großbritannien als völkerrechtlicher Vertrag abgeschlossen und ist somit kein Teil des Unionsrechts.[323] Dessen bedeutungsvollste Neuerung ist die Einführung nationaler Fiskalregeln („Schuldenbremse"), die in nationales Recht implementiert werden müssen (Art. 3 SKS). Allerdings ist die Durchsetzbarkeit des Paktes sehr schwach ausgestaltet, denn es kann nur wegen der Nichtumsetzung der Schuldenbremse ins nationale Recht geklagt werden, nicht aber gegen einen Verstoß gegen diese. Der Fiskalpakt wird deshalb auch als „redundant" bezeichnet.[324]

Als vorerst letzter Schritt wurde im Mai 2013 das sog. *Two-Pack* verabschiedet, das die haushaltspolitische Koordinierung in der Eurozone durch eine vertiefte Haushaltsüberwachung weiter verbessern soll.[325] Unter anderem wird eine vertiefte Haushaltsüberwachung für Staaten eingeführt, die von gravierenden Schwierigkeiten in Bezug auf ihre Finanzstabilität betroffen oder bedroht sind (Art. 2 I VO (EU) Nr. 472/2013) oder Finanzhilfen erhalten (Art. 2 III VO (EU) Nr. 472/2013). Die vertiefte Haushaltsüberwachung sieht in erster Linie gesteigerte Berichtspflichten für den betroffenen Mitgliedstaat und Informationsrechte für die Institutionen vor. Zudem kann die Kommission dem betroffenen Mitgliedstaat nach Art. 7 VO (EU) Nr. 472/2013 ein Anpassungsprogramm empfehlen. VO (EU) Nr. 473/2013 will insbesondere sicherstellen, dass die nationalen Haushaltspläne mit den wirtschaftspolitischen Leitlinien vereinbar sind, die im Rahmen des Stabilitäts- und Wachstumspakts und des Europäischen Semesters für die wirtschaftspolitische Koordinierung veröffentlicht wurden. Dazu wird ein gemeinsamer Haushaltszeitplan vereinbart, der die Veröffentlichung der Finanzplanung für die nächsten drei Jahre bis zum 30.4. eines jeden Jahres und die Veröffentlichung der Haushaltsplanung des nächsten Jahres bis zum 15.10. jedes Jahres vorsieht. Die Kommission prüft und bewertet die Haushaltsplanung der Mitgliedstaaten und kann gegebenenfalls einen

322 Art. 12 VO (EG) Nr. 1467/1997 in der durch VO (EU) Nr. 1177/2011 geänderten Fassung.

323 *Calliess*, DÖV 2013, 785, 787.

324 *Antpöhler*, ZaöRV 2012, 353, 391.

325 Das sog. *Two-Pack* besteht aus den beiden Verordnungen VO (EU) Nr. 472/2013 und VO (EU) Nr. 473/2013.

überarbeiteten Haushaltsentwurf verlangen. Im Rahmen des Defizitverfahrens bestehen dann noch stärkere Berichtspflichten und eine verstärkte Überwachung der Umsetzungen von Empfehlungen der Kommission (vgl. Art. 10, 11 VO (EU) Nr. 473/2013).

Zusammenfassend lässt sich feststellen, dass die Mitgliedstaaten weitreichende Berichtspflichten über ihre Haushaltsplanung treffen und bei der Planung Vorgaben unterliegen. Bei Verstößen können (schneller als zuvor) Sanktionen insbesondere in Form von Geldbußen erhoben werden. Teilweise werden den betroffenen Mitgliedstaaten Empfehlungen gegeben, diese sind aber nicht verbindlich.[326]

b) Stufen der Haushaltsüberwachung

Wie aus der exemplarischen Darstellung der Haushaltsüberwachung durch den Bund und der Europäischen Union folgt, besteht eine äußere Haushaltsüberwachung aus vielfältigen, gestaffelten Maßnahmen. Am Anfang stehen Berichtspflichten der jeweiligen Entität gegenüber der übergeordneten Einheit, welche die Angaben dann an gewissen Kennzahlen prüft. Auch wenn die Kennzahlen und die Reichweite der Berichtspflichten differieren, liegt dieser Ablauf allen Haushaltsüberwachungssystemen zugrunde.[327]

Wesentliche Unterschiede ergeben sich vor allem bei der Durchsetzung der Vorgaben. Im Bund wird ein Sanierungsprogramm eingeleitet, das auf dem Vorschlag des betroffenen Bundeslandes basiert, aber nicht von möglichen Sanktionen flankiert wird. In der Europäischen Union wiederum ist eine Sanktionierung insbesondere durch Geldbußen stärker als je zuvor vorgesehen. Weitergehend als eine Sanktionierung durch Geldbußen sind Durchgriffsrechte auf die betroffenen Haushalte, welche im Rahmen der Staatsschuldenkrise für die EU gefordert wurden.[328] Unter einem Durchgriffsrecht versteht man die Kompetenz einer

326 Vgl. ebenfalls die Übersicht zur unionalen Haushaltsüberwachung in *Loscher*, Präventive Aufsicht der Europäischen Union über den Bundeshaushalt, 2014, S. 70 ff.

327 Vgl. dazu Untersuchung von *Liu/Webb* zur Haushaltsüberwachung bei subnationalen Entitäten *Liu/Webb*, Laws for Fiscal Responsibility for Subnational Discipline: International Experience, World Bank Policy Research Working Paper Series 5587, März 2011, S. 13 ff., abrufbar unter http://ssrn.com/abstract=1792244.

328 Vgl. die Forderung von Bundeskanzlerin *Merkel*: „Bei der Stärkung der Haushaltsdisziplin sind wir zuletzt mit dem Fiskalvertrag durchaus ein gutes Stück vorangekommen. Aber wir sind der Meinung – das sage ich für die ganze Bundesregierung –: Wir könnten hier sehr gut ein Stück weiter gehen, indem wir der europäischen Ebene echte Durchgriffsrechte gegenüber den nationalen Haushalten gewähren, dort, wo die vereinbarten Grenzwerte des Stabilitäts- und Wachstumspaktes nicht eingehalten

übergeordneten Entität für eine gewisse Dauer verbindliche Entscheidungen über den Haushalt einer untergeordneten Einheit treffen zu können.[329] Diese Forderungen wurden allerdings im Reformprozess nicht aufgegriffen. Zwar tendiert die Kompetenz der Kommission Haushaltspläne der Mitgliedstaaten zurückzuweisen, die mit den Vorgaben nicht konvertibel sind, und neue Haushaltspläne einzufordern bereits in diese Richtung, weil auch durch wiederholtes Zurückweisen eines Haushalts mittelbar Entscheidungen über den Haushalt der untergeordneten Einheit getroffen werden können. Doch ist durch das Zurückweisen keine konkrete, unmittelbare Entscheidung über Haushaltspositionen möglich, sodass die Entscheidungskompetenz auf der unteren Ebene verbleibt. Von einem einem Durchgriffsrecht kann daher nicht gesprochen werde. Durchgriffsrechte sind jedoch keine bloße akademische Spielerei. Teilweise sind innerhalb von bundesstaatlichen Systemen wie beispielsweise in Brasilien bereits fiskalische Durchgriffsrechte der Bundesebene auf die nachgeordnete Ebene tatsächlich vorgesehen.[330]

2. *Bewertung der Maßnahmen unter dem Gesichtspunkt staatlicher Souveränität*

a) *Freiwillige Bindung*

Essentiell für das Bestehen staatlicher Souveränität ist, dass ein Staat nur Bindungen unterliegt, welchen er sich freiwillig unterworfen hat. Bestehen haushalterische Vorgaben inklusive ihrer Überwachung außerhalb der internen Organisationsstruktur eines Staates, können diese nur völkervertraglichen Ursprungs sein. Die unionale Haushaltsüberwachung beispielsweise ist deshalb in den EU-Verträgen verankert und darüber hinaus in den auf den Verträgen basierenden Sekundärrechtsakten konkretisiert. Soweit Haushaltsüberwachungen völkervertraglich statuiert sind, existiert eine dahingehende Zustimmung

---

werden.", Regierungserklärung von Bundeskanzlerin Merkel zum Europäischen Rat am 18. und 19.10.2012 in Brüssel, abrufbar unter http://www.bundeskanzlerin.de/ContentArchiv/DE/Archiv17/Regierungserklaerung/2012/2012-10-18-merkel.html, zuletzt aufgerufen am 20.3.2017; in der Literatur beispielsweise *Calliess*, VVDStRL 71 (2012), 113, 171 f.; *ders.*, DÖV 2013, 785, 788.

329 Vgl. zum Verständnis von Durchgriffsrechten *Sachverständigenrat zur Begutachtung der gesamtwirtschaftlichen Entwicklung*, Stabile Architektur für Europa – Handlungsbedarf im Inland, 2012, Rdnr. 176; wohl auch *Weber*, EuR 2013, 375, 376.

330 *Liu/Webb*, Laws for Fiscal Responsibility for Subnational Discipline: International Experience, World Bank Policy Research Working Paper Series 5587, März 2011, abrufbar unter http://ssrn.com/abstract=1792244.

des jeweiligen Staates. Soweit Sekundärrechtsakte einer internationalen Organisation die relevanten Regelungen enthalten, besteht über die der Organisation zugrunde liegenden Verträge zumindest eine mittelbare Zustimmung der Mitgliedstaaten, soweit sich die Sekundärrechtsakte an den durch die Gründungsverträge vorgegebenen Rahmen halten.

Eine Frage, die in diesem Kontext auftaucht, ist, welche Anforderungen an die Konkretheit einer staatlichen Zustimmung zu stellen sind. Da insbesondere Durchgriffsrechte einen weitreichenden Einschnitt in die nationale Autonomie bedeuten, ist fraglich inwieweit eine abstrakte staatliche Zustimmung zu Durchgriffsrechten souveränitätswahrend sein kann. Nach der aktuellen Souveränitätskonzeption ist jedoch allein entscheidend, dass ein Staat Bindungen freiwillig zustimmt. Dabei ist es als die Obliegenheit des Staates zu betrachten dafür zu sorgen, dass er seine Verpflichtungen hinreichend konkretisiert. Hat ein Staat sich bewusst abstrakten Bindungen unterworfen, so muss er sich auch an diesen messen lassen.

Zudem dürfte auch die Freiwilligkeit der Bindung nur wenig problematisch sein, da Staaten sich präventiven Mechanismen bereits im Vorfeld einer eventuell auftretenden finanziellen Krise unterwerfen und bei Abschluss meist noch keine ökonomische Drucksituation besteht. Erst wenn Verstöße gegen die vereinbarten haushalterischen Vorgaben drohen und die zuvor beschlossenen Sanktionen durchgesetzt werden sollen, können Staaten gewissen ökonomischen Zwängen ausgesetzt sein. Dies ändert jedoch nichts daran, dass der Staat sich zuvor freiwillig dem Haushaltsüberwachungsmechanismus unterworfen hat.

b) Lösbarkeit

Auch wenn Haushaltsüberwachungsmechanismen die Freiwilligkeit eines Staates nicht beeinträchtigen, ist es darüber hinaus notwendig, dass ein Staat sich von diesen Verpflichtungen wieder lösen kann. Dabei ist es nicht notwendig, dass sich ein Staat auf der Stelle von seinen Verpflichtungen lösen kann. Eine solche Lösungsmöglichkeit würde den Sinn und Zweck solcher Überwachungsmechanismen vollständig konterkarieren, da ein Staat sich immer dann, wenn er Gefahr liefe Sanktionen ausgesetzt zu sein, von seinen Bindungen lösen würde. Wie bereits festgestellt genügt für die Wahrung der staatlichen Souveränität, dass einem Staat auch nur eine potentielle Lösungsmöglichkeit auf der Grundlage der *clausula rebus sic stantibus* zukommt.[331]

---

331 Siehe dazu ausführlich oben S. 67 ff.

Die fehlende Lösungsmöglichkeit der Bundesländer von bundesstaatlicher Haushaltsüberwachung ist insofern unschädlich, da den deutschen Bundesländern gegenüber dem Bundesstaat keine eigenständige Souveränität zukommt, die verletzt werden könnte.[332]

Für die Europäische Union gilt, dass Mitgliedstaaten sich von unionalen haushalterischen Verpflichtungen jedenfalls durch ihren Austritt aus der Union nach Art. 50 EUV lösen können. Da ein Austritt aus der Union aber mit sehr weitreichenden Folgen für einen Mitgliedstaat verbunden wäre und somit von dem jeweiligen Staat im Zweifel nicht gewünscht wird, ist fraglich, ob ein Mitgliedstaat sich auch nur im Wege eines „Teilaustritts" von den bestehenden Haushaltsüberwachungsmechanismen lösen kann. Denkbar wäre entweder eine gesonderte Lösung von Haushaltsüberwachungsmechanismen oder aber ein Austritt aus der Währungsunion, die mit weitgehenderer Haushaltsüberwachung verbunden ist als die bloße Mitgliedschaft in der Union. Ein solcher Teilaustritt ist in den Verträgen nicht vorgesehen. Man könnte argumentieren, dass *a maiore ad minus* zu Art. 50 EUV ein Teilaustritt möglich sein müsse, aber schon der Wortlaut des Art. 50 EUV lässt eine solche Auslegung nur schwerlich zu. Zudem würde eine derartige Auslegung des Art. 50 EUV zu einem dem Unionsrecht zuwiderlaufenden Rosinenpicken führen, denn dann könnte sich jeder Mitgliedstaat das für ihn Vorteilhafte auswählen, während er sich von lästigen Verpflichtungen einseitig lossagen könnte. Vieles spricht daher dafür Art. 50 EUV im Sinne „alles oder gar nichts" zu verstehen.[333] Auch ein Rückgriff auf die allgemeinen völkerrechtlichen Institute wie beispielsweise die *clausula rebus sic stantibus* scheidet im Rahmen des Unionsrechts als *self-contained regime* aus.[334]

Es verbleiben jedoch konsensbasierte Gestaltungsmöglichkeiten. Dazu zählt beispielsweise die Verhandlung eines Austrittsabkommens nach Art. 50 II AEUV, verbunden mit dem teilweisen Verbleib in der Union oder aber auch ein Austritt für eine juristische Sekunde, verbunden mit einem Wiedereintritt mit

---

332 Zur mangelnden Souveränität deutscher Bundesstaaten siehe nur *Degenhart*, Staatsrecht I, 32. Aufl. 2016, Rdnr. 7.

333 *Athanassiou*, ECB Legal Working Paper Series No. 10, Dezember 2009, S. 20, abrufbar unter: https://www.ecb.europa.eu/pub/pdf/scplps/ecblwp10.pdf, zuletzt aufgerufen am 20.3.2017; *Hahn/Häde*, Währungsrecht, 2. Aufl. 2010, § 26, Rdnr. 7 ff.; *Dieckmann/Bernauer*, NZG 2012, 1172, 1173; für eine solche Interpretation aber *Seidel*, EuZW 2007, 613; nicht ablehnend auch *Herrmann*, EuZW 2010, 413, 417.

334 So *Athanassiou*, ECB Legal Working Paper Series No. 10, Dezember 2009, S. 11 ff., abrufbar unter: https://www.ecb.europa.eu/pub/pdf/scplps/ecblwp10.pdf, zuletzt aufgerufen am 20.3.2017; *Herrmann*, EuZW 2010, 413, 417.

der Aufnahme bereichsspezifischer Ausnahmen.[335] Zudem erscheint eine Änderung des Primärrechts nach Art. 48 AEUV oder aber auch eine Abänderung des im Bereich der Haushaltsüberwachung erlassenen Sekundärrechts denkbar. Doch auch diese Möglichkeiten sind von einem Mitgliedstaat nicht einseitig umsetzbar.[336] Eine einseitige, isolierte Lösung von den unionalen Haushaltsüberwachungsmechanismen ist folglich nicht möglich. Doch letztlich sichert Art. 50 EUV die souveränitätswahrende einseitige Lösungsmöglichkeit der Mitgliedstaaten, sodass es auf die Möglichkeit eines Teilaustritts gar nicht mehr ankommt.

c) Zwischenergebnis: Keine Beeinträchtigung der Souveränität durch Haushaltsüberwachung

Nach der aktuellen Souveränitätskonzeption stellen die existierenden Regelungen zur Haushaltsüberwachung keine Verletzung staatlicher Souveränität dar. Soweit die Gliedstaaten von einer bundesstaatlichen Haushaltsüberwachung betroffen sind, liegt schon mangels äußerer Souveränität der Gliedstaaten keine Souveränitätsverletzung vor. Ansonsten ist eine Souveränitätsverletzung deshalb ausgeschlossen, da entsprechende Regelungen in der Regel von freiwilligem, staatlichem Willen getragen sind und Staaten sich zudem von solchen Regeln grundsätzlich wieder lösen können.

3. Erhebliche Einschränkung der nationalen Autonomie durch Haushaltsüberwachung

Von der normativen Souveränitätskonzeption wird jedoch nicht erfasst, dass Maßnahmen der Haushaltsüberwachung je nach ihrer Ausgestaltung die staatliche Autonomie empfindlich einschränken können, obwohl die Macht über den Haushalt zu bestimmen von fundamentaler Bedeutung in einem Staat ist. Nicht umsonst wird die Budgethoheit immer wieder – bezogen auf den historischen Kontext aber gerade auch seine Bedeutsamkeit – als das „Königsrecht" des Parlaments bezeichnet.[337] Für die Bundesrepublik Deutschland hat das BVerfG immer

---

335 Zur ersteren Gestaltung *Dörr*, in: Grabitz/Hilf/Nettesheim, Art. 50 EUV, Rdnr. 30; zur letzteren Möglichkeit *Meyer*, EuR 2013, 334, 337.

336 Meyer, EuR 2013, 334, 337 ff.

337 Vgl. beispielsweise *Tappe/Wernsmann*, Öffentliches Finanzrecht, 2015, Rdnr. 64 ff., die den Begriff jedoch als historisch „schief" bezeichnen; ebenfalls *von Lewinski*, § 217 Nationale und internationale Staatsverschuldung, in: Isensee/Kirchhof, HStR X, 3. Aufl. 2012, Rdnr. 53; *Loscher*, Präventive Aufsicht der Europäischen Union über den Bundeshaushalt, 2014, S. 19. Für die Bundesrepublik Deutschland hat das BVerfG

wieder die essentielle Bedeutung der Budgethoheit betont.[338] Das Budgetrecht bilde ein „zentrales Element der demokratischen Willensbildung".[339] Damit sei die haushaltspolitische Gesamtverantwortung des Bundestages „notwendige Bedingung für die Sicherung politischer Freiräume im Sinne des Identitätskerns der Verfassung".[340]

Keine oder nur geringe Wirkung dürfte den Informations- und Berichtspflichten im Rahmen eines Haushaltsüberwachungsmechanismus zugeschrieben werden. Zwar können die für eine effektive Haushaltskontrolle notwendigen Informations- und Berichtspflichten Einfluss auf die zu treffenden haushalterischen Entscheidungen haben, da die übermittelten Daten meist veröffentlicht und somit viel stärker der öffentlichen Diskussion ausgesetzt sind. Letztendlich werden die Verantwortlichen in ihrer Entscheidung jedoch nicht eingeschränkt.

Anders könnten haushalterische Vorgaben wie beispielsweise Defizitgrenzen zu beurteilen sein. Diese stellen zwar rechtliche Verpflichtungen dar, die im Ausnahmefall auch gebrochen werden können, doch kann auch durch rechtliche Verpflichtungen die Autonomie des Haushaltsgebers bereits beschränkt werden. Denn Staaten schrecken grundsätzlich davor zurück, völkerrechtliche bzw. unionsrechtliche Verpflichtungen zu brechen, da sie sich zum einen rechtskonform verhalten wollen und zum anderen die Konsequenzen ihres Verstoßes fürchten.[341] Doch insbesondere die europäische Haushaltsüberwachung hat gezeigt, dass Staaten regelmäßig gegen haushalterische Vorgaben verstoßen, um schmerzhafte Einsparungen oder Steuererhöhungen zu vermeiden und damit innenpolitische Schwierigkeiten zu umgehen. Entscheidend kommt es daher darauf an, wie die Vorgaben durchgesetzt werden können. Wie im vorherigen Kapitel herausgearbeitet wurde, existieren für die Durchsetzung verschiedene

---

immer wieder die essentielle Bedeutung der Budgethoheit betont. Das Budgetrecht bilde ein „zentrales Element der demokratischen Willensbildung".Damit sei die haushaltspolitische Gesamtverantwortung des Bundestages „notwendige Bedingung für die Sicherung politischer Freiräume im Sinne des Identitätskerns der Verfassung"

338 Siehe nur BVerfGE 123, 267; BVerfGE 129, 124; BVerfGE 130, 318; BVerfGE 132, 195; BVerfGE 134, 366; BVerfGE 135, 317; BVerfG, Urteil vom 21.6.2016, 2 BvR 2728/13.

339 BVerfGE 129, 124, 177.

340 BVerfGE 129, 124, 179.

341 I.E. auch *Müller-Wewel*, Souveränitätskonzepte im geltenden Völkerrecht, 2003, S. 197 ff., der zu Recht darauf hinweist, dass es auch Situationen gibt, in denen völkerrechtliche Verpflichtungen die politische Souveränität eines Staates nicht beeinträchtigen, da er sie ohne Konsequenzen brechen kann oder sogar noch vergrößert, weil sich der Staat durch die völkerrechtliche Einbindung ein weiteres Mitbestimmungsrecht sichert.

Optionen. Zum einen können Sanktionen wie z.B. Geldbußen erhoben, zum anderen in den nationalen Haushalt durchgegriffen werden. Sanktionen erhöhen (je nach Ausgestaltung) die Bereitschaft die haushalterischen Vorgaben einzuhalten und sind somit geeignet die politische Autonomie einzuschränken. Allerdings verbleibt die politische Entscheidung auf der nationalen Ebene. Anders verhält es sich bei Durchgriffsrechten auf den nationalen Haushalt. Hier wird die politische Entscheidungsgewalt für einen bestimmten Zeitraum komplett auf eine andere Ebene verlagert und die nationale Haushaltsautonomie für einen bestimmten Zeitraum sogar ausgesetzt. Des Weiteren kann die Erfüllung der haushalterischen Vorgaben auch mit Krisenhilfeinstrumenten verknüpft werden,[342] sodass der politische Spielraum für Staaten, die sich in einer finanziellen Notlage befinden, tatsächlich erheblich eingeschränkt sein kann.[343]

Allerdings bleibt zu beachten, dass die Phase der Haushaltsüberwachung im Vorfeld einer finanziellen Krise stattfindet. Kommt es zu einer finanziellen Notsituation, so ist die Haushaltsüberwachung ihrem Ziel nach bereits gescheitert. Da der politische Druck im Vorfeld einer finanziellen Schieflage fehlt, schränken haushalterische Vorgaben die politische Autonomie nur bedingt ein. Diese Wirkung kann durch wirksame Durchsetzungsmechanismen wie beispielsweise Geldbußen jedoch erheblich erhöht werden, insbesondere durch die Koppelung mit Krisenhilfe. Bestehen sogar Durchgriffsrechte in den nationalen Haushalt, wird die nationale Haushaltsautonomie und somit die politische Autonomie auf einem essentiellen Feld für einen bestimmten Zeitraum sogar ausgesetzt.

B. Krisenhilfe

Befindet sich ein Staat in einer finanziellen Krise, sodass er sich an den Finanzmärkten nicht oder nicht mehr ausreichend refinanzieren kann, besteht die Möglichkeit mithilfe von Krisenhilfe eines institutionellen Gläubigers oder aber im bilateralen Wege die Krise zu bewältigen und somit letztendlich eine Insolvenz zu verhindern. Entscheidender Akteur auf dem Gebiet der finanziellen Krisenhilfe ist der IWF (I.). Auf europäischer Ebene besteht darüber hinaus die Möglichkeit europäische Krisenhilfe durch den ESM zu beantragen (II.). Die Ausgestaltung des Instruments der Krisenhilfe wird jedoch schon seit Langem als souveränitätsbeschränkend kritisiert (III.)

---

342 Zur Krisenhilfe siehe unten S. 106 ff.

343 Einen besonderen Fokus auf die Verknüpfung zwischen Haushaltsüberwachung und unter Konditionalität stehender Krisenhilfe legt *Ioannidis,* ZaöRV 2014, 61 ff.

I. Die Gewährung von Krisenhilfe durch den IWF

1. Der IWF

Der 1945 als internationale Organisation gegründete IWF verfolgt seit seiner Gründung das Ziel die Währungsbeziehungen zwischen seinen Mitgliedstaaten zu stabilisieren. Im Laufe seiner Geschichte musste der Fonds - aufgrund geänderter weltwirtschaftlicher Rahmenbedingungen – seine Strategie von der Überwachung fester Wechselkurse auf die Vergabe von Krediten bei Zahlungsbilanzschwierigkeiten neu ausrichten.[344] Der IWF stellt neben Instrumenten zur Unterstützung von Entwicklungsländern verschiedene solcher Kreditinstrumente (Fazilitäten) bereit. Das am häufigsten verwendete Instrument ist das sog. *Stand-by-Arrangement (SBA),* das der Überbrückung von kurzfristigen Zahlungsbilanzschwierigkeiten dient und regelmäßig auf eine Laufzeit von 12–24 Monaten ausgelegt ist.[345] Aufgrund der Erfahrungen in der europäischen Finanzkrise hat der IWF sein Programm um die zwei Instrumente der *Flexible Credit Line (FCL)* und der *Precautionary Credit Line (PCL)* erweitert, um volkswirtschaftlich starken Mitgliedstaaten bei der Krisenprävention zu helfen.

Die Höhe der Finanzhilfe bemisst sich nach der Einlagequote des Mitgliedstaats und dem in Anspruch genommenen Instrument und unterschreitet regelmäßig 100 % der Quote.[346] In der Krise wurden die Kreditrahmen jedoch erheblich ausgeweitet. So wurde der Maximalbetrag für SBAs auf 200 % der Quote für einen Zeitraum von 12 Monaten angehoben und die Möglichkeit eines *exceptional access* geschaffen. Griechenland beispielsweise hat bei einer Quote von ca. 2,4 Mrd. SDR[347] seit 2010 Fazilitäten von über 27 Mrd. SDR abgerufen.[348] Über die Liquiditätsbereitstellung hinaus, dienen die Fazilitäten des IWF

---

344 Vgl. *Weigeldt,* Die Konditionalität des Internationalen Währungsfonds, 1999, S. 19 ff.; *Krajewski,* Wirtschaftsvölkerrecht, 3. Aufl. 2012, Rdnr. 825; *Dolzer/Kreuter-Kirchhof,* in: Graf Vitzthum/Proeßl, Völkerrecht, 7. Aufl. 2016, 6. Abschnitt Rdnr. 106 ff.; *Thiele,* Finanzaufsicht, 2014, S. 545 f.; kritisch gegenüber der Entwicklung *Hoffmann/Krajewski,* KJ 2012, 1, 3 f.

345 S. http://www.imf.org/external/np/exr/facts/howlend.htm, zuletzt aufgerufen am 20.3.2017.

346 *Von Arnauld,* Völkerrecht, 3. Aufl. 2016, Rdnr. 1011. Für Deutschland ergäbe sich demnach derzeit ein Kreditrahmen von ca. 27 Mrd. SDRs, vgl. https://www.imf.org/external/np/sec/memdir/members.aspx, zuletzt aufgerufen am 20.3.2017.

347 http://www.imf.org/external/np/sec/memdir/members.aspx, zuletzt aufgerufen am 20.3.2017.

348 https://www.imf.org/external/np/fin/tad/extrans1.aspx?memberKey1=360&endDate=2015-07-25&finposition_flag=YES, zuletzt aufgerufen am 20.3.2017.

als wichtige Orientierung für private Investoren (sog. *Seal of Approval)* und sind somit für einen in der finanziellen Krise befindlichen Staat umso bedeutender.[349]

2. *Konditionalität als Pfeiler der Krisenhilfe durch den IWF*

Die Bedeutung der IWF-Fazilitäten für private Investoren ist vor allem auf die IWF-Praxis bei der Kreditvergabe zurückzuführen. Denn dieser vergibt Kredite grundsätzlich nur unter der Bedingung, dass der betroffene Staat wirtschaftspolitische Reformen durchführt (sog. Konditionalität),[350] um die Zahlungsbilanzschwierigkeiten zu beheben und die makroökonomische Stabilität wiederherzustellen. Darüber hinaus soll die Konditionalität dafür sorgen, dass die Mitgliedstaaten ihre Kredite später auch wieder an den IWF zurückbezahlen können.[351] Unter Konditionalität versteht der IWF vier verschiedene Sicherungsinstrumente: Konsultationen, die Erfüllung von Vorbedingungen, die Staffelung der Auszahlungen und die Erfüllung von Leistungskriterien.[352] In der Öffentlichkeit herrscht dagegen ein engeres Verständnis von Konditionalität vor, meist werden darunter nur die Auflagen verstanden, die ein Mitgliedstaat erfüllen muss, um Zahlungen des IWF zu erhalten. Beispiele für solche Auflagen sind eine Obergrenze für die Staatsverschuldung, aber auch die Durchführung von konkreten Strukturreformen.

Der Grundsatz der Konditionalität findet nur eine sehr schwache rechtliche Verankerung in Art. 5 Sec. 3 a) ÜIWF und wird auch durch die *Guidelines on Conditionality*[353] nur wenig konkretisiert, sodass dem IWF im Rahmen seiner Kreditgewährung insgesamt ein weiterer Beurteilungsspielraum zukommt.[354]

---

349 Siehe *Krajewski,* Wirtschaftsvölkerrecht, 3. Aufl. 2012, Rdnr. 832.

350 *Gold* drückt es in seiner grundlegenden Arbeit wie folgt aus: "The word 'conditionality' in the International Monetary Fund refers to the policies the Fund expects a member to follow in order to be able to use the Fund's general resources.", weist aber auch darauf hin, dass die Ursprünge des Terminus unklar sind, *Gold,* Conditionality, 1979, S. 1.

351 http://www.imf.org/external/np/exr/facts/conditio.htm, zuletzt aufgerufen am 20.3.2017. Der Grundsatz der Konditionalität findet nur eine sehr schwache rechtliche Verankerung in Art. 5 sec. 3 a) ÜIWF, wird aber durch die *Guidelines on Conditionality* näher ausgestaltet, *IMF,* Guidelines of Conditionality, 2002, abrufbar unter http://www.imf.org/External/np/pdr/cond/2002/eng/guid/092302.pdf, zuletzt aufgerufen am 20.3.2017.

352 *Lucke,* Internationaler Währungsfonds, 1996, S. 156 ff.

353 *IMF,* Guidelines on Conditionality, abrufbar unter http://www.imf.org/External/np/pdr/cond/2002/eng/guid/092302.pdf, zuletzt aufgerufen am 20.3.2017.

354 Kritisch hinsichtlich der mangelnden rechtlichen Überprüfbarkeit *Lucke,* Internationaler Währungsfonds, 1996, S. 152 ff.

Auch wenn der Prozess zur Gewährung von Fazilitäten deshalb sehr flexibel ist, erfolgt er doch grundsätzlich nach einem gleichbleibenden Schema.[355] Zu Beginn tritt ein Mitgliedstaat an den IWF heran, um Unterstützung anzufragen. Daraufhin wird durch den IWF bereits ein Entwurf eines Anpassungsprogramms (sog. *blueprint*) erarbeitet, der bereits zentrale Elemente des Anpassungsprogramms ausweist. Mit diesem *blueprint* tritt der IWF dann in Verhandlungen mit dem Mitgliedstaat über die Bereitstellung der Fazilität und das Anpassungsprogramm ein. Meist warten Mitgliedstaaten sehr lange ab, bevor sie sich an den IWF wenden, da sie ein mit vielen Einschnitten verbundenes Anpassungsprogramm scheuen. Aufgrund des Fortschritts der finanziellen Krise in diesem Stadium, finden die Verhandlungen daher unter großem ökonomischem Druck statt.

Wird eine Einigung erzielt, reicht der Mitgliedstaat einen sog. *letter of intent* beim geschäftsführenden Direktor des IWF ein, dem die erzielten Verhandlungsergebnisse in Form von Memoranden[356] beigefügt sind. Im *letter of intent* sind die Hauptziele des Programms, die zu ergreifenden gesetzgeberischen Maßnahmen, die Erfüllungskriterien und die Überwachungsmethoden dargelegt.[357] Erst der *letter of intent* stellt die förmliche Beantragung von IWF-Hilfen dar, auf dessen Grundlage das Exekutivdirektorium dann über die Gewährung einer Hilfe entscheidet. Stimmt das Exekutivdirektorium einer Hilfe zu, wird die erste Tranche der Finanzhilfe ausgezahlt. Daran schließt sich die wichtige Kontrollphase an, in der die Einhaltung des Anpassungsprogramms kontinuierlich überwacht wird, in der aber auch notwendige Änderungen am ursprünglichen Plan vorgenommen werden können. Von der Erfüllung der im Anpassungsprogramm festgeschriebenen Kriterien hängt dann die Auszahlung der weiteren Tranchen ab.[358]

---

355 „[…] the core process underlying IMF-supported programs has proved to be relatively resilient in its main features.“, *Mussa/Savastano,* The IMF Approach to Economic Stabilization, IMF Working Paper, 1999, S. 8.

356 Dies können zum einen ein Memorandum on Economic and Financial Policies (MEFP) und ein Technical Memorandum of Understanding (TMU) sein, *IMF,* Guidelines of Conditionality, 2002, para. 10, abrufbar unter http://www.imf.org/External/np/pdr/cond/2002/eng/guid/092302.pdf, zuletzt aufgerufen am 20.3.2017.

357 *Mussa/Savastano,* The IMF Approach to Economic Stabilization, IMF Working Paper, 1999, S. 11.

358 Nach *Ioannidis,* ZaöRV 2014, 61, 68, käme der IWF jedoch meist zu dem Schluss, dass die Kriterien nicht erfüllt wurden. Ausführlich zum Verfahren *Mussa/Savastano,* The IMF Approach to Economic Stabilization, IMF Working Paper, 1999, S. 8 ff.; *Stiles,* Negotiating Debt: The IMF Lending Process, 1991, S. 25 ff.

3. *Die Rechtsnatur der Vereinbarungen zwischen IWF und Mitgliedstaaten*

In der Literatur umstritten ist die Rechtsnatur der bestehenden Vereinbarung zwischen IWF und Mitgliedstaat. Ein Teil der Lehre geht davon aus, dass es sich dabei um einen völkerrechtlichen Vertrag handelt, weil aus der Vereinbarung gegenseitige Rechte und Pflichten für den jeweiligen Mitgliedstaat und den IWF entstünden.[359] Der IWF selbst[360] und die überwiegende Mehrheit der Literaturstimmen sind jedoch der Auffassung, dass es sich bei dem *letter of intent* und der Zusage durch den IWF jeweils nur um einseitige Akte handelt.[361] Da wohl auch die Mitgliedstaaten davon ausgehen, dass sie sich nicht vertraglich binden, kann jedenfalls mangels *animus contrahendi* kein völkerrechtlicher Vertrag vorliegen.[362]

Aus der Einordnung der Kreditvereinbarung als einseitigem Akt ergeben sich wichtige Konsequenzen für die Rechtsverbindlichkeit und somit für die Folgen eines Verstoßes. Tatsächlich kann jeder Mitgliedstaat gegen die in seinem *letter of intent* niedergelegten Verpflichtungen verstoßen ohne dabei eine vertragliche Verpflichtung zu verletzen und somit gegen den Grundsatz *pacta sunt servanda* zu verstoßen.[363] Die Folgen eines Verstoßes sind vielmehr tatsächlicher Art, wiegen deshalb aber nicht minder schwer. Verstößt ein Mitgliedstaat gegen seine Kreditvereinbarung, so kann der IWF die Auszahlung der verbleibenden Tranchen stoppen und dadurch erheblichen Druck auf den Mitgliedstaat

---

359 U.a. *Lucke,* Internationaler Währungsfonds, 1996, S. 111 ff.; *Knieper,* KJ 1979, 270, 277 ff.

360 Anfangs war auch der IWF noch der Ansicht, dass es sich bei den Vereinbarungen um völkerrechtliche Verträge handelte, vgl. *Weigeldt,* Die Konditionalität des Internationalen Währungsfonds in ihrem Verhältnis zur Staatssouveränität und zu den Menschenrechten, 1999, S. 59 f.

361 U.a. *Gold,* Conditionality, 1979, S. 19 ff.; ausführlich *ders.;* The Legal Character of the Fund's Stand-By Arrangements and Why It Matters, 1980; *Meng,* VRÜ 1988, 263, 268; *Leyendecker,* Auslandsverschuldung und Völkerrecht, 1988, S. 43 f.; *Weigeldt,* Die Konditionalität des Internationalen Währungsfonds in ihrem Verhältnis zur Staatssouveränität und zu den Menschenrechten, 1999, S. 75.

362 Sich ebenfalls auf den fehlenden *animus in contrahendi* beziehend *Weigeldt,* Die Konditionalität des Internationalen Währungsfonds in ihrem Verhältnis zur Staatssouveränität und zu den Menschenrechten, 1999, S. 66 ff.; ebenso *Krajewski,* Wirtschaftsvölkerrecht, 3. Aufl. 2012, Rdnr. 840.

363 „A member is free to walk away from its program and the arrangement at any time.“, *Leckow,* Conditionality in the International Monetary Fund, 2002, Rdnr. 22.

ausüben.[364] Darüber hinaus kann ein Staat weitere wichtige Rechte als Mitglied des IWF verlieren.[365] Aufgrund der Leitfunktion der IWF-Kredite für private und auch andere öffentliche Investoren kann eine Nichteinhaltung der Vereinbarungen mit dem IWF die Kreditwürdigkeit des Staates insgesamt beeinträchtigen, sodass es für den betroffenen Staat sehr schwer wird sich auf den Finanzmärkten zu refinanzieren. Obwohl die Vereinbarung zwischen IWF und Mitgliedstaat völkerrechtlich nicht bindend ist, hat ein Verstoß also dennoch schwerwiegende Auswirkungen.

Eine weitere Folge der Einordnung der Kreditzusage als einseitige, nichtverbindliche Erklärung des IWF ist, dass der IWF somit auch die Auslegungshoheit über die Kreditzusage behält und bei aufkommenden Streitigkeiten einseitig über die verbindliche Auslegung entscheiden kann.[366]

II. Europäische Krisenhilfe

1. Entwicklung eines europäischen Systems der Krisenhilfe

Weltweit ist der IWF die führende Institution, wenn es darum geht Staaten in finanzieller Notlage durch die Gewährung von Krisenhilfe zu unterstützen. Im Rahmen bündischer Strukturen wie Bundesstaat, Staatenbund oder Staatenverbund besteht zusätzlich noch die Möglichkeit, Finanzhilfen durch die anderen Mitglieder oder den Bund selbst zu erhalten.[367] Dabei gibt es kein immer wiederkehrendes Muster, vielmehr gelten für jedes bündische System eigene Regelungen. In der Bundesrepublik existiert beispielsweise neben einem ständigen Finanzausgleich auch die Option außerordentlicher finanzieller Unterstützung.[368] Durch die europäische Staatsschuldenkrise stand die Option europäischer Krisenhilfe ganz besonders im Fokus.

---

364 *Weigeldt,* Die Konditionalität des Internationalen Währungsfonds in ihrem Verhältnis zur Staatssouveränität und zu den Menschenrechten, 1999, S. 81 ff.

365 *Meng-Papantoni,* ZEuS 2015, 3, 20.

366 *Weigeldt,* Die Konditionalität des Internationalen Währungsfonds in ihrem Verhältnis zur Staatssouveränität und zu den Menschenrechten, 1999, S. 88, der auf die Möglichkeit einer informellen Einigung verweist. Doch dürfte die Verhandlungsposition des Mitgliedstaats eher schwach sein.

367 Zu der ansonsten bestehenden Einschränkungen bei der Lösung einer finanziellen Krise bei der Mitgliedschaft in bündischen Strukturen, *von Lewinski,* Öffentlichrechtliche Insolvenz und Staatsbankrott, 2011, S. 364 ff.

368 Ausführlich dazu *von Lewinski,* Öffentlichrechtliche Insolvenz und Staatsbankrott, 2011, S. 372 ff.

In den Verträgen der Europäischen Union war finanzielle Hilfe *expressis verbis* nur in sehr engen Grenzen vorgesehen, bevor die europäische Staatsschuldenkrise die Etablierung eines Systems der Krisenhilfe für Mitgliedstaaten in finanziellen Schwierigkeiten notwendig machte. Nach Art. 122 II AEUV ist ein finanzieller Beistand der Union nur möglich, wenn ein Mitgliedstaat sich aufgrund von Naturkatastrophen oder außergewöhnlichen Ereignissen in Schwierigkeiten befindet,[369] während Art. 143 AEUV die Unterstützung eines Mitgliedstaats erlaubt, der von Zahlungsbilanzschwierigkeiten betroffen ist, wenn dessen Währung nicht der Euro ist. Die Beschränkung der Hilfsmöglichkeiten insbesondere im Rahmen der Währungsunion war durch die Mitgliedstaaten beabsichtigt, denn durch die gesonderte Bewertung der einzelnen Mitgliedstaaten durch die Finanzmärkte versprach man sich eine Disziplinierung der Mitgliedstaaten durch die Märkte. Allerdings findet sich in den Verträgen (insb. Art. 125 AEUV) auch kein Verbot einer finanzielle Unterstützung von Mitgliedstaaten.[370]

Mit Aufkommen der europäischen Staatsschuldenkrise 2010 und den damit verbundenen Liquiditätsschwierigkeiten einiger Mitgliedstaaten der Europäischen Währungsunion erkannte man die Notwendigkeit der Einführung eines Krisenmechanismus auf europäischer Ebene. Als Griechenland drohte, sich an den Kapitalmärkten nicht mehr ausreichend refinanzieren zu können, entschlossen sich die Euro-Mitgliedstaaten bilaterale Kredite an Griechenland – ergänzt durch IWF-Kredite – zu gewähren.[371] Im Mai 2010 wurde aufgrund der fortschreitenden Krise, die bisher formlos gewährte Krisenhilfe institutionalisiert, indem der Europäische Finanzstabilisierungsmechanismus (EFSM) basierend auf der VO (EU) Nr. 407/2010[372] und die Europäische Finanzstabilisierungsfazilität (EFSF) als Zweckgesellschaft nach luxemburgischen Recht geschaffen wurden.

---

369 *Bandilla*, in Grabitz/Hilf/Nettesheim, Art. 122 AEUV, Rdnr. 16 ff.; *Herrmann/Dausinger*, in: Pechstein/Nowak/Häde, Frankfurter Kommentar zum EUV/AEUV, Art. 122 AEUV, Rdnr. 15 ff.

370 Siehe *Herrmann/Dausinger*, in: Pechstein/Nowak/Häde, Frankfurter Kommentar zum EUV/AEUV, Art. 125 AEUV, insb. Rdnr. 9 m.w.N.

371 Vgl. zu den tatsächlichen Geschehnissen *Nitze*, Finanzhilfen für Euro-Staaten in der Krise, 2015, S. 17 ff.

372 VO (EU) Nr. 407/2010, ABl. 2010 L 118/1.

Im Oktober 2012 wurde die nur vorübergehend eingerichtete EFSF[373] durch den ständigen Europäischen Stabilitätsmechanismus (ESM)[374] abgelöst.[375] Der von den Mitgliedstaaten als zwischenstaatliche Organisation gegründete ESM hat den Zweck Finanzmittel zu mobilisieren und ESM-Mitgliedern, die schwerwiegende Finanzierungsprobleme haben oder denen solche Probleme drohen, Stabilitätshilfe bereitzustellen (vgl. Art. 3 ESM). Bisher hat der ESM Zypern, Spanien und Griechenland Stabilitätshilfe gewährt.[376]

2. *Gestaltung der europäischen Krisenhilfe*

Der ESMV sieht in Art. 14–18 ESMV fünf verschiedene Instrumente der Stabilitätshilfe vor. Dabei bildet das Darlehen wie auch schon beim vorausgegangenen EFSF den Regelfall.[377] Will ein Mitgliedstaat Stabilitätshilfe unter dem ESM erhalten, muss dieser nach Art. 13 I ESMV zunächst einen Antrag an den Vorsitzenden des Gouverneursrats des ESM richten. Nach einer Bewertung der finanziellen Lage des Mitgliedstaats durch die Europäische Kommission, die EZB und wenn möglich den IWF beschließt der Gouverneursrat, ob dem betroffenen ESM-Mitglied grundsätzlich Stabilitätshilfe gewährt werden soll. Daraufhin wird der Europäischen Kommission, der EZB und wenn möglich dem IWF die Aufgabe erteilt mit dem betreffenden ESM-Mitglied ein *Memorandum of Understanding* („MoU") auszuhandeln, in dem als Bedingung für die Gewährung einer Krisenhilfe ein wirtschaftspolitisches Anpassungsprogramm vereinbart wird. Erst dann entscheidet der Gouverneursrat abschließend über die Gewährung einer Stabilitätshilfe. Zeitgleich zum MoU wird vom Geschäftsführenden Direktor des

373 Die Laufzeit der EFSF ist bis zum 30.6.2013 beschränkt.

374 Vgl. ausführlich zum ESM *Pilz,* Der Europäische Stabilitätsmechanismus, 2016; *Bark/Gilles,* EuZW 2013, 367; *Ohler,* GYIL 54 (2011), 47, 63 ff.; *EZB,* Der Europäische Stabilitätsmechanismus, Monatsbericht Juli 2011, 76, abrufbar unter https://www.bundesbank.de/Redaktion/DE/Downloads/Veroeffentlichungen/EZB_Monatsberichte/2011/2011_07_ezb_mb.pdf?__blob=publicationFile, zuletzt aufgerufen am 20.3.2017.

375 Anders als oftmals behauptet, erlaubte das Unionsrecht auch schon vor Einführung des Art. 136 III AEUV die Errichtung eines ständigen Stabilitätsmechanismus. Art. 136 III AEUV kommt daher nur eine deklaratorische Funktion zu, s. *Selmayr,* ZÖR 2013, 259, 296 ff.; *Herrmann/Dausinger,* in: Pechstein/Nowak/Häde, Frankfurter Kommentar zum EUV/AEUV, Art. 136 AEUV, Rdnr. 13.

376 Vgl. http://www.esm.europa.eu/assistance/index.htm, zuletzt aufgerufen am 20.3.2017.

377 Daneben existieren noch die Stabilitätshilfen: Darlehen zur Rekapitalisierung von Kreditinstituten, vorsorgliche Finanzhilfe, Primärmarkt- und Sekundärmarkt-Unterstützungsfazilität.

ESM ein Vorschlag für eine Vereinbarung über eine Finanzhilfefazilität ausgearbeitet, der unter anderem die Finanzierungsbedingungen sowie die gewählten Instrumente enthält und vom Gouverneursrat anzunehmen ist. Die Einhaltung des Anpassungsprogramms wird wiederum von der Europäischen Kommission, der EZB und wenn möglich dem IWF überwacht. Nur bei Einhaltung des ausgearbeiteten Programms werden die noch ausstehenden Tranchen ausgezahlt.

Die Gewährung von Hilfeleistung nur unter der Maßgabe der strengen Konditionalität ist eine der in Art. 3 ESMV festgelegten, wesentlichen Maßgaben des ESM, wenngleich Inhalt und Ausmaß der Konditionalität nicht festgeschrieben sind und so den beteiligten Parteien einen weiten Spielraum eröffnen.[378] Es fällt auf, dass das Verfahren der europäischen Krisenhilfe insbesondere was die Konditionierung betrifft, aber auch insgesamt sehr stark dem des IWF gleicht. Schon in der ersten Phase der europäischen Krisenhilfe in Form bilateraler Kredite und später unter dem EFSF und dem EFSM, war bereits eine Konditionierung der Hilfen vorgesehen.[379] Darüber hinaus wird der IWF an vielen Stellen des Verfahrens der europäischen Stabilitätshilfe auch konkret miteinbezogen.

Auch wenn die Rechtsnatur der Vereinbarungen zwischen ESM und dem betreffenden Mitgliedstaat noch nicht abschließend geklärt scheint,[380] ergeben sich hinsichtlich der Verbindlichkeit der Anpassungsprogramme Unterschiede zum IWF-Programm. Selbst wenn man davon ausgeht, dass dem MoU ähnlich dem *letter of intent* im IWF-Verfahren keine rechtliche Verbindlichkeit zukommt, ergibt sich die Verbindlichkeit von Anpassungsprogrammen im EU-Recht mittelbar. Durch das Two-Pack wurde festgeschrieben, dass Anpassungsmaßnahmen in einem Beschluss des Rates niedergelegt werden müssen.[381] Dieser ist wiederum nach Art. 288 IV AEUV für den adressierten Mitgliedstaat verbindlich. Zuvor wurden die Eckpunkte eines Anpassungsprogramms in einem Beschluss des Rats auf Grundlage des Art. 126 IX, Art. 136 AEUV festgehalten.[382] Auch wenn ein Vertragsverletzungsverfahren nach Art. 126 X

---

378 *Ioannides*, ZaöRV 2014, 61, 73; vgl. etwa den vagen Art. 12 I S. 2 ESMV „Diese Auflagen können von einem makroökonomischen Anpassungsprogramm bis zur kontinuierlichen Erfüllung zuvor festgelegter Anspruchsvoraussetzungen reichen."

379 *Ioannides*, ZaöRV 2014, 61, 70 f.

380 Vgl. Diskussion zur Rechtsnatur der Vereinbarungen zwischen IWF und Mitgliedstaaten oben S. 110 f., gegen eine rechtliche Bindung des MoU, dagegen für die Einordnung der Vereinbarung über eine Finanzhilfefazilität als völkerrechtlichen Vertrag, *Ohler*, GYIL 54 (2011), 47, 64 f.

381 Siehe Art. 7 II VO (EU) Nr. 472/2013.

382 Vgl. für Griechenland Beschluss 2010/320/EU, ABl. 2010 L 145/6; Beschluss 2011/734/EU, ABl. 2011 L 296/38, die eindeutig an Griechenland adressiert sind, vgl. auch

AEUV bei Verstößen gegen das Anpassungsprogramm ausscheidet, ist somit der EuGH für die Auslegung des Anpassungsprogramms zuständig, da ihm die Auslegungshoheit über Handlungen der Organe obliegt. Darüber hinaus ist nach Art. 37 II ESMV für Streitigkeiten über die Vereinbarkeit der vom ESM gefassten Beschlüsse mit dem ESMV ebenfalls der EuGH zuständig.

III. Krisenhilfe und Souveränität

1. Bestehende Kritik an der Konditionalitätenpolitik

Unabhängig von der Kritik an ihrer ökonomischen Sinnhaftigkeit[383] wird die Konditionalität insbesondere wegen ihrer souveränitätsbeschränkenden Wirkung kritisiert. Anders als die anderen Phasen der Staatsinsolvenz, hat zur Konditionalitätenpolitik des IWF unter dem Gesichtspunkt der staatlichen Souveränität bereits eine wissenschaftliche Diskussion stattgefunden.[384] Auch politische Entscheidungsträger kritisieren die Gestaltung der Krisenhilfe immer wieder als souveränitätsverletzend.[385]

Ioannidis, ZaöRV 2014, 61, 70. Zur Bindungswirkung *Meng-Papantoni*, ZEuS 2015, 3, 20 ff.

383 Zur bestehenden Kritik insgesamt *Weigeldt*, Die Konditionalität des Internationalen Währungsfonds in ihrem Verhältnis zur Staatssouveränität und zu den Menschenrechten, 1999, S. 8 ff.

384 Vgl. dazu die folgende unvollständige Liste *Knieper*, KJ 1979, 270, 280 ff.; *Smith Stukey*, Ford. Int'l Law J. 8 (1984), 544; *Meessen*, IMF Conditionality and State Sovereignty, in: Oppermann/Petersmann, Reforming the International Economic Order, 1987, S. 173 ff., *Meng*, VRÜ 1988, 263; *Lucke*, Internationaler Währungsfonds, 1997, S. 198 ff.; *Weigeldt*, Die Konditionalität des Internationalen Währungsfonds in ihrem Verhältnis zur Staatssouveränität und zu den Menschenrechten, 1999; aktuell zur europäischen Staatsschuldenkrise *Meng*, Souveränität und Solidarität in der EU-Finanzkrise – der Fall Griechenland, S. 8 ff., abrufbar unter https://wmengblog.files.wordpress.com/2015/02/souverc3a4nitc3a4t-und-solidaritc3a4t.pdf.

385 Vgl. *Smith Stukey*, Ford. Int'l Law J. 8 (1984), 544, 556, mit Bezug auf den ehemaligen jamaikanischen Premier Manley. Zur europäischen Krisenhilfe vgl. die vom Ausschuss für Wirtschaft und Währung des Europäischen Parlaments verschickten Questionnaires an Vertreter der betroffenen Mitgliedstaaten zur Beurteilung der Arbeit der Troika. Der Zypriotische Finanzminister gibt beispielsweise an: "The Cyprus government was forced to accept this measure under duress.", S. 3, abrufbar unter http://www.europarl.europa.eu/document/activities/cont/201401/20140114ATT77319/20201401ATT77319EN.pdf. Aber auch lateinamerikanische Staaten wie z.B. Argentinien kritisierten die Bedingungen, der ihnen gewährten Krisenhilfen stark, vgl. *Burghardt*, Washingtons Versagen, in: Süddeutsche Zeitung vom 11.6.2012, S. 24.

Die im Zusammenhang mit Krisenhilfeinstrumenten vorgeschriebenen Maßnahmen umfassen meist tiefgreifende Änderungen in vielen staatlichen Bereichen und bedeuten gravierende Umgestaltungen des bis dahin bestehenden wirtschaftlichen Systems. Hinzu kommt, dass die wirtschaftlichen Anpassungsmaßnahmen meist als oktroyiertes Diktat von außen wahrgenommen werden. Offiziell ist zwar der betroffene Staat federführend bei der Erarbeitung der letztendlichen Bedingungen.[386] Doch der Staat, der Krisenhilfe beantragt, steht finanziell „mit dem Rücken zur Wand", weil die Gewährung einer Krisenhilfe meist sein einziger Ausweg ist, um eine unberechenbare Insolvenz zu vermeiden. Hinzu tritt die positive Signalwirkung für private Gläubiger, die von der Krisenhilfe insbesondere des IWFs ausgeht. In dieser Situation ist ein Staat kein ebenbürtiger Verhandlungspartner, da seine Verhandlungsmacht situationsbedingt tatsächlich nur sehr schwach ist.[387] Im Zweifel wird er daher den geforderten Bedingungen zustimmen. Durch die tranchenweise vorgenommene Auszahlung der Hilfe anhaltende Überprüfung der Einhaltung des Reformprozesses durch den Staat, verliert dieser über einen bestimmten Zeitraum die autonome Entscheidungsmacht über weite Teile seiner Politikbereiche. Teilweise wird daraus der Schluss gezogen, dass dadurch dessen Souveränität beeinträchtigt werde.[388] Bei dieser Einschätzung wird jedoch, wie so oft, ein politischer Souveränitätsbegriff zugrunde gelegt.[389] Souveränität wird mit den bestehenden

---

386 "[…] the Fund will be guided by the principle that the member has primary responsibility for the selection, design, and implementation of its economic and financial policies.", *IMF,* Guidelines on Conditionality, 2002, para. 3, abrufbar unter http://www.imf.org/External/np/pdr/cond/2002/eng/guid/092302.pdf. Auch im Rahmen der Finanzhilfe durch den ESM ist der betroffene Mitgliedstaat maßgeblich an der Erarbeitung des MoU beteiligt, vgl. Art. 13 III ESMV.

387 "Given the inability of Greece to access capital markets, its bargaining power was *de facto* weak.", Questionnaire des Ausschusses für Wirtschaft und Währung des Europäischen Parlaments an das Griechische Finanzministerium, S. 3, abrufbar unter http://www.europarl.europa.eu/document/activities/cont/201401/20140114ATT77323/20140114ATT77323EN.pdf.

388 Unter anderem *Schäfer,* Die Bereitschaftskreditabkommen des IWF in der Kritik, in: ders., Gefährdete Weltfinanzen, 1980, S. 227, 234; *Lowenfeld,* International Economic Law, 2. Aufl. 2008, S. 646.

389 Auf die politische Dimension stellt auch *Meng,* VRÜ 1988, 263, 277 ab, wenig optimistisch hinsichtlich der Regelungsgewalt des Rechts: "Economic and financial considerations will usually prevail over strictly legal ones. This may lead to the statement that conditionality is a 'trap' for indebted countries. But it is hardly credible that the law could really contribute to avoiding such a problem."

Machtbefugnissen gleichgesetzt. Auch wenn die Beobachtung, dass die staatliche Autonomie durch die wirtschaftspolitischen Bedingungen beschränkt ist, zutrifft, folgt daraus nicht automatisch eine Verletzung der staatlichen Souveränität. Ob also Krisenhilfeinstrumente die staatliche Souveränität tatsächlich verletzten, bleibt anhand der herausgearbeiteten Kriterien zu untersuchen.

2. *Maßstab der Freiwilligkeit*

a) *Freiwilligkeit aufgrund der Rechtsnatur des letter of intent als einseitiger Absichtserklärung*

In einem sog. *letter of intent* verpflichtet sich ein Staat wirtschaftspolitische Anpassungsmaßnahmen durchzuführen. Geht man davon aus, dass der *letter of intent* eine reine Selbstverpflichtung darstellt, so wird man eine Beeinträchtigung der staatlichen Freiwilligkeit verneinen müssen. Allerdings geht diese Einschätzung fehl, denn auch wenn man den *letter of intent* als einseitige staatliche Erklärung versteht, geht diese doch aus einem intensiven Verhandlungsprozess mit dem IWF hervor, in dem der IWF mit dem Inaussichtstellen von Krisenhilfe eine durchschlagende Verhandlungsposition zukommt. Des Weiteren bringt der IWF zu Beginn der Verhandlungen bereits einen konkret ausgearbeiteten Entwurf eines Anpassungsprogramms ein, der dann die Grundlage jeder weiteren Verhandlung bildet. Eine Einflussnahme des IWF auf den Schuldnerstaat findet also statt. Aus der Natur des *letter of intent* als einseitiger Absichtserklärung kann daher nicht geschlossen werden, dass keine unzulässige Zwangsausübung auf den Schuldnerstaat stattgefunden hat.[390]

Insbesondere die Anpassungsprogramme des IWF zeichnen sich dadurch aus, dass sie für sich keine rechtliche Verbindlichkeit beanspruchen. Dies führt zu der Frage, ob Absprachen, die nicht rechtlich verbindlich sind, überhaupt gegen den freien Willen eines Staates verstoßen können, da der betroffene Staat zu einer Handlung eben nicht verpflichtet ist und deshalb weiterhin nach seinem freien Willen agieren kann. Ein Vergleich zur militärischen Gewalt zeigt, dass es auf eine fehlende rechtliche Bindung nicht ankommen kann. Denn wird militärische Gewalt eingesetzt, um von einem Staat eine bestimmte Handlung zu erzwingen, so ist deren Einsatz eindeutig souveränitätsverletzend. Es kann daher gar nicht darauf ankommen, ob ein Staat zum Abschluss einer rechtlichen Bindung gezwungen wird. Es genügt vielmehr, dass ein Staat aufgrund von

---

390 An der Position des Fonds Druck auf den Mitgliedstaat auszuüben zweifelnd *Lucke*, Internationaler Währungsfonds, 1997, S. 251 ff.

Zwangsanwendung handelt, dafür genügt auch schon die Begehung eines Realakts. Fraglich ist also, ob im Rahmen der Krisenhilfe in souveränitätsverletztender Weise Zwang ausgeübt wurde.

b) Ausübung von Zwang

Um eine Souveränitätsverletzung durch wirtschaftliche Maßnahmen bejahen zu können, ist es erforderlich, dass der auf einen Staat ausgeübte Druck eine gewisse Intensität erreicht. Mithin wird davon gesprochen, dass eine Maßnahme einen Staat in existentielle Bedrängnis bringen muss, um souveränitätsverletzend zu sein.[391] Es ist nicht auszuschließen, dass ein Staat aufgrund der wirtschaftlichen und sozialen Folgen seiner finanziellen Knappheit mit schwerwiegenden sozialen Unruhen konfrontiert wird, die seine Existenz bedrohen können.[392] Allerdings könnte man die Kausalität der Krisenhilfe für die Zwangslage infrage stellen, denn die finanzielle Krisensituation eines Staates besteht ja nicht wegen der Krisenhilfe des IWFs oder der Union, sondern unabhängig davon.[393] Vielmehr ist eine bestehende finanzielle Zwangslage eines Staates auf andere in der Vergangenheit liegende Ursachen zurückzuführen wie beispielsweise einer zu hohen Staatsverschuldung über einen längeren Zeitraum. Doch die mangelnde Kausalität der Krisenhilfe für die staatliche Zwangslage führt noch nicht dazu, dass eine Souveränitätsverletzung ausgeschlossen werden kann, weil ein Staat durch die Inanspruchnahme von Krisenhilfe es gerade verhindern kann in eine Insolvenz mit ungewissem Ausgang und unabsehbaren Konsequenzen zu fallen. Nicht also das Inaussichtstellen einer Zwangslage, sondern deren unterlassene Verhinderung kreieren eine Zwangslage für den Schuldnerstaat, die für diesen ebenso schwer wiegt. Fraglich ist jedoch, ob diese Zwangsausübung die Grenze des Zulässigen überschreitet.

c) Vergleich mit bestehenden Fallgruppen

Wie in Kapitel 2 erarbeitet wurde,[394] kommt es mangels trennscharfer Kriterien bei der Beurteilung, ob Zwang in souveränitätsverletztender Weise ausgeübt wurde, immer auf eine Einzelfallbetrachtung an. Dabei kann ein Vergleich mit den im Bereich der wirtschaftlichen Intervention bereits anerkannten

---

391 *Bryde,* Die Intervention mit wirtschaftlichen Mitteln, in: FS Schlochauer, 1981, S. 237.

392 A.A. *Weigeldt,* Die Konditionalität des Internationalen Währungsfonds in ihrem Verhältnis zur Staatssouveränität und zu den Menschenrechten, 1999, S. 217.

393 *Lucke,* Internationaler Währungsfonds, 1997, S. 249 f.

394 Siehe oben S. 65 ff.

Fallgruppen hilfreich sein. Die Lage der Schuldnerstaaten könnte insofern mit solchen Staaten vergleichbar sein, die Wirtschaftshilfe erhalten. Denn zum einen besteht auch Krisenhilfe in der Zahlung eines Geldbetrags, wenngleich sich der Zweck der Zahlung unterscheidet. Und zum anderen wird teilweise auch im Rahmen der Gewährung von Wirtschaftshilfe versucht, Druck auf Staaten auszuüben, indem die Leistung unter die Bedingung der Erfüllung bestimmter Auflagen gestellt wird.[395] Dennoch ist anerkannt, dass durch das Vorenthalten von Wirtschaftshilfe kein souveränitätsverletzender Zwang ausgeübt wird, denn kein Staat und keine Organisation könne dazu gezwungen werden Geld an einen Staat zu leisten ohne dafür eine Gegenleistung zu verlangen. Ein Recht auf Wirtschaftshilfe existiere nicht.[396] Auch die Ausnutzung wirtschaftlicher Schwäche sei im Völkerrecht nicht verwerflich.[397]

Allerdings unterscheidet sich die Versagung von Krisenhilfe in ihrer Wirkung entscheidend von der Versagung alltäglicher Wirtschaftshilfe. Denn ihre Verweigerung kann aufgrund ihrer großen Ausstrahlungswirkung dazu führen, dass der betroffene Staat von den internationalen Kapitalmärkten komplett abgeschnitten wird. Den Auswirkungen nach kann die Verweigerung von Krisenhilfe daher mit der abschottenden Wirkung einer Blockade verglichen werden, bei der die Zufuhr von Waren über Land oder Wasser unterbunden wird, sodass im Gegensatz zum Embargo verhindert wird, dass andere Staaten oder Private in Handelsbeziehungen zu dem Blockierten treten können. Für einen Staat kann der Zugang zu frischem Kapital ebenso wichtig sein, wie die Versorgung mit Waren. Denn ohne frisches Kapital der Finanzmärkte kann ein Staat ohnehin nur sehr eingeschränkt Waren importieren. Eine Blockade wird im Gegensatz zur verweigerten Wirtschaftshilfe weithin als völkerrechtswidrige Intervention verstanden.[398]

Wie kann die Krisenhilfe zwischen diesen beiden Polen eingeordnet werden? Die tatsächliche Wirkung der verweigerten Krisenhilfe scheint zunächst für eine Vergleichbarkeit mit Blockaden zu sprechen. Allerdings ist zu bedenken, dass auch eine Verweigerung von Wirtschaftshilfe an Entwicklungsländer, die essentiell auf diese angewiesen sind, eine ähnlich drastische Wirkung haben kann. Die tatsächliche Wirkung einer Maßnahme kann daher für die Bewertung nicht

---

395 Mit Beispielen siehe *Dicke,* Die Intervention mit wirtschaftlichen Mitteln im Völkerrecht, 1978, S. 225 ff.

396 *Kunig,* Intervention, Prohibition of, in: MPEPIL, Stand: April 2008, Rdnr. 26.

397 *Dicke,* Die Intervention mit wirtschaftlichen Mitteln im Völkerrecht, 1978, S. 227.

398 Siehe oben S. 66.

ausschlaggebend sein. Entscheidend ist vielmehr, dass eine Blockade eine tatsächliche, aktive Handlung ist, die einer militärischen Handlung sehr ähnlich ist, während die Verweigerung von Wirtschaftshilfe das Unterlassen einer freiwilligen Leistung bedeutet. Würde man im Unterlassen freiwilliger Leistungen eine Souveränitätsverletzung sehen, so würde man andere Staaten dadurch zur Leistung solcher Transferzahlungen verpflichten. Ein Recht auf Krisenhilfe besteht wie ein Recht auf Wirtschaftshilfe jedoch nicht. Eine Verweigerung von Krisenhilfe kann daher nicht als Ausübung unzulässigen Zwangs gelten. Die Souveränität des Schuldnerstaats wird dadurch nicht beeinträchtigt.

3. Lösungsmöglichkeit

Neben der Freiwilligkeit ist die einseitige Lösbarkeit das relevante Kriterium im Zusammenhang mit staatlicher Souveränität. Dabei ist zwischen den Instrumenten der Krisenhilfe des IWFs und auf europäischer Ebene zu unterscheiden. Denn im Gegensatz zu den Vereinbarungen mit dem IWF entfalten diejenigen mit der Union jedenfalls mittelbar rechtliche Verbindlichkeit.

a) Jederzeitige Lösungsmöglichkeit von Anpassungsprogrammen

Die Anpassungsprogramme des IWF entfalten keine rechtliche Verbindlichkeit. Daher ist es einem Schuldnerstaat jederzeit möglich sich von seinen vereinbarten Zusagen loszusagen. Dafür ist nicht einmal eine förmliche Kündigung erforderlich. Ein Schuldnerstaat kann sich einfach entgegen seiner getroffenen Zusagen verhalten. Mit einem Verstoß gegen die Zusagen provoziert ein Schuldnerstaat jedoch, dass weitere Tranchen der vereinbarten Krisenhilfe nicht mehr an ihn ausbezahlt werden. Solange noch Tranchen ausstehen wird sich ein Schuldnerstaat daher in der Regel bemühen, sich entsprechend des vereinbarten Anpassungsprogramms zu verhalten. Dies ändert jedoch nichts an der Tatsache, dass dem Schuldnerstaat die Möglichkeit zukommt, sich von dem vereinbarten Anpassungsprogramm jederzeit einseitig zu lösen. Seine Souveränität ist daher nicht verletzt.

b) Keine Lösungsmöglichkeit von unionaler Krisenhilfevereinbarung

Etwas anders gestaltet sich die Lage bei der unionalen Krisenhilfe. Bisher wird angenommen, dass die von einem Mitgliedstaat abgegebenen MoU aus sich heraus keine rechtliche Verbindlichkeit entfalten. Allerdings ändert sich dieser Befund mit der Aufnahme des verhandelten Anpassungsprogramms in einen entsprechenden Ratsbeschluss, der für den Mitgliedstaat dann verbindlich ist.[399]

---

399 Siehe oben S. 114.

Damit scheidet auch eine rechtliche Loslösung von dem Programm aus, denn eine einseitige Lösungsmöglichkeit von einem Ratsbeschluss ist nicht vorgesehen.

Diese fehlende Lösungsmöglichkeit fällt jedoch weniger ins Gewicht, wenn man bedenkt, dass ein Krisenhilfeprogramm von Anfang an zeitlich befristet ist, da es darauf abzielt, die finanzielle Handlungsfähigkeit eines Staates wiederherzustellen.[400] Wirft man einen Blick auf das griechische MoU, so fällt auf, dass dieses lediglich für den Zeitraum 2015–2018 gilt und in diesem für die Erreichung der festgeschriebenen Ziele jeweils feste Zeitvorgaben festgesetzt wurden.[401] Jedenfalls mit Erreichung der vereinbarten Ziele endet dann auch das Anpassungsprogramm. Von Anfang an zeitlich begrenzte Verpflichtungen beeinträchtigen die Souveränität eines Staates jedoch nicht, denn auch ohne Lösungsmöglichkeit verbleibt alle Herrschaftsmacht von Anfang an auf staatlicher Seite verankert.

4. Zwischenergebnis: Keine Souveränitätsverletzung durch Krisenhilfe

Die Untersuchung hat gezeigt, dass die Souveränität eines Schuldnerstaates in der Phase der Krisenhilfe nicht verletzt wird. Alle im Zusammenhang mit der Krisenhilfe beschlossenen Anpassungsmaßnahmen basieren auf dem freien Willen des Schuldnerstaates oder sind zumindest ohne Anwendung unzulässigen Drucks auf den Schuldnerstaat zustande gekommen. Zudem ist eine Lösung von den Verpflichtungen im Rahmen des Notwendigen gesichert. Dieser Feststellung steht jedoch eine enorme Einschränkung der staatlichen Autonomie in dieser Phase gegenüber. Denn letztlich befindet sich ein Schuldnerstaat in der Phase der Krisenhilfe in einer Situation, in der er sich sehenden Auges der Gefahr einer ungeordneten Insolvenz mit ungewissen ökonomischen wie sozialen Folgen nähert. Ein Staat, der kurz vor einer Insolvenz steht, befindet sich damit in einer Notlage, in der er sich gegenüber den Kapitalgebern in einer denkbar schwachen Verhandlungsposition wiederfindet. Diese wird zudem durch das Zusammenarbeiten der verschiedenen Krisenhilfe-Institutionen wie

---

400 *Ohler*, in: Siekmann, EWU, Art. 136 AEUV Rdnr. 22.

401 Siehe das MoU zwischen dem ESM, Griechenland und der Griechischen Zentralbank: "This Memorandum of Understanding (MoU) has been prepared in response to a request of 8 July 2015 from the Hellenic Republic to the Chairperson of the Board of Governors of the European Stability Mechanism (ESM) for stability support in the form of a loan with an availability period of three years. In accordance with Article 13(3) of the ESM Treaty, it details the conditionality attached to the financial assistance facility covering the period 2015-1.", abrufbar unter: http://ec.europa.eu/economy_finance/assistance_eu_ms/greek_loan_facility/pdf/01_mou_20150811_en.pdf.

dem IWF und dem ESM noch weiter geschwächt. In vielen Fällen wird einem Schuldnerstaat keine andere sinnvolle Handlungsalternative verbleiben, als sich zu empfindlichen Anpassungsprogrammen zu verpflichten, die sich nach den Vorgaben der Kapitalgeber richten.

C. Die grundsätzlichen Optionen im Falle einer Staatsinsolvenz

Ist ein Staat insolvent, kann oder will er seine Schulden also nicht begleichen,[402] stehen ihm grundsätzlich zwei Optionen offen. Zum einen kann er die Bedienung der Schulden verweigern (I.) und zum anderen versuchen seine Schulden so zu restrukturieren, damit seine Schuldenlast für ihn wieder tragbar wird (II.). Doch wie viel Handlungsspielraum kommt einem Staat im Falle seiner Insolvenz tatsächlich zu und welchen rechtlichen und faktischen Bindungen unterliegt er in dieser Phase?

I. Nichtbedienung der Schulden

Die zunächst einfachste Option für den Schuldnerstaat scheint die Verweigerung der Zahlung an seine Gläubiger zu sein. Diese Vorgehensweise war in der Zeit, als Staatsschulden noch an den herrschenden Regenten gebunden waren der Regelfall,[403] aber auch Argentinien wählte 2002 diese Option und stellte zunächst alle Zahlungen auf seine Schuldtitel ein. Allerdings bemühte sich auch Argentinien später seine Schulden umzustrukturieren. In der Regel werden Staaten eine Umschuldung anstreben, da der konfrontative Weg der Nichtbedienung der Schulden das Risiko birgt, auf unabsehbare Zeit von den Kapitalmärkten abgeschnitten zu sein. Allerdings beweist der Fall Argentiniens, dass die Nichtbedienung der Schulden oder zumindest deren Androhung ein wichtiges Druckmittel für eine spätere, erfolgreiche Umschuldung sein können. Auch wenn eine komplette Nichtbedienung der Verbindlichkeiten durch einen Staat praktisch nicht sehr relevant ist, gewinnt diese Option dadurch an Bedeutung, dass sie die Verhandlungsmacht eines Schuldnerstaates gegenüber seinen Gläubigern verbessern kann. Aber auch diese Wirkung hängt von den Erfolgsaussichten einer Nichtbedienung ab.

---

402 Vgl. dazu S. 34 ff.

403 Siehe S. 21 f.

1. *Unterschiedliche Anknüpfungspunkte*

Ein Staat unterliegt vielfältigen Verbindlichkeiten,[404] die sich in Verbindlichkeiten gegenüber anderen Völkerrechtssubjekten wie anderen Staaten und internationalen Organisationen und gegenüber privaten Einheiten wie beispielsweise Banken aber auch Privatpersonen einteilen lassen. Anders als noch zu Beginn des 19. Jahrhunderts ist heute unumstritten, dass staatliche Schulden nicht etwa Ehrenschulden darstellen, sondern ihnen rechtliche Verbindlichkeit zukommt.[405] Die rechtliche Verbindlichkeit entspringt jedoch je nach Natur der Schuld einer anderen Rechtsordnung. Verbindlichkeiten gegenüber Privaten sind grundsätzlich Privatrechtsverhältnisse. Ob und unter welchen Voraussetzungen ein Staat seine Schulden gegenüber Privaten bedienen muss oder ggf. nicht, bemisst sich dann nach der im jeweiligen Fall anwendbaren nationalen Rechtsordnung.[406] Durch sog. Rechtswahlklauseln wird dem Problem welche nationale Rechtsordnung anwendbar sein soll, wenn auch ausländische Gläubiger beteiligt sind, Abhilfe geschaffen. Während Industrienationen wie Deutschland mehrheitlich Anleihen nach ihrem eigenen Recht begeben können und somit volle Regelungsgewalt über ihre Anleihen behalten, bestimmen Entwicklungs- und Schwellenländer in aller Regel Rechtsordnungen der großen globalen Finanzplätze als maßgebliche Rechtsordnung. Die den Investoren dadurch gebotene Rechtssicherheit verhindert hohe Risikoaufschläge.[407]

Anders verhält es sich mit Verbindlichkeiten gegenüber anderen Völkerrechtssubjekten. Für diese findet grundsätzlich das Völkerrecht Anwendung, es sei denn die Vertragsparteien haben sich durch eine Rechtswahlklausel auf die Anwendbarkeit einer nationalen Rechtsordnung geeinigt.[408]

---

404 Zu den Formen der Staatsverschuldung S. 24 ff.

405 Siehe dazu S. 21 f.

406 Die Einordnung ins Privatrecht war eigentlich nie ernsthaft bestritten worden, *Leyendecker*, Auslandsverschuldung und Völkerrecht, 1988, S. 59. Bereits 1929 entschied der StIGH im sog. *Serbian-Loans*-Fall: "Any contract which is not a contract between States in their capacity as subjects of international law is based on the municipal law of some country.", StIGH, Urteil vom 12.7.1929, *Serbian Loans*, PCIJ Ser. A, No. 20, 41.

407 *Szodruch*, Staateninsolvenz und private Gläubiger, 2008, S. 56 ff.; *von Lewinski*, Öffentlichrechtliche Insolvenz und Staatsbankrott, 2011, 465 f.

408 Zu dieser Möglichkeit *Heintschel von Heinegg*, in: Ipsen, Völkerrecht, 6. Aufl. 2014, § 10 Rdnr. 5. Eine andere Möglichkeit wurde im Rahmen der europäischen Staatsschuldenkrise gewählt, als man mit der EFSF eine Aktiengesellschaft nach luxemburgischem Recht gründete, die Finanzhilfen nach englischem Recht vergab, vgl. dazu das Master Financial Assistance Facility Agreement mit Portugal, abrufbar unter

2. *Berücksichtigung einer Staatsinsolvenz im Privatrecht*

Unterfällt die Schuld der Rechtsordnung des Schuldnerstaates, so eröffnet sich für den Staat die Möglichkeit durch gesetzgeberische Maßnahmen wie beispielsweise einem Zahlungsmoratorium auf den Anspruch der Gläubiger einzuwirken.[409] Die Grenzen einer solchen Einwirkungsmöglichkeit wie beispielsweise Schutz vor Enteignung[410] ergeben sich dann zuvörderst aus der jeweiligen nationalen Verfassung.

Insbesondere die Anleihen finanziell schwacher Staaten unterstehen häufig den Rechtsordnungen anerkannter Finanzplätze wie den USA oder Großbritannien. Unterfällt die Schuld einer anderen Rechtsordnung als der des Schuldnerstaates ist fraglich, ob einseitig angeordnete Zahlungsmoratorien des Schuldnerstaats durch diese Rechtsordnungen anerkannt werden. Dies ist schließlich eine Frage des nationalen Kollisionsrechts. Eine allgemeine Anerkennungspflicht für Zahlungsmoratorien könnte sich allerdings aus Art. VIII (2) (b) IWF-Übereinkommen ergeben.

a) *Anerkennung aufgrund Art. VIII (2) (b) IWF-Übereinkommen*

Art. VIII (2) (b) IWF-Übereinkommen ordnet an, dass Forderungen aus Devisenkontrakten nicht durchsetzbar sind, wenn sie währungsrelevant sind und nicht mit übereinkommenskonformen Devisenkontrollvorschriften des Mitgliedstaats im Einklang stehen. Im Einzelnen ist die Auslegung dieser Vorschrift sowohl auf der Tatbestands- als auch auf der Rechtsfolgenseite umstritten.[411] Auch ob diese Vorschrift Staaten ermöglicht, sich gegenüber ihren Anleihegläubigern auf ihre Insolvenz zu berufen, ist in der Literatur schon vielfach kontrovers diskutiert worden.[412]

---

http://www.efsf.europa.eu/attachments/efsf_portugal_ffa.pdf, zuletzt aufgerufen am 20.3.2017.

409 Argentinien erklärte 2002 durch Gesetz Nr. 25.561 den Notstand und setzte anschließend den Schuldendienst aus. Allerdings waren davon nur die Anleihen betroffen, die nicht argentinischem Recht unterstanden. Vgl. *Baars/Böckel*, ZBB 2004, 445, 447.

410 Zur Rechtsprechung des argentinischen *Corte Suprema* hinsichtlich des Eigentumsschutzes, *Baars/Böckel*, ZBB 2004, 445, 462.

411 *Ebke*, Internationales Devisenrecht, 1991, S. 171; ebenso *Müller*, Staatsbankrott und private Gläubiger, 2015, S. 83.

412 Vgl. nur *Leyendecker*, Auslandsverschuldung und Völkerrecht, 1988, S. 113 ff.; *Pfeiffer*, ZVglRWiss 2003, 141, 177 ff.; *Baars/Böckel* ZBB 2004, 445, 456 f.; *Szodruch*, Staateninsolvenz und private Gläubiger, 2008, S. 275 ff.; *Müller*, Staatsbankrott und private Gläubiger, 2015, S. 82 ff.

Insbesondere ist umstritten, ob es sich bei Staatsanleihen um Devisenkontrakte im Sinne der Vorschrift handelt. Im anglo-amerikanischen Rechtskreis wird überwiegend eine enge Auslegung des Tatbestandsmerkmals „Devisenkontrakt" (in der authentischen englischen Version „exchange contract") gewählt, sodass nur solche Verträge von Art. VIII (2) (b) IWF-Übereinkommen erfasst sind, die den Austausch von Devisen zum Gegenstand haben.[413] Kreditverträge und Schuldverschreibungen würden damit nicht in den Anwendungsbereich dieser Vorschrift fallen. Eine weitere Auslegung wird in den kontinentaleuropäischen Rechtsordnungen wie insbesondere Deutschland gewählt. Hier geht man aufgrund einer systematischen Auslegung davon aus, dass alle Geschäfte des laufenden Zahlungsverkehrs von Art. VIII (2) (b) IWF-Übereinkommen erfasst sind, nicht jedoch diejenigen des internationalen Kapitalverkehrs.[414] Diese Ansicht führt zu einer unzufriedenstellenden Aufspaltung. Während Anleihen als Kapitalverkehrsgeschäfte nicht unter Art. VIII (2) (b) IWF-Übereinkommen fallen, sind Zinszahlungen auf Anleihen als laufende Zahlungen dagegen darunter zu subsumieren. Aufgrund dieser unnatürlichen Aufteilung wird im Schrifttum und teilweise auch durch die deutsche Rechtsprechung vertreten, Art. VIII (2) (b) IWF-Übereinkommen einheitlich auszulegen und auch Zinszahlungen vom Anwendungsbereich auszuschließen.[415] Teilweise wird im Schrifttum auch gefordert, Kapitalverkehrsgeschäfte insgesamt unter Art. VIII (2) (b) IWF-Übereinkommen zu fassen.[416] Mit dieser Auslegung werden allerdings weitergehende Ziele verfolgt wenn *Müller* meint, dass dadurch ein *„Teil zu der rechtlichen Bewältigung des Problems der Staateninsolvenz"* geleistet werden kann.[417] Auch geht diese Auslegung völlig an der internationalen Entscheidungspraxis der Gerichte vorbei, die Art. VIII (2) (b) IWF-Übereinkommen

---

413 Vgl. *Ebke,* Internationales Devisenrecht, 1991, S. 215 ff.; insb. *Libra Bank Ltd. v. Banco Nacional de Costa Rica*, 570 F.Supp. 870, 897 ff. (S.D.N.Y. 1983).

414 So auch die Rechtsprechung des Bundesgerichtshofs seit 1994 BGH NJW 1994, 390; BGH NJW 1994, 1868. Außerdem *Pfeiffer*, ZVglRWiss 2003, 141, 178; *Baars/Böckel* ZBB 2004, 445, 456.

415 OLG Frankfurt a.M. NJW 2006, 2931; LG Frankfurt a.M. WM 2003, 783; *Tietje,* Die Argentinienkrise aus rechtlicher Sicht, 2005, S. 11 f.; *Szodruch,* Staateninsolvenz und private Gläubiger, 2008, S. 280 f.

416 *Szodruch,* Staateninsolvenz und private Gläubiger, 2008, S. 280 f.; zuletzt *Müller,* Staatsbankrott und private Gläubiger, 2015, S. 87 ff.

417 *Ebke,* Internationales Devisenrecht, 1991, S. 245 f.; wohl auch *Leyendecker,* Auslandsverschuldung und Völkerrecht, 1988, S. 115 f.; zuletzt *Müller,* Staatsbankrott und private Gläubiger, 2015, S. 87 ff.

durchgehend restriktiv interpretieren, sodass hier eher der Wunsch der Vater des Gedankens sein dürfte. Eine Änderung der Rechtsprechung ist darüber hinaus nicht zu erwarten, würde sich dadurch die betreffende Rechtsordnung auf dem Markt der internationalen Finanzplätze einen entscheidenden Nachteil verschaffen.[418] Eine von der Rechtsprechungspraxis abweichende verbindliche Auslegung der Vorschrift durch das Exekutivdirektorium des IWF nach Art. XXIX (a) IWF-Übereinkommen, für die beispielsweise *Müller* plädiert,[419] zeichnet sich ebenfalls nicht ab und dürfte recht unwahrscheinlich sein.

Da eine Berufung auf Art. VIII (2) (b) IWF-Übereinkommen deshalb nur wenig Erfolg versprechend ist, beruft sich in der heutigen Praxis auch kaum ein Staat mehr auf diese Vorschrift.[420]

b) Anerkennung nach nationalem Kollisionsrecht

Da eine Anerkennung der Insolvenz über die einheitsprivatrechtliche Vorschrift Art. VIII (2) (b) IWF-Übereinkommen ausscheidet, verbleibt eine Anerkennung staatlicher Zahlungsmoratorien über nationale Kollisionsvorschriften. *Szodruch* hat im Rahmen seiner Arbeit die Lösungen der Rechtsordnungen der relevanten Finanzplätze untersucht und ist zu dem Ergebnis gekommen, dass die unterschiedlichen Rechtsordnungen staatliche Zahlungsmoratorien jeweils unterschiedlich behandeln.[421]

Die relevanteste Rechtsordnung im Zusammenhang mit Staatsanleihen ist dabei die der USA, in welcher mit New York der wichtigste Finanzplatz liegt. Insbesondere Schwellen- und Entwicklungsländer begeben ihre Anleihen vornehmlich nach New Yorker Recht, mit weitem Abstand gefolgt vom britischen Recht.[422] Im US-amerikanischen Recht sind mit den Instituten des *act of state* und der *international comity* grundsätzlich zwei Institute vorgesehen, über die die Berücksichtigung ausländischer Zahlungsmoratorien denkbar ist.

Nach der *Act of state*-Doktrin dürfen Hoheitsakte eines ausländischen Staates nicht von amerikanischen Gerichten überprüft werden, soweit sich diese

418 Zum sog. *First-Mover*-Problem *Szodruch,* Staateninsolvenz und private Gläubiger, 2008, S. 283.

419 *Müller,* Staatsbankrott und private Gläubiger, 2015, S. 117 f.; diesen Vorschlag machte bereits *Ebenroth,* Banking on the act of state, 1985, S. 94.

420 *Müller,* Staatsbankrott und private Gläubiger, 2015, S. 117.

421 *Szodruch,* Staateninsolvenz und private Gläubiger, 2008, S. 284 ff.

422 Vgl. dazu ausführlich *Das/Papaioannou/Trebesch,* IMF Working Paper, WP/12/203, 2012, S. 41 ff.

lediglich auf das Territorium des ausländischen Staates beziehen.[423] In seiner früheren Auslegung verhinderte das *Act of state*-Prinzip tatsächlich jegliche Überprüfung von ausländischen Hoheitsakten. Davon war explizit auch die Zahlungseinstellung auf Staatsanleihen mitumfasst. Mit der Präzedenzentscheidung im *Allied Bank* Fall statuierte das Bundesberufungsgericht durch Korrektur seiner ursprünglichen Entscheidung eine empfindliche Einschränkung. Es stellte fest, dass für die Anwendung der *Act of state*-Doktrin entscheidend sei, dass der infrage stehende Hoheitsakt seine gesamte Wirkung auf fremdem Territorium entfalte.[424] Für Staatsanleihen sei deren Belegenheit ausschlaggebend, die sich wiederum maßgeblich nach dem Erfüllungsort der Anleihe richtet. Diese Auslegung wurde in der *Lightwater*-Entscheidung, die als Präzedenzentscheidung zum argentinischen Zahlungsmoratorium 2001 gilt, nochmals verschärft, indem die Belegenheit einer Anleihe mit dem Sitz des Anleihengläubigers gleichgesetzt wurde.[425] Mit dieser Auslegung ist das *Act of state*-Prinzip in den meisten Fällen staatlicher Zahlungseinstellung nicht mehr anwendbar.

Anders als die *Act of state*-Doktrin erlaubt das Institut der *international comity* die Berücksichtigung ausländischer Staatsakte ohne territoriale Einschränkungen. Bereits 1895 definierte der Supreme Court *comity* als

> „*the recognition which one nation allows within its territory to the legislative, executive or judicial acts of another nation.*“[426]

Nach dieser Doktrin sind hoheitliche Maßnahmen eines Staates von den amerikanischen Gerichten anzuwenden, soweit sie nicht gegen die *public policy* der USA verstoßen.[427] Auch zur Anwendung des *comity*-Einwands im Zusammenhang mit staatlichen Zahlungseinstellungen existiert bereits eine ausgeprägte Rechtsprechung. Allerdings findet sich in der Rechtsprechung kein Fall, in dem ein endgültiges Zahlungsmoratorium anerkannt wird, lediglich eine vorübergehende Aussetzung des Verfahrens für die Zeit von Umschuldungsverhandlungen kann aus *comity*-Erwägungen erfolgen. Ausgangspunkt aller Überlegung bildet auch im Rahmen des *comity*-Einwands die *Allied Bank*-Entscheidung, in der das Berufungsgericht nach Einwirkung des Justizministeriums seine ursprüngliche Entscheidung abänderte und feststellte, dass die *public policy* eine vorbehaltslose

---

423 *Müller*, Staatsbankrott und private Gläubiger, 2015, S. 295.

424 Siehe Allied Bank International v. Banco Credito Agricola, 757 F.2d 516, 521 (1985).

425 *Lightwater Corporation v. Argentina*, 2003 U.S. Dist. LEXIS 6156, 12 (SDNY 2003).

426 *Hilton v. Guyot*, 159 U. S. 113, 164 (1895).

427 Vgl. *Szodruch*, Staateninsolvenz und private Gläubiger, 2008, S. 284; *Müller*, Staatsbankrott und private Gläubiger, 2015, S. 297.

Durchsetzbarkeit von Zahlungsansprüchen gegen insolvente Staaten erfordere. Jedoch waren in diesem Fall die Umschuldungsvereinbarungen zwischen Schuldnerstaat und Gläubiger bereits abgeschlossen. In späteren Fällen wurden Verfahren, die während laufender Umschuldungsverfahren angestrengt wurden, zeitweise ausgesetzt.[428] Auch in der für das argentinische Zahlungsmoratorium grundlegenden *Lightwater*-Entscheidung ging das Gericht davon aus, dass eine zeitweise Aussetzung des Verfahrens möglich sei, wenn der Schuldnerstaat in gutem Glauben Umschuldungsverhandlungen mit seinen Gläubigern durchführe.[429]

Neben den USA anerkennen auch die britischen Gerichte grundsätzlich keine ausländischen Zahlungsmoratorien,[430] sodass die Nichtbedienung staatlicher Schulden in den relevanten Rechtsordnungen keine kollisionsrechtliche Anerkennung findet und damit keine Wirkung entfalten kann.

3. *Berücksichtigung einer Staatsinsolvenz im Völkerrecht*

a) Maßgeblichkeit des Völkerrechts

Da die meisten Staatsschulden auf Verbindlichkeiten gegenüber Privaten beruhen, könnte man annehmen, dass die Bedeutung der Völkerrechtsordnung sehr beschränkt ist. Doch das Gegenteil ist der Fall. Zum einen ist das Völkerrecht für Verbindlichkeiten gegenüber anderen Völkerrechtssubjekten maßgeblich. Auch wenn ein Großteil der Staatsschulden durch private Gläubiger gehalten wird, so hat doch die europäische Staatsschuldenkrise gezeigt, dass im Krisenfall durch einen sog. *bail-out* private Schulden auf institutionelle Gläubiger umgeschichtet werden. In einer finanziellen Krise kann somit die durch Völkerrecht geregelte Schuld an Bedeutung gewinnen.

Zum anderen kann selbst im Rahmen zivilgerichtlicher Streitigkeiten vor nationalen Gerichten Völkerrecht angewendet werden wie beispielsweise über Art. 25 GG nach deutschem Recht. Darüber hinaus werden aber auch private Schulden durch die Einbeziehung in völkerrechtliche Investitionsschutzabkommen auf eine völkerrechtliche Ebene „gezogen".[431]

---

428 Vgl. *Pravin Banker Associates v. Banco Popular del Peru,* 165 B.R. 379.

429 *Lightwater Corporation v. Argentina,* 2003 U.S. Dist. LEXIS 6156, 13 (SDNY 2003).

430 Siehe dazu *Szodruch,* Staateninsolvenz und private Gläubiger, 2008, S. 295 f.

431 Zur Anwendbarkeit von Investitionsschutzverträgen auf Staatsanleihen vgl. S. 189 ff.

b) Mögliche Einreden des Staates

Ist ein Staat eine Verbindlichkeit eingegangen, hat er diese nach dem Grundsatz *pacta sunt servanda,* der für das Völkerrecht deklaratorisch in Art. 26 WVK festgehalten ist, vertragsgemäß zu erfüllen. Verstößt er gegen diese Pflicht, haftet er nach den Regeln der Staatenverantwortlichkeit dafür. Dies ist nur dann nicht der Fall, wenn der Staat sich auf Einreden berufen kann. Allerdings ist es auf Ebene des Völkerrechts nicht möglich durch nationale regulatorische Maßnahmen auf die Ansprüche der Gläubiger einzuwirken, denn nationale Regelungen sind für das Völkerrecht unerheblich. Nur völkerrechtliche Einreden sind für die Beurteilung der Zahlungsverpflichtung maßgeblich. Es gilt daher zu untersuchen, ob das Völkerrecht einem insolventen Staat gestattet mit Verweis auf seine Insolvenz die Zahlung seiner Schulden zu verweigern oder zumindest aufzuschieben.

Im Zusammenhang mit der völkerrechtlichen Beurteilung von Staatsinsolvenzen wurden bisher verschiedene Einreden diskutiert wie insbesondere die der odiösen Schulden, Unmöglichkeit, *force majeure* oder *clausula rebus sic stantibus.*

(1) Odiöse Schulden

Im Rahmen der Umschuldung der irakischen Staatsschulden nach der Ablösung von Saddam Hussein und auch während der Argentinienkrise wurde eine Berufung auf die Einrede der odiösen Schulden als Lösungsmöglichkeit in Erwägung gezogen. Dies führte zu einer wissenschaftlichen Belebung dieser eigentlich für die Staatennachfolge entwickelten[432] *„rechtlichen Figur"* im Zusammenhang mit Staatsinsolvenzen.[433] Verbindlichkeiten, die ein Vorgängerstaat gegen das Interesse der Bevölkerung eingegangen ist, sind nach der Figur der odiösen Schulden für den Nachfolgestaat nicht verbindlich.[434] Die Figur der *odious debts* steht demnach in keinem unmittelbaren Zusammenhang mit Staatsinsolvenzen, denn nicht die Insolvenz sondern eine Staatennachfolge ist das auslösende Ereignis

---

432 *Sack,* RdC 23 (1928 III) 145, 262 ff.; *Epping,* in: Ipsen, Völkerrecht, 6. Aufl. 2014, § 5 Rdnr. 234.

433 Vgl. nur *Kämmerer,* ZaöRV 2005, 651, 654 f.; *Szodruch,* Staateninsolvenz und private Gläubiger, 2008, S. 270 ff.; *Müller,* Staatsbankrott und private Gläubiger, 2015, S. 119 f.; allgemein zur Rechtsfigur *Paulus,* ZaöRV 2008, 391; *Schneider,* Odious Debts, 2015.

434 Tatsächlich ist die Definition der Rechtsfigur der odiösen Schulden umstritten. Die hier gewählte entspricht der viel zitierten von *Sack,* Les Effets des Transformations des États sur leurs dettes publiques et autres obligations financières, 1927, S. 163. Zur Kontroverse *Paulus,* ZaöRV 2008, 391, 403 ff.

des *odious-debts*-Einwands. Keinesfalls eröffnet die Figur der odiösen Schulden damit eine generelle Option für Schuldnerstaaten im Falle ihrer Insolvenz, sondern bietet nur in eng umgrenzten Sonderfällen die Option, einen Teil der Verbindlichkeiten völkerrechtsgemäß nicht zu bedienen.

Zudem ist die völkerrechtliche Verbindlichkeit der *odious debt*-Doktrin auch heute noch umstritten.[435] Eine ausdrückliche Kodifizierung durch die ILC wurde trotz eines dahin gehenden Vorschlags durch Sonderberichterstatter *Bedjaoui* nicht vorgenommen.[436] Fraglich ist daher, ob ein völkergewohnheitsrechtlicher Satz existiert. Obwohl dies teilweise befürwortet wird,[437] sprechen die wohl besseren Argumente gegen eine solche Annahme. Denn es ist bisher weder eine dahin gehende Staatenpraxis noch eine diese tragende Rechtsüberzeugung nachweisbar.[438]

Abgesehen von dem mangelnden Bezug zur Frage der Staatsinsolvenzen und den definitorischen Schwierigkeiten ist eine Berufung auf die Figur der odiösen Schulden mangels Normqualität für Schuldnerstaaten daher nur wenig erfolgsversprechend.

(2) Unmöglichkeit und *force majeure*

Nun könnte man auf die Idee kommen, dass es einem insolventen Staat unmöglich ist seine Verbindlichkeiten zu bedienen. Das Rechtsinstitut der Unmöglichkeit ist als solches auch in Art. 61 WVK kodifiziert. Nach Art. 61 I WVK kann eine Vertragspartei „*die Unmöglichkeit der Vertragserfüllung als Grund für die Beendigung des Vertrags oder den Rücktritt vom Vertrag geltend machen, wenn sich die Unmöglichkeit aus dem endgültigen Verschwinden oder der Vernichtung eines zur Ausführung des Vertrags unerlässlichen Gegenstandes ergibt.*“ Könnte man Insolvenzen unter den Unmöglichkeitstatbestand subsumieren, könnte der Schuldnerstaat seine Verbindlichkeiten durch die Berufung auf die Unmöglichkeit deren Erfüllung beenden oder von diesen zurücktreten. Unter Berücksichtigung des zivilrechtlichen Grundsatzes „Geld hat man zu haben“, fällt zumindest deutschen Juristen eine solche Auslegung recht schwer, stellt Geld doch einen jederzeit zu beschaffenden „Gegenstand“ dar. Durch Erhöhung von Steuern oder

---

435 Ausführlich *Paulus*, ZaöRV 2008, 391, 415 ff.

436 Siehe *Paulus*, ZaöRV 2008, 391, 415 f.

437 Vgl. *Epping*, in: Ipsen, Völkerrecht, 6. Aufl. 2014, § 5 Rdnr. 234 m.w.N.

438 *Fischer-Lescano*, KJ 2003, 225, 233; *Paulus*, WM 2005, 53, 56; *ders.*, ZaöRV 2008, 391, 416 f.; *Gelpern*, Chic. J. Int'l L. 6 (2005), 391, 405 ff.; *Kämmerer*, ZaöRV 2005, 651, 654 f.; *Szodruch*, Staateninsolvenz und private Gläubiger, 2008, S. 271 ff.; *Müller*, Staatsbankrott und private Gläubiger, 2015, S. 120.

der im Umlauf befindlichen Geldmenge können Schuldnerstaaten stets Geldmittel der eigenen Währung beschaffen. Fremdwährungen hingegen können Schuldnerstaaten durch Exporte oder Kreditaufnahme in fremder Währung erwerben.[439] Nichtsdestotrotz forderte Mexiko bei der Kodifikation der WVK explizit auch Zahlungskrisen unter Art. 61 WVK zu erfassen. Dieser Vorschlag wurde jedoch entschieden abgelehnt.[440]

Einen Spezialfall der Unmöglichkeit bildet das völkergewohnheitsrechtlich anerkannte Prinzip der höheren Gewalt (*force majeure*). Das Vorliegen von höherer Gewalt schließt die „wrongfulness" eines Aktes aus, sodass zumindest für die Dauer des Vorliegens der *force majeure* der Verstoß gegen eine völkerrechtliche Pflicht gerechtfertigt ist. Art. 23 des ILC-Entwurf zur Staatenverantwortlichkeit definiert *force majeure* als, *„the occurrence of an irresistible force or of an unforeseen event, beyond the control of the State, making it materially impossible in the circumstances to perform the obligation."* Voraussetzungen sind demnach, dass eine unaufhaltsame Kraft oder unvorhergesehenes Ereignis vorliegen muss (1), über das der Staat keine Kontrolle hat (2) und es dadurch (3) dem Staat materiell unmöglich ist (4) seine Verpflichtung zu erfüllen.[441]

Eine Staatsinsolvenz kann schon deshalb grundsätzlich nicht unter den Tatbestand der *force majeure* subsumiert werden, da diese *„nicht Ursache sondern Folge einer Entwicklung"*[442] ist und daher nicht unvorhersehbar. Etwas anderes könnte nur dann gelten, wenn die Unfähigkeit eines Staates seine Schulden zu bedienen auf einer unvorhersehbaren Naturkatastrophe basiert.[443] Aber auch dann müsste dem Staat die Bedienung seiner Schulden durch die Naturkatastrophe materiell unmöglich sein. Der Tatbestand ist insoweit weiter als der des Art. 61 WVK, der eine objektive Unmöglichkeit fordert, allerdings darf die Nichtzahlung nicht auf einem freien Willensentschluss des betroffenen Staates basieren. Eine solche Situation liegt beispielsweise dann vor, wenn durch die Naturkatstrophe die für die Tilgung der Schulden notwendigen staatlichen Einrichtungen wie z.B. das Finanzministerium zerstört sind.[444] Im Regelfall befindet sich ein Staat in der

---

439 *Von Lewinski,* Öffentlichrechtliche Insolvenz und Staatsbankrott, 2011, S. 487.

440 *ILC,* YbILC 1979 II 2, S. 124 f.

441 Tatsächlich sind es also vier Tatbestandsvoraussetzungen. Von jeweils drei gehen dagegen *Leyendecker,* Auslandsverschuldung und Völkerrecht, 1988, S. 205 und *Müller,* Staatsbankrott und private Gläubiger, 2015, S. 120 aus.

442 *Von Lewinski,* Öffentlichrechtliche Insolvenz und Staatsbankrott, 2011, S. 488.

443 *Leyendecker,* Auslandsverschuldung und Völkerrecht, 1988, S. 207 f.; *Szodruch,* Staateninsolvenz und private Gläubiger, 2008, S. 314.

444 *Szodruch,* Staateninsolvenz und private Gläubiger, 2008, S. 314.

finanziellen Krise jedoch in einer Pflichtkollision hinsichtlich der Verteilung der noch vorhandenen Mittel, sodass eine Berufung auf *force majeure* ausscheidet. Insgesamt kann die Anwendung der Einrede der *force majeure* daher nur in eng begrenzten Einzelfällen eine unterlassene Tilgung rechtfertigen; eine allgemeine Anwendung auf Staatsinsolvenzen scheidet aus.

(3) *Clausula rebus sic stantibus*

Die veränderte Zahlungsfähigkeit eines Staates könnte man jedoch als Änderung der Geschäftsgrundlage subsumieren, denn bei Vertragsschluss gingen die Vertragsparteien von der Zahlungsfähigkeit des Schuldnerstaates aus. Das lange umstrittene völkergewohnheitsrechtliche Institut der *clausula rebus sic stantibus* hat in Art. 62 WVK seine Anerkennung erfahren.[445] Ein Vertrag kann demnach beendigt oder suspendiert werden, wenn „*[e]ine grundlegende Änderung der beim Vertragsabschluss gegebenen Umstände, die von den Vertragsparteien nicht vorausgesehen wurde*" eintritt. Diese Umstände müssen „*eine wesentliche Grundlage für die Zustimmung der Vertragsparteien, durch den Vertrag gebunden zu sein, [bilden] und die Änderung der Umstände würde das Ausmass der auf Grund des Vertrags noch zu erfüllenden Verpflichtungen tief greifend umgestalten.*" Unvorhergesehen kann ein Umstand allerdings nur dann sein, wenn dieser nicht der Risikosphäre der einen oder der anderen Vertragspartei unterliegt. Bei Darlehensverträgen untersteht die Zahlungsfähigkeit des Schuldners jedoch dessen Risikobereich, sodass sich dieser bei Beeinträchtigung seiner Zahlungsfähigkeit nicht auf veränderte Umstände berufen kann.[446]

Zudem ist die Berufung auf die *clausula rebus sic stantibus* ausgeschlossen, wenn der Vertrag von einer Vertragspartei bereits erfüllt wurde.[447] In der Situation einer Staatsinsolvenz geht es um solche Darlehen, die durch die Gläubiger bereits ausgezahlt wurden, sodass dem Schuldnerstaat die Berufung auf die *clausula rebus sic stantibus* regelmäßig verwehrt bleibt.

---

445 *Von Arnauld,* Völkerrecht, 3. Aufl. 2016, Rdnr. 246; *Heintschel von Heinegg,* in: Ipsen, Völkerrecht, 6. Aufl. 2014, § 16 Rdnr. 92.

446 *Szodruch,* Staateninsolvenz und private Gläubiger, 2008, S. 311 ff.; *von Lewinski,* Öffentlichrechtliche Insolvenz und Staatsbankrott, 2011, S. 486 f.

447 *Hahn,* Öffentliche Auslandsschulden und Völkerrecht, in: FS Carstens, Bd. 1, 1984, S. 361, 370; *Leyendecker,* Auslandsverschuldung und Völkerrecht, 1988, S. 168, der eine Berufung zwar nicht ausschließt, dann aber die sofortige Rückzahlung fordert, sodass für den Schuldner eine Berufung sinnlos wäre; *Szodruch,* Staateninsolvenz und private Gläubiger, 2008, S. 313.

c) *Insbesondere Einrede des Staatsnotstands*

Da eine Berufung eines insolventen Staats auf die völkerrechtlichen Institute der odiösen Schulden, Unmöglichkeit, *force majeure* und der *clausula rebus sic stantibus* generell ausscheidet, verbleibt für die Rechtfertigung einer Aussetzung des Schuldendienstes nur mehr die Einrede des Staatsnotstands. Während diese Frage eine zentrale Rolle bei der rechtlichen Beurteilung der Zahlungseinstellung Argentiniens 2001 einnahm,[448] wurde das Vorliegen eines Staatsnotstandes – so weit ersichtlich – im Fall Griechenlands nicht mehr diskutiert.

Völkervertragsrechtlich ist die Einrede des Staatsnotstandes nur in Einzelfällen statuiert, wie Art. 4 IPbpR oder Art. 15 EMRK. Darüber hinaus geht man ausgehend von der Entscheidung des IGH im Fall *Gabcíkovo-Nagymaros*[449] und der durch die ILC erfolgten Kodifizierung in Art. 25 ILC-Entwurf zur Staatenverantwortlichkeit[450] heute ganz überwiegend von einer völkergewohnheitsrechtlichen Verankerung der Einrede des Staatsnotstandes aus.[451]

---

448 Argentinien selbst berief sich vor nationalen wie auch internationalen Gerichten wie ICSID immer wieder auf die Einrede des Staatsnotstandes. Infolgedessen wurde sich mit dieser in Literatur als auch Rechtsprechung eingehend auseinandergesetzt. Vgl. nur *Pfeiffer*, ZVglRWiss 2003, 141; *Reinisch*, ZaöRV 2008, 3.

449 ICJ Rep. 1997, 7, *Gabcíkovo-Nagymaros*.

450 Art. 25 ILC-Entwurf zur Staatenverantwortlichkeit lautet:

> "1. Necessity may not be invoked by a State as a ground for precluding the wrongfulness of an act not in conformity with an international obligation of that State unless the act:
> (a) is the only way for the State to safeguard an essential interest against a grave and imminent peril; and
> (b) does not seriously impair an essential interest of the State or States towards which the obligation exists, or of the international community as a whole.
>
> 2. In any case, necessity may not be invoked by a State as a ground for precluding wrongfulness if:
> (a) the international obligation in question excludes the possibility of invoking necessity; or
> (b) the State has contributed to the situation of necessity."

451 „Die Existenz einer völkerrechtlichen Norm, welche die Rechtswidrigkeit eines Handelns aufgrund einer Notstandssituation ausschließt, ist im geltenden Völkerrecht nicht zu bezweifeln.", *Reinisch*, ZaöRV 2008, 3, 4 m.w.N.; a.A. *Dahm/Delbrück/Wolfrum*, Völkerrecht, Bd. I/3, 2. Aufl. 2002, S. 923.

Auch wenn die Existenz eines völkergewohnheitsrechtlichen Prinzips weitgehend unbestritten ist, ist fraglich, inwiefern Insolvenzen den Notstandstatbestand erfüllen.

(1) Staatsinsolvenz als Notstand?

Teilweise wird diskutiert, ob das Auftreten einer Staatsinsolvenz eine gesonderte Einrede neben dem allgemeinen Notstand gewährt. Doch bisher ist weder eine dahin gehende Staatenpraxis noch eine entsprechende Rechtsüberzeugung zu verzeichnen, sodass die Frage bleibt, ob eine Insolvenz eine Fallgruppe des allgemeinen Notstandes darstellt.[452]

Die Anwendbarkeit der Notstandseinrede auf finanzielle Krisen wird teilweise bestritten, wohl weil angenommen wird, dass finanzielle Notlagen den Selbsterhalt eines Staates, als dem Schutzgut des Notstands, nicht beeinträchtigen können. [453] Allerdings ist es logischerweise nicht nachvollziehbar, warum die Berufung auf den Staatsnotstand im Falle der Insolvenz kategorisch ausscheiden soll, denn schließlich macht es keinen Unterschied, ob die Notstandslage aufgrund von Zahlungsunfähigkeit oder einer Naturkatastrophe hervorgerufen wird. Denn wie *Kämmerer* richtig formuliert, stellt eine Insolvenz lediglich das *„Scharnier zwischen Ursache und Wirkung"* dar.[454] Jedoch ist festzustellen, dass zur Anwendbarkeit der Notstandseinrede auf finanzielle Krisen keine einschlägige Staatenpraxis besteht, weil Zahlungskrisen in der Regel durch Umschuldungen gelöst werden. Da Umschuldungen das Auftreten einer Notstandsituation gerade vermeiden, lässt sich daraus aber nicht ableiten, dass die Berufung auf die Notstandseinrede im Falle der Insolvenz generell ausgeschlossen wäre.[455] Aus der Judikatur der internationalen Gerichte lässt sich wiederum eine Tendenz zur Anerkennung der Notstandseinrede für finanzielle Krisen entnehmen. Insbesondere gingen Schiedsgerichte im Zusammenhang mit dem argentinischen Zahlungsmoratorium davon aus, dass auch finanzielle Krisen zur Rechtfertigung von Zahlungseinstellungen über die Notstandseinrede führen können. So stellte das Schiedsgericht im Fall *CMS v. Argentina* ausdrücklich fest, dass finanzielle Notlagen eines Staates die Notstandseinrede auslösen könnten, auch wenn es

---

452 Die Figur eines Finanznotstandes aufwerfend, aber ablehnend *von Lewinski*, Öffentlichrechtliche Insolvenz und Staatsbankrott, 2011, S. 490 ff.

453 Dazu *Reinisch*, ZaöRV 2008, 3, 10 f. m.w.N.

454 *Kämmerer*, ZaöRV 2005, 651, 657.

455 *Kämmerer*, ZaöRV 2005, 651, 658; *Szodruch*, Staateninsolvenz und private Gläubiger, 2008, S. 328 f.

dies im konkreten Fall verneinte.[456] Auch die ILC selbst geht davon aus, dass eine durch Zahlungsunfähigkeit hervorgerufene Notstandsituation die Berufung auf die Einrede des Staatsnotstandes eröffnen kann.[457] Insgesamt ist daher davon auszugehen, dass auch Staatsinsolvenzen die Notstandseinrede auslösen können.

(2) Tatbestandliche Probleme

Dennoch bereitet die Subsumtion von Staatsinsolvenzen unter die Tatbestandsvoraussetzungen des Staatsnotstands Probleme.[458]

i) *Essentielle Interessen*

Die Insolvenz reicht alleine nicht aus, um einen Staatsnotstand zu begründen. Vielmehr muss aufgrund der Insolvenz nach Art. 25 ILC-Entwurf zur Staatenverantwortlichkeit ein essentielles Interesse des Staates gefährdet sein. Diese offene Formulierung ermöglicht eine flexible Einzelfallbetrachtung, führt aber auch zu definitorischen Schwierigkeiten. Noch nicht abschließend geklärt ist, welche Interessen als notstandsbegründend eingestuft werden. Jedenfalls wenn die Existenz eines Staates gefährdet ist, kann von einer Notstandslage ausgegangen werden. Darüber hinaus wird auch dann von einem Staatsnotstand gesprochen, wenn die Erfüllung *„elementarer Staatsfunktionen"* unmöglich gemacht wird.[459] Dazu lassen sich die Aufrechterhaltung der öffentlichen Ordnung aber auch der Schutz des Leib und Lebens der Bevölkerung zählen. Einigkeit scheint darin zu bestehen, dass ein bloßes Absinken des Lebensstandards der Bevölkerung nicht genügt, um einen Notstand zu begründen.[460]

---

456 "The need to prevent a major breakdown, with all its social and political implications, might have entailed an essential interest of the State in which case the operation of the state of necessity might have been triggered.", *CMS v. Argentina*, ICSID Case No. ARB/01/8, Award, 12.5.2005, para. 319. Umfangreiche Untersuchungen der Rechtsprechungslage zu dieser Frage z.B. bei *Reinisch*, ZaöRV 2008, 3, 11 ff.; *Szodruch*, Staateninsolvenz und private Gläubiger, 2008, S. 317 ff.; *Müller*, Staatsbankrott und private Gläubiger, 2015, S. 126 ff. Das BVerfG hat in seinem Urteil zu argentinischen Staatsanleihen ausdrücklich offengelassen, ob ein finanzieller Notstand völkerrechtlich überhaupt anerkannt sei, BVerfGE 118, 124, 146.

457 *ILC*, YbILC 1980 II 2, S. 36 ff., ausführlich zur Einschätzung der ILC *Reinisch*, ZaöRV 2008, 3, 14 f.

458 Die erforderlichen Tatbestandsmerkmale werden Art. 25 ILC-Entwurf zur Staatenverantwortlichkeit entnommen, der weitestgehend Völkergewohnheitsrecht kodifiziert.

459 *Herdegen*, Völkerrecht, 13. Aufl. 2014, § 59 Rdnr. 5.

460 *Leyendecker*, Auslandsverschuldung und Völkerrecht, 1988, S. 219; *Pfeiffer*, ZVglRWiss 2003, 141, 162; *Benninghofen*, Die Staatsumschuldung, 2014, S. 187 f.; *Müller*, Staatsbankrott und private Gläubiger, 2015, S. 165.

Teilweise wird dafür plädiert auch den Umweltschutz[461] und die wirtschaftliche Entwicklung[462] eines Staates als essentielle Interessen einzuordnen. Bei allem Charme der Notstandseinrede für den Schuldnerstaat ist jedoch zu beachten, dass diese eine Ausnahme vom Grundsatz *pacta sunt servanda* darstellt und als solche eng auszulegen ist. Wirtschaftliche Schwierigkeiten bringen regelmäßig empfindliche Einsparungen des öffentlichen Sektors mit sich, die nicht immer eine Notstandslage bedeuten können. Deshalb erscheint es vorzugswürdig die Notstandssituation nicht auszudehnen, sondern auf solche Situationen zu beschränken, in welchen die Existenz eines Staates oder dessen essentieller Funktionen betroffen ist. Eine mit der Unschärfe verbundene Unsicherheit hinsichtlich des Bestehens einer Notstandssituation bleibt aber auf jeden Fall bestehen.

ii) *Erforderlichkeit*

Nach Art. 25 I lit. a ILC-Entwurf zur Staatenverantwortlichkeit kann sich ein Staat nur auf die Notstandseinrede berufen, wenn dies die einzige Möglichkeit ist, die drohende Gefahr abzuwenden, d.h. erforderlich war. Die Erforderlichkeit bereitet aber gerade bei einem Notstand, der der Zahlungsunfähigkeit eines Staates entspringt, Probleme.

Problematisch ist zum einen, dass die Gesamtschuld eines Staates in der heutigen Zeit auf eine Vielzahl von Gläubigern aufgeteilt ist. Die Forderung eines Gläubigers oder einer Gruppe von Gläubigern kann für sich genommen keine Notstandslage begründen, denn erst durch die Gesamtheit der Schuld gerät ein Schuldnerstaat unter Druck. Stellt man also bei der Prüfung der Erforderlichkeit auf die einzelne Forderung ab, könnte sich ein Schuldnerstaat in einem Verfahren gegenüber einzelnen Gläubigern mangels Erforderlichkeit niemals auf die Notstandseinrede berufen.

Für eine Einzelbetrachtung lassen sich vereinzelt Nachweise in der völkerrechtlichen Rechtsprechung finden. So hatte ein Schiedsgericht 1912 im Fall *Russische Entschädigungen* dem osmanischen Reich die Notstandseinrede verwehrt, weil die Russland geschuldeten sechs Mio. Francs in Anbetracht der Gesamtschuld von 350 Mio. Francs nicht geeignet seien, sich auf die Existenz des osmanischen Reiches auszuwirken.[463] Die Literatur befürwortet dagegen

461 ICJ Rep. 1997, 7, 41, *Gabcíkovo-Nagymaros; Benninghofen,* Die Staatsumschuldung, 2014, S. 187 f.

462 *Leyendecker,* Auslandsverschuldung und Völkerrecht, 1988, S. 219.

463 UNRIAA, Bd. XI (1912), 421, *Affaire de l'indemnité russe*; siehe dazu *Reinisch,* ZaöRV 2008, 3, 17 f.

eine Gesamtbetrachtung.[464] Dies wird vor allem mit den negativen Folgen einer Einzelbetrachtung begründet, die zu einem Wettlauf der Gläubiger und schließlich einer *„Zementierung einer bestehenden Notstandslage“* führen würde. Nur eine Gesamtbetrachtung erlaube dem Schuldnerstaat eine *„Atempause“* um die Notlage zu lösen. *Von Lewinski* kritisiert dagegen, dass ein zur Lösung der Insolvenz führender Mechanismus gerade nicht besteht und deshalb die Einschränkung des Gläubigers in seinem Recht die Forderungssumme einzufordern nicht gerechtfertigt sei. Das Institut des Staatsnotstands sei weder dazu bestimmt noch dazu geeignet einen Insolvenzmechanismus gleichsam durch die „Hintertüre“ einzuführen.[465] Allerdings muss gerade vor dem Hintergrund, dass Anleihen heute sog. *cross-default*-Klauseln enthalten, berücksichtigt werden, dass durch die Nichtzahlung auf einen Schuldtitel häufig die gesamte oder zumindest ein großer Teil der Schuld fällig gestellt wird. Dadurch kann durch eine Teilschuld sehr wohl eine Notstandslage im bereits beschriebenen Sinne ausgelöst werden. Zudem werden durch die Anerkennung eines Staatsnotstandes keinesfalls endgültige Verhältnisse geschaffen, sodass dadurch eine Auseinandersetzung mit den Gläubigern nicht entfällt.

Des Weiteren ist problematisch, inwieweit einem Schuldnerstaat zugemutet werden kann, andere Auswege aus seiner finanziellen Notlage zu suchen, bevor er sich auf die Einrede des Staatsnotstands beruft. Ein solcher Ausweg kann eine Refinanzierung sein[466] oder aber auch Mehreinnahmen durch Steuererhöhungen. Die ILC hat dazu vertreten, dass andere Möglichkeiten auch dann vom Schuldnerstaat in Betracht gezogen werden müssten, wenn sie mit höheren Kosten verbunden oder unangenehmer sind.[467] Die Erforderlichkeit darf also nicht fälschlicherweise wie im deutschen Staatsrecht verstanden werden, als Nichtbestehen eines milderen, gleich wirksamen Mittels.[468] Allerdings ist jede

---

464 *Pfeiffer,* ZVglRWiss 2003, 141, 164; *Kämmerer,* ZaöRV 2005, 651, 659; *Reinisch,* ZaöRV 2008, 3, 16 ff.; *Szodruch,* Staateninsolvenz und private Gläubiger, 2008, S. 352 f.

465 *Von Lewinski,* Öffentlichrechtliche Insolvenz und Staatsbankrott, 2011, S. 495 f.

466 An dieser Stelle wird auf die Möglichkeit der Refinanzierung über den IWF verwiesen, vgl. *Benninghofen,* Die Staatsumschuldung, 2014, S. 189 f. Der IWF verbietet es jedoch seine Kredite zur Tilgung bereits bestehender Verbindlichkeiten zu verwenden, *Szodruch,* Staateninsolvenz und private Gläubiger, 2008, S. 355.

467 "[...] even if they may be more costly or less convenient", *ILC,* YbILC 2001 II 2, S. 83, mit Verweis auf das Urteil im *Gabcíkovo*-Fall ICJ Rep. 1997, 7, 42, *Gabcíkovo-Nagymaros.*

468 So aber fälschlicherweise *Pfeiffer,* ZVglRWiss 2003, 141, 164; *Benninghofen,* Die Staatsumschuldung, 2014, S. 189.

ex-ante-Beurteilung von Alternativmaßnahmen schwierig, weil damit jeweils komplexe volkswirtschaftliche Einschätzungen und Bewertungen verbunden sind, die ein Schiedsgericht nur schwerlich zufriedenstellend vornehmen kann.

Daher erscheint es durchaus sinnvoll, dem Schuldnerstaat einen gewissen Einschätzungsspielraum bei der Beurteilung seiner volkswirtschaftlichen Lage zuzugestehen, der von Gerichten nur eingeschränkt überprüft wird.[469] Denn letztlich handelt es sich bei der Frage, ob eine Möglichkeit besteht die Notstandslage abzuwenden, um eine originär innenpolitische. Kritisch ist daher auch die Beurteilung des Schiedsgerichts im *CMS*-Fall einzuschätzen, wenn es anmerkt Argentinien hätte hohe Gaspreise durch Subventionen an seine Bürger abfedern können, um soziale Härten zu vermeiden.[470] Um einen einheitlichen Rechtsmaßstab zu fördern, schlägt *Szodruch* vor, sich bei der Beurteilung der Erforderlichkeit an den Anpassungsprogrammen des IWF zu orientieren. Doch zum einen hat nicht jeder Schuldnerstaat einen IWF-Kredit aufgenommen, sodass der Beurteilungsmaßstab nur partiell greifen würde. Zum anderen besteht eine *„mangelnde Kongruenz von Staatsnotstand und IWF-Konditionalität“*[471], da IWF-Anpassungsprogramme auf die langfristige Wiederherstellung einer tragfähigen Schuldenlast abstellen, während eine Notstandslage sehr akut ist. Viele Maßnahmen, die einen Staat langfristig aus einer überhöhten Verschuldung führen mögen, können kurzfristig eine Notstandslage nicht beseitigen. In Bezug auf die Erforderlichkeit einer Zahlungseinstellung besteht demnach eine große rechtliche Unsicherheit. Letztlich obliegt es dem Schuldnerstaat den Nachweis der Erforderlichkeit einer Zahlungseinstellung zu erbringen.

iii) *Berücksichtigung des Mitverschuldens des Schuldnerstaates*

Schließlich schließt Art. 25 II lit. b ILC-Entwurf zur Staatenverantwortlichkeit die Berufung auf die Einrede des Staatsnotstands aus, wenn der Staat zu der Notstandssituation beigetragen hat. Dies ist im Insolvenzfall problematisch, da der Schuldnerstaat diesen meist durch übermäßige Verschuldung selbst herbeigeführt oder zumindest begünstigt hat. Hält man sich bei der Auslegung streng an den Wortlaut, scheidet eine Berufung auf den Staatsnotstand im Falle einer Insolvenz damit regelmäßig aus.

Die ILC forderte in ihrem Kommentar zu Art. 25 daher einschränkend, dass die Beteiligung an der Notstandsituation nur hinreichend substantiell sein

---

469 *Benninghofen,* Die Staatsumschuldung, 2014, S. 190.

470 *CMS v. Argentina,* ICSID Case No. ARB/01/8, Award, 12.5.2005, para. 323; siehe dazu *Szodruch,* Staateninsolvenz und private Gläubiger, 2008, S. 355.

471 *Szodruch,* Staateninsolvenz und private Gläubiger, 2008, S. 356.

müsste.[472] Auch von der Literatur wird eine Absenkung des Maßstabes gefordert. Die Berufung auf die Notstandseinrede soll nur dann ausgeschlossen sein, wenn dem Schuldnerstaat *„evidentes finanzpolitisches Verschulden"* vorgeworfen werden kann.[473] Insoweit wird der relevante Maßstab subjektiviert; dem Schuldnerstaat müsse zumindest grobe Fahrlässigkeit vorzuwerfen sein.[474] Die Einführung subjektiver Kategorien für wirtschafts- und finanzpolitisches Agieren eines Staates wird jedoch zu Recht kritisiert. Denn für das wirtschafts- und finanzpolitische Agieren eines Staates seien die Kategorien Vorsatz und Fahrlässigkeit schlicht unpassend, denn schließlich geht es dabei ja um die Gewichtung und das Austarieren von vielfältigen Interessen.[475]

Vorzugswürdig ist daher die Beibehaltung eines objektiven Maßstabes wie er von der *ILC* auch vorgesehen war. Der Schuldnerstaat muss nicht nur einen kausalen, sondern vielmehr einen substantiellen Beitrag zur Zahlungsunfähigkeit getroffen haben.

Doch auch ein objektiver Maßstab stellt Gerichte vor große Schwierigkeiten, weil letztlich die Wirtschafts- und Finanzpolitik eines Staates überprüft werden müssen um festzustellen, ob ein Staat einen substantiellen Beitrag zu seiner finanziellen Krise leistete. Zwar trägt ein Schuldnerstaat die Beweislast dafür, dass er keinen Beitrag zur Notstandssituation geleistet hat, doch muss die Beweislage durch das Gericht eigenständig gewürdigt werden. Aus Rücksicht auf die grundsätzlich bestehende Einschätzungsprärogative der Staaten hinsichtlich der erforderlichen Wirtschafts- und Finanzpolitik ist es vorzugswürdig, nur evident bestehende Beiträge von substantiellem Gewicht zu berücksichtigen. Jedenfalls muss ein Gericht eine differenzierte Bewertung der wirtschaftspolitischen Maßnahmen vornehmen und bei bestehenden Zweifeln einen Beitrag des Schuldnerstaates ablehnen. Leider ließen Schiedsgerichte bei der Beurteilung der argentinischen Finanzkrise eine solche eingehende Beschäftigung vermissen. So ging das ICSID-Schiedsgericht im *CMS*-Fall mit einem schlichten

472 "For a plea of necessity to be precluded under paragraph 2 (b), the contribution to the situation of necessity must be sufficiently substantial and not merely incidental or peripheral.", *ILC*, YbILC 2001 II 2, S. 84.

473 *Pfeiffer*, ZVglRWiss 2003, 141, 169; *van Aaken*, ZVglRWiss 2006, 544, 562 f.

474 *Hahn*, Öffentliche Auslandsschulden und Völkerrecht, in: FS Carstens, Bd. 1, 1984, S. 361, 371; *Leyendecker*, Auslandsverschuldung und Völkerrecht, 1988, S. 235; *Szodruch*, Staateninsolvenz und private Gläubiger, 2008, S. 360 f.; für eine Beschränkung auf Vorsatz wohl *Kämmerer*, ZaöRV 2005, 651, 659; a.A. *von Lewinski*, Öffentlichrechtliche Insolvenz und Staatsbankrott, 2011, S. 497.

475 *Benninghofen*, Die Staatsumschuldung, 2014, S. 191 f.

Verweis auf die Defizite der argentinischen Regierungsmaßnahmen von einem Mitverschulden Argentiniens aus.[476] Für Schuldnerstaaten dürfte es daher sehr schwierig sein, sich an dieser Stelle zu „exkulpieren".

(3) Rechtsfolge: Lediglich aufschiebende Wirkung

Auch wenn sich ein Schuldnerstaat in einer finanziellen Krise – trotz der geringen Erfolgsaussichten – auf die Notstandseinrede berufen kann, rechtfertigt diese nur eine zeitweise Aussetzung der Zahlungen. Eine endgültige Nichtbedienung der Schulden kann hingegen nicht gerechtfertigt werden. Dieses enge Verständnis auf der Rechtsfolgenseite ergibt sich bereits aus der Natur des Staatsnotstandes als Ausnahme zum Grundsatz *pacta sunt servanda*. Als solche ist eine enge Auslegung der Rechtsfolgen geboten, sodass die ursprüngliche Verpflichtung wieder auflebt, sobald die Notstandssituation beendet ist.[477] Auch Art. 27 lit. a der ILC-Artikel zur Staatenverantwortlichkeit stellt klar, dass die Geltendmachung des Staatsnotstandes nicht die Einhaltung der fraglichen Verpflichtung berührt, „wenn und soweit der Umstand, der die Rechtswidrigkeit ausschließt, nicht weiter besteht." Auch die völkerrechtliche Judikatur geht von einer lediglich aufschiebenden Wirkung des Staatsnotstandes aus.[478] Ebenso wird in der Literatur der Einrede des Staatsnotstandes nur suspensive Wirkung zugeschrieben.[479]

Dieses Verständnis führt dazu, dass etwaige Klagen vor Schiedsgerichten als derzeit unbegründet abgewiesen werden müssen. Die Geltung des Notstands in Verfahren vor nationalen Zivilgerichten ist wiederum eine andere Frage und

---

476 "Therefore, the Tribunal observes that government policies and their shortcomings significantly contributed to the crisis and the emergency and while exogenous factors did fuel additional difficulties they do not exempt the Respondent from its responsibility in the matter.", *CMS v. Argentina*, ICSID Case No. ARB/01/8, Award, 12.5.2005, para. 329; eine Entscheidung im Fall *Abaclat v. Argentina*, ICSID Case No. ARB/07/5 wird derzeit noch erwartet.

477 *Von Lewinski*, Öffentlichrechtliche Insolvenz und Staatsbankrott, 2011, S. 499.

478 Beispielsweise *CMS v. Argentina*, ICSID Case No. ARB/01/8, Award, 12.5.2005, para. 382: "Even if the plea of necessity were accepted, compliance with the obligation would reemerge as soon as the circumstance precluding wrongfulness no longer existed".

479 Siehe u.a. *Leyendecker*, Auslandsverschuldung und Völkerrecht, 1988, S. 238 f.; *Dolzer*, Staatliche Zahlungsunfähigkeit, in: FS Partsch, 1989, 531, 552; *Kämmerer*, ZaöRV 2005, 651, 659; *Reinisch*, ZaöRV 2008, 3, 19 ff.; *Szodruch*, Staateninsolvenz und private Gläubiger, 2008, S. 369 ff.; *von Lewinski*, Öffentlichrechtliche Insolvenz und Staatsbankrott, 2011, S. 499.

beurteilt sich nach den jeweiligen Verfassungen. Für Deutschland jedenfalls verneinte das BVerfG im Zusammenhang mit der Argentinienkrise eine Geltung der völkerrechtlichen Notstandseinrede für Privatrechtsverhältnisse.[480]

d) Immunität des Schuldnerstaates

Bedient ein Staat seine Schulden nicht, so kann er sich nur in eng umgrenzten Ausnahmefällen erfolgreich auf eine Einrede berufen, sodass die Zahlungspflichten eines Schuldnerstaats grundsätzlich bestehen bleiben. Doch könnte die finanzielle Krise eines Staates bei der Durchsetzbarkeit der Forderung trotzdem Berücksichtigung finden, indem sich dieser auf seine Immunität beruft. Dabei muss jedoch zwischen der Immunität im Erkenntnis- und Vollstreckungsverfahren unterschieden werden.

(1) Prozesshindernis im Erkenntnisverfahren

Noch Anfang des 20. Jahrhunderts war es praktisch unmöglich Staaten vor nationalen Gerichten zu verklagen.[481] Klagen gegen Staaten wurden als unzulässig abgewiesen, da ihnen als Souveränen absolute Immunität zugestanden wurde. Doch dieses absolute Immunitätsverständnis wurde abgelegt. Ein Prozesshindernis liegt heute nur dann noch vor, soweit Staaten hoheitlich handeln (*acta iure imperii*). Nimmt der Staat dagegen regulär am Wirtschaftsverkehr teil (*acta iure gestionis*), genießt er keine Immunität, sodass er von anderen Wirtschaftsteilnehmern vor nationalen Gerichten verklagt werden kann. Entscheidend ist daher die Einordnung des jeweiligen staatlichen Handelns. Maßgeblich für die Bewertung ist dabei nicht der verfolgte Zweck, sondern die Rechtsnatur der staatlichen Handlung.[482]

Bei einem Gerichtsverfahren gegenüber einem Staat, der seine Anleihen nicht bedient, kommen zwei mögliche Anknüpfungspunkte für das Vorliegen eines Prozesshindernisses infrage: Die Begebung der Anleihen und deren Nichtbedienung. Ein Staat, der an Finanzmärkten einen Kredit aufnimmt, reiht sich als

---

480 BVerfGE 118, 124, 134 ff., wobei sich *Lübbe-Wolff* in ihrem Sondervotum für eine Anwendung aussprach; ebenso *Baars/Böckel*, ZBB 2004, 445, 460; a.A. *Dolzer*, Staatliche Zahlungsunfähigkeit, in: FS Partsch, 1989, 531, 550 f.; *Pfeiffer*, ZVglRWiss 2003, 141, 169; *Szodruch*, Staateninsolvenz und private Gläubiger, 2008, S. 338 f.

481 Eine Klage war nur dann zulässig, wenn ein Staat freiwillig auf seine Immunität verzichtete, *Stein/von Buttlar/Kotzur*, Völkerrecht, 14. Aufl. 2016, Rdnr. 716.

482 Vgl. nur *Epping*, in: Ipsen, Völkerrecht, 6. Aufl. 2014, § 5 Rdnr. 266.

Teilnehmer am Finanzmarkt in den regulären Wirtschaftsverkehr ein, sodass sich die staatliche Kreditaufnahme als *acta iure gestionis* darstellt.[483]

Argentinien brachte im Zusammenhang mit der Aussetzung seines Schuldendienstes allerdings vor, dass bei der Beurteilung der Immunität nicht an die Begebung der Anleihen, sondern vielmehr deren Nichtbedienung aufgrund eines staatlichen Zahlungsmoratoriums angeknüpft werden müsse. Da ein solches Moratorium als hoheitlicher Akt einzustufen sei, seien Klagen von Gläubigern auf Leistung auf die Anleihen unzulässig. Diese als *„überholende Immunität"*[484] bezeichnete Figur wurde in einem Verfahren gegen Argentinien sogar vom obersten italienischen Gerichtshof anerkannt.[485]

Diese rechtliche Einschätzung wird jedoch zu Recht kritisiert. *Seidl-Hohenveldern* merkte bereits 1979 richtigerweise an, dass ein *„Staat, der einmal als Händler auf den Marktplatz herabgestiegen ist, sich nicht wieder auf den Sockel der Staatshoheit stellen und sich hinter seiner Immunität verschanzen"* dürfe. Des Weiteren sei das hinter der Immunität stehende Prinzip *par in parem non habet iurisdictionem* nicht betroffen, da der Staat sich durch die Anleihen freiwillig einer fremden Rechtsordnung unterworfen und damit außerhalb seiner Hoheitsmacht begeben habe.[486] Der Ablehnung der Figur der überholenden Immunität ist zuzustimmen. Ansonsten würde es einem Staat durch einen hoheitlichen Eingriff stets ermöglicht, quasi durch die Hintertür, seine Immunität wieder zu erwirken. Damit würde die Entwicklung der Konzeption der relativen Immunität rückgängig gemacht und de facto wieder eine absolute, staatliche Immunität entstehen. Die Anerkennung der sog. überholenden Immunität wäre somit nichts anderes als widersprüchlich.

---

483 In Großbritannien ist diese Zuordnung in Sec. 3 (3) b des State Immunity Acts sogar ausdrücklich festgehalten; ebenso BVerfGE 117, 141, 153; *Leyendecker,* Auslandsverschuldung und Völkerrecht, 1988, S. 333 f.; *Szodruch,* Staateninsolvenz und private Gläubiger, 2008, S. 378 f.; *Müller,* Staatsbankrott und private Gläubiger, 2015, S. 189 f.

484 *Seidl-Hohenveldern,* Neue Entwicklungen im Recht der Staatenimmunität, in: FS Beitzke, 1979, 1081, 1091.

485 Corte Suprema di Cassazione, *Borri Lucca v. Argentine Republic,* Ordinanza N 6532/2005 vom 27.5.2005.

486 *Seidl-Hohenveldern,* Neue Entwicklungen im Recht der Staatenimmunität, in: FS Beitzke, 1979, 1081, 1091; *Szodruch,* Staateninsolvenz und private Gläubiger, 2008, S. 380; *Müller,* Staatsbankrott und private Gläubiger, 2015, S. 191; *Geimer,* Internationales Zivilprozessrecht, 6. Aufl. 2009, Rdnr. 584: „Once a trader always a trader."

(2) Immunität des Schuldnerstaats im Vollstreckungsverfahren

Da in aller Regel kein Prozesshindernis in einem Verfahren gegen einen insolventen Staat besteht, werden Gläubiger vor nationalen Gerichten erfolgreich Leistungsurteile gegen diesen erstreiten können. Von hohem praktischem Interesse ist jedoch, ob Gläubiger dieses im Ernstfall auch erfolgreich gegen Schuldnerstaaten im Wege der Vollstreckung durchsetzen können, denn auch im Vollstreckungsverfahren sind Schuldnerstaaten grundsätzlich durch die Immunität geschützt.

i) *Vollstreckungsimmunität*

Mit der Entwicklung der relativen Immunität im Erkenntnisverfahren gewann die völkergewohnheitsrechtlich verbürgte Vollstreckungsimmunität immer mehr an Bedeutung.[487] Diese wird mithin auch als die letzte Bastion der Staatenimmunität bezeichnet.[488] Die Immunität im Vollstreckungsverfahren richtet sich nach dem Zweck des Gegenstandes in den vollstreckt werden soll. Dient dieser einem hoheitlichen Zweck, kann in diesen nicht vollstreckt werden. Anders als für die Immunität im Erkenntnisverfahren ist für die Vollstreckungsimmunität die Zweckbestimmung des Staates entscheidend. Solange ein Staat einen hoheitlichen Zweck glaubhaft machen kann, hat er es demnach in der Hand, in welche Gegenstände vollstreckt werden kann.[489]

In aller Regel besitzt ein Staat nur wenig staatseigenes Vermögen im Ausland. Dieses besteht meist zum Großteil aus seinen Botschaften und konsularischen Vertretungen.[490] Für diplomatische Missionen gilt allerdings ein Sonderregime, um deren Arbeits- und Funktionsfähigkeit zu gewährleisten. In Art. 22 III WÜD ist ausdrücklich festgelegt, dass die Räumlichkeiten der diplomatischen Mission, ihre Einrichtung und die sonstigen darin befindlichen Gegenstände sowie die Beförderungsmittel Vollstreckungsimmunität genießen.[491]

---

487 *Stoll,* State Immunity, in: MPEPIL, Stand: April 2011, Rdnr. 49 f.

488 "Immunity from execution may be viewed, therefore, as the last bastion of State immunity.", *ILC,* Draft Articles on Jurisdictional Immunities of States and Their Property (1991), 2005, S. 56.

489 *Stein/von Buttlar/Kotzur,* Völkerrecht, 14. Aufl. 2016, Rdnr. 722.

490 Ausnahmen bestätigen freilich die Regel. So erzeugte beispielsweise die Beschlagnahmung eines Flugzeugs des thailändischen Kronprinzen am Münchner Flughafen viel Aufmerksamkeit, u.a. *Haas,* Kuckuck auf dem Privatjet, in: Süddeutsche Zeitung vom 14.7.2011, S. 18.

491 In Art. 31 IV WÜK ist eine entsprechende Regelung für konsularische Vertretungen enthalten, die allerdings eine Einschränkungsmöglichkeit aus Gemeinwohlgründen enthält.

Von diesem Schutz sind *expressis verbis* Bankkonten der diplomatischen Mission nicht mitumfasst. Völkergewohnheitsrechtlich ist jedoch anerkannt, dass auch in Bankkonten der diplomatischen Mission nicht vollstreckt werden darf, soweit das Guthaben der Erfüllung diplomatischer Zwecke dient.[492] Eine Differenzierung des Vermögens auf Botschaftskonten ist nur durch einen vertieften Einblick in Botschaftsunterlagen zu erlangen. Da ein solcher aber eine Einmischung in die internen Angelegenheiten eines anderen Staates darstellt, wird aufgrund der Beweisschwierigkeiten die Vollstreckungsimmunität von vielen Gerichten großzügig auf das gesamte Vermögen auf Botschaftskonten ausgedehnt, solange ein Staat glaubhaft machen kann, dass das Geld diplomatischen Zwecken dient.[493] Dieses Ergebnis wird zudem von Art. 21 I lit. a der 2004 verabschiedeten United Nations Convention on Jurisdictional Immunities of States and Their Property (UNCSI) gestützt, der auch generell Bankkonten der diplomatischen Mission zur vollstreckungssicheren Masse zählt. Die UNCSI ist zwar noch nicht in Kraft getreten,[494] beansprucht aber für sich den aktuellen Stand des Völkergewohnheitsrechts abzubilden. Letztlich macht es auch keinen Sinn alle Gegenstände der diplomatischen Mission von der Vollstreckungsimmunität zu umfassen, aber Bankkonten auszuschließen, denn Geld ist schließlich eben auch nur ein Mittel, das zum Funktionieren der diplomatischen Mission beiträgt.

Neben den diplomatischen Missionen unterhalten auch Zentralbanken Konten im Ausland, um dort notwenige Geld- und Kapitalmarktgeschäfte abzuwickeln. Da die Reserven der Zentralbanken die größten staatlichen Vermögen außerhalb der Staatsgrenzen bilden, könnten sie für Gläubiger ein begehrenswertes Vollstreckungssubjekt darstellen, es sei denn, auch sie wären von der Vollstreckungsimmunität umfasst.[495] Art. 21 I lit. c UNCSI ordnet das Vermögen der

---

492 Vgl. nur *Stoll*, State Immunity, in: MPEPIL, Stand: April 2011, Rdnr. 62.

493 *Stoll*, State Immunity, in: MPEPIL, Stand: April 2011, Rdnr. 65 m.w.N.; grundlegend das BVerfG im *Phillipinische-Botschaft*-Fall BVerfGE 36, 342, 354 f.: „Eine solche Unterscheidung würde dem völkerrechtlichen Grundsatz der Nichteinmischung in interne Angelegenheiten fremder Staaten widersprechen. Vielmehr sei davon auszugehen, daß alle Botschaftsmittel den hoheitlichen Botschaftsaufgaben dienen. Soweit ein für eine Botschaft bestimmtes Konto nicht auf den Namen des fremden Staates selbst geführt werde, müsse es ausreichen, daß der fremde Staat die Zweckbestimmung seines Kontos für die Angelegenheiten der Botschaft glaubhaft mache."

494 Bisher ratifizierten nur 18 von 30 notwendigen Staaten die Konvention, vgl. zum Status https://treaties.un.org/pages/ViewDetails.aspx?src=TREATY&mtdsg_no=III-13&chapter=3&lang=en.

495 *Scott*, Sovereign Debt Default, WLF Working paper series, Nr. 140, 2006, S. 10; *Szodruch*, Staateninsolvenz und private Gläubiger, 2008, S. 387.

Zentralbanken und das anderer Währungsbehörden insgesamt der hoheitlichen Nutzung zu und unterstellt es damit generell der Vollstreckungsimmunität. Eine Reduzierung der Immunität auf Zentralbankvermögen, das tatsächlich hoheitlichen Zwecken dient, wie sie der Berichterstatter *Sucharitkul* in seinem Entwurf gefordert hatte, wurde bewusst nicht in die später verabschiedete Konvention übernommen.[496] Eine ähnliche Regelung findet sich ebenfalls im britischen Recht (Sec. 14 IV SIA). Hingegen ist im amerikanischen Foreign Sovereign Immunities Act normiert, dass nur Zentralbankvermögen, das von dieser auf eigene Rechnung gehalten wird, Immunität genießt.[497] Die amerikanische Rechtsprechung interpretiert diese Einschränkung jedoch sehr unterschiedlich. Während teilweise davon ausgegangen wird, dass zwischen hoheitlich und nicht-hoheitlich genutztem Vermögen unterschieden werden muss, kommen andere Gerichte zu dem Ergebnis, dass die Vorschrift eine generelle Immunität für Zentralbankvermögen gewährt.[498] In Deutschland wird wiederum davon ausgegangen, dass nur hoheitlich genutztes Zentralbankvermögen der Vollstreckungsimmunität unterliege. Aus der uneinheitlichen Rechtspraxis kann nicht abgeleitet werden, dass Zentralbankvermögen einer Sonderregelung unterliegen, zumal auch die UNCSI noch nicht in Kraft getreten ist. Nur hoheitlich genutztes Zentralbankvermögen unterliegt somit nicht der Vollstreckung. Von einer hoheitlichen Nutzung geht man jedenfalls aus, wenn das Vermögen währungspolitischen Zwecken dient.[499]

Im Einzelfall ergeben sich jedoch Beweisschwierigkeiten hinsichtlich des Zwecks von Zentralbankvermögen. Teilweise wird deshalb vorgeschlagen, die Rechtsprechung des BVerfG zu Botschaftskonten auch auf Zentralbankvermögen zu übertragen.[500] Ein solcher Vorschlag missachtet jedoch, dass Botschaftskonten in einem engen Zusammenhang zur diplomatischen Mission stehen, welcher anerkanntermaßen besondere Immunitätsrechte zukommen. Ein solcher

---

496 *Sucharitkul*, Seventh Report on jurisdictional immunities of States and their property, in: ILC, YbILC 1985 II 1, 21, 42 ff.

497 S. 28 U.S. Code § 1611 b: "(b) Notwithstanding the provisions of section 1610 of this chapter, the property of a foreign state shall be immune from attachment and from execution, if—(1) the property is that of a foreign central bank or monetary authority held for its own account [...]."

498 *Szodruch*, Staateninsolvenz und private Gläubiger, 2008, S. 388 f. m.w.N.

499 BVerfGE 64, 1, 45 f.; *Krauskopf/Steven*, WM 2000, 269, 272; *Szodruch*, Staateninsolvenz und private Gläubiger, 2008, S. 390; *Müller*, Staatsbankrott und private Gläubiger, 2015, S. 196.

500 *Szodruch*, Staateninsolvenz und private Gläubiger, 2008, S. 390 f.; *Müller*, Staatsbankrott und private Gläubiger, 2015, S. 196.

sachlicher Zusammenhang zu immunitätssensiblen Bereichen besteht bei Zentralbankkonten jedoch nicht.

Da in Zentralbankkonten damit grundsätzlich vollstreckt werden kann, sind Staaten dazu übergegangen, Zentralbankvermögen auf Konten der Bank für Internationalen Zahlungsausgleich (BIZ) zu verschieben,[501] die aufgrund ihrer Gründungscharta und dem Sitzabkommen mit der Schweiz vollumfängliche Immunität besitzt.

Darüber hinaus wird vertreten, dass militärische Güter und staatliche Flugzeuge und Schiffe ebenfalls unter besonderer vollstreckungsrechtlicher Immunität stehen.[502] Für militärische Güter wird dies aus dem Völkergewohnheitsrecht gefolgert,[503] während staatliche Transportmittel einen völkervertraglich verankerten besonderen Vollstreckungsschutz genießen.[504] In Art. 21 UNCSI wird jedoch nur militärischen Gütern ausdrücklich ein vollstreckungsrechtlicher Sonderstatus gewährt. Für Flugzeuge wird dagegen in Art. 3 UNCSI nur auf den bereits bestehenden Immunitätsschutz im Völkerrecht verwiesen. Zumindest für Flugzeuge scheint noch nicht abschließend geklärt zu sein, ob sie einer allgemeinen Vollstreckungsimmunität unterfallen.[505] Davon scheint auch die argentinische Regierung auszugehen, denn um eine Pfändung ihres Regierungsflugzeugs „Tango 01“ zu verhindern, charterte diese für Auslandsreisen seiner damaligen Präsidentin Kirchner regelmäßig ausländische Flugzeuge.[506] Die Pfändung eines Segelschulschiffs der argentinischen Marine in Ghana wurde wiederum vom Internationalen Seegerichtshof wieder aufgehoben.[507]

501 *Scott,* Sovereign Debt Default, WLF Working paper series, Nr. 140, 2006, S. 12; *Szodruch,* Staateninsolvenz und private Gläubiger, 2008, S. 391, der insbesondere auf Argentinien verweist.

502 BVerfGE 117, 141, 155; *Baars/Böckel,* ZBB 2004, 445, 452 f.; wohl auch *von Lewinski,* Öffentlichrechtliche Insolvenz und Staatsbankrott, 2011, S. 524 f.

503 *Baars/Böckel,* ZBB 2004, 445, 453; *Tietje/Szodruch,* ZBB 2007, 498, 503.

504 Vgl. Internationales Übereinkommen zur einheitlichen Feststellung von Regeln über die Immunität von Staatsseeschiffen, abgeschlossen am 10.4.1926, RGBl. 1927 II, 483; Abkommen zur Vereinheitlichung von Regeln über die Sicherungsbeschlagnahme von Luftfahrzeugen, abgeschlossen am 29.5.1933, RGBl. 1935, 302.

505 Ebenso *Stoll,* State Immunity, in: MPEPIL, Stand: April 2011, Rdnr. 73.

506 Vgl. nur http://www.spiegel.de/politik/ausland/argentinien-praesidentin-kirchner-im-gemieteten-flugzeug-a-876322.html, zuletzt aufgerufen am 20.3.2017.

507 Vgl. Press Release des Internationalen Seegerichtshofs vom 15.12.2002, ITLOS/Press 188, https://www.itlos.org/fileadmin/itlos/documents/press_releases_english/PR_188_E.pdf, zuletzt aufgerufen am 20.3.2017.

Schließlich bleiben Gläubigern meist wohl nur noch Staatsunternehmen und reine Kultureinrichtungen als potentielle Vollstreckungsobjekte.[508] Allerdings ist es einem Staat durch taktisches Verschieben von für die Vollstreckung verbleibenden Vermögenswerten ins Inland aber durchaus möglich, sich weitgehend einer Vollstreckung im Ausland zu entziehen.[509]

ii) *Immunitätsverzicht*

Für Staaten ist die Kapitalaufnahme an den Kapitalmärkten durch die Ausgabe von Anleihen ein wichtiger Grundpfeiler ihrer Kapitaldeckung. Um eine größere Sicherheit für die Gläubiger zu schaffen, enthalten viele Anleihen einen ausdrücklichen Immunitätsverzicht.[510]

Die Immunität ist ein Recht, das den jeweiligen Staat schützen soll, jedoch nicht gegen dessen ausdrücklichen Willen. Sowohl das WÜD[511] als auch das WÜK[512] enthalten Regelungen, die einen Immunitätsverzicht eindeutig zulassen. Heute ist es deshalb anerkannt, dass Staaten zulässigerweise erklären können, dass sie auf den Schutz durch ihre Immunität verzichten.[513]

---

508 *Von Lewinski*, Öffentlichrechtliche Insolvenz und Staatsbankrott, 2011, S. 525 f.; *ders.*, Aspekte der Staateninsolvenz in der Europäischen Union, in: ZEW, Vorträge und Berichte, Nr. 189, 2011, S. 4; eine pauschale Ausnahme von der Vollstreckungsimmunität kann jedoch nicht erfolgen, zumindest Kultureinrichtungen wurden teilweise schon unter die Vollstreckungsimmunität gefasst, s. *Stoll,* State Immunity, in: MPEPIL, Stand: April 2011, Rdnr. 68.

509 Ein Beispiel ist die Vollstreckung titulierter Forderungen gegen Argentinien in Deutschland. In den vergangenen zwölf Jahren ist es Privatleuten nicht gelungen, Geld einzutreiben, auch nicht durch Pfändungen argentinischer Vermögenswerte auf deutschem Boden.

510 Gegenstand vieler gerichtlicher Entscheidungen waren die Klauseln in argentinischen Anleihen. Beispielhaft § 12 IV der Anleihen, die Gegenstand von BVerfGE 117, 141 waren: „In dem Ausmaß, in dem die Republik derzeit oder zukünftig Immunität (aus hoheitlichen oder sonstigen Gründen) von der Gerichtsbarkeit irgendeines Gerichtes oder von irgendeinem rechtlichen Verfahren (ob bei Zustellung, Benachrichtigung, Pfändung, Vollstreckung oder in sonstigem Zusammenhang) in Bezug auf sich selbst oder ihre Einkünfte, ihr Vermögen oder Eigentum besitzt oder erwerben sollte, verzichtet die Republik hiermit unwiderruflich auf eine solche Immunität in Bezug auf ihre Verpflichtungen aus den Schuldverschreibungen in dem Umfang, in dem sie dazu gemäß anwendbarem Recht berechtigt ist.“, BVerfGE 117, 141, 142.

511 S. Art. 32 I WÜD.

512 S. Art. 45 I WÜK.

513 BVerfGE 117, 141, 157; *Baars/Böckel,* ZBB 2004, 445, 453; *Szodruch,* Staateninsolvenz und private Gläubiger, 2008, S. 394.

Im Rahmen von Staatsanleihen sind für die Reichweite eines Immunitätsverzichts damit allein die speziellen Anleiheklauseln entscheidend. Der Grund, warum Immunitätsverzichte immer wieder Gegenstand gerichtlicher Auseinandersetzungen sind, sind die divergierenden Auslegungsmöglichkeiten dieser Klauseln. Erklärt ein Staat einen pauschalen Immunitätsverzicht, lässt dieser grundsätzlich zwei Auslegungsalternativen zu.[514] Zum einen könnte man gemäß dem Wortlaut, der keine Einschränkungen enthält, einen umfassenden Immunitätsverzicht verstehen, der sich auf alle Gegenstände bezieht, die der Vollstreckungsimmunität unterliegen. Zum anderen bietet sich eine restriktivere Auslegung an, die solche Gegenstände vom Immunitätsverzicht ausschließt, die einem gesteigerten Immunitätsschutz unterliegen wie beispielsweise Gegenstände der diplomatischen Mission. Die letztere Auslegungsvariante nimmt dabei Anleihen aus dem kodifizierten Völkerrecht. Denn sowohl in Art. 32 II WÜD als auch Art. 45 II WÜK ist vorgesehen, dass ein Verzicht auf die Immunität von Diplomaten und Botschaftspersonal ausdrücklich erfolgen muss. Der hinter dieser Regelung stehende Rechtsgedanke des besonderen Schutzes diplomatischer Missionen lässt sich ebenfalls auf deren Vermögen übertragen. Es ist nämlich grundsätzlich anzunehmen, dass ein Staat seinen für ihn essentiellen diplomatischen Verkehr nicht gefährden will. Etwas anderes kann nur gelten, wenn ein Staat dies ausdrücklich erklärt.[515]

---

514 Unproblematischer sind dagegen konkrete Klauseln. So schließt eine litauische Anleihe aus dem Jahr 2012 unter anderem die Vollstreckung in diplomatische Räumlichkeiten aus. Term 16 lit. e): "The Issuer hereby irrevocably waives any right to claim sovereign or other immunity from jurisdiction or execution and any similar defence, and irrevocably consents to the giving of any relief or the issue of any process, including, without limitation, the making, enforcement or execution against any property whatsoever (irrespective of its use or intended use) of any order, award or judgment made or given in connection with any Proceedings provided, however, <u>that immunity is not waived with respect to present or future "premises of the mission" as defined in the Vienna Convention on Diplomatic Relations signed in 1961, "consular premises" as defined in the Vienna Convention on Consular Relations signed in 1963 or military property or military assets or property or assets of the Issuer related thereto or property (other than monetary funds (in Lithuanian -piniginės lėšos)) located in the Republic of Lithuania</u>. [Hervorh. d. Verf.]", abrufbar unter http://www.finmin.lt/finmin.lt/failai/vvp/euroobligacijos/TCs/TCs_2012-2018m_175mchf_EN.pdf, zuletzt aufgerufen am 20.3.2017; mit weiteren Beispielen *Siebel,* Rechtsfragen internationaler Anleihen, 1997, S. 165 ff.

515 So für Deutschland auch BVerfGE 117, 141.

Darüber hinaus ist fraglich, ob für alle Gegenstände, für die ein Immunitätssonderstaus gilt, also beispielsweise auch Vermögen militärischen Charakters, ein expliziter Immunitätsverzicht zu fordern ist. Davon ging insbesondere die ILC während ihres Arbeitsprozesses zum Entwurf des Übereinkommens der Vereinten Nationen über die gerichtlichen Immunitäten der Staaten und ihres Eigentums aus.[516] Allerdings ist die bisherige internationale Rechtsprechung und Staatenpraxis in der Frage, ob für Vermögen, dem aufgrund seines Zweckes einen Sonderstatus zukommt, ein ausdrücklicher Immunitätsverzicht notwendig ist, uneinheitlich. Doch aber auch hier ist der Gedanke übertragbar, dass ein Staat im Zweifel in besonders sensiblen Bereichen nicht auf seine Immunität verzichten möchte, es sei denn, er äußert dies ausdrücklich. Vor dem Hintergrund der rechtlichen Unsicherheit ist davon auszugehen, dass die Parteien eine unmissverständliche Klausel formulieren, indem sie die Vermögensgruppen mit Sonderstatus extra benennen, um Auslegungsschwierigkeiten entgegenzuwirken. Es überzeugt daher, einen pauschalen Immunitätsverzicht nur auf diejenigen hoheitlich genutzten Gegenstände zu beziehen, die keinem verstärkten Immunitätsschutz unterliegen.

4. *Praktische Irrelevanz der Option der Nichtbedienung der Schulden*

Trotz der Möglichkeit sich der Vollstreckung von Schuldtiteln in weiten Teilen zu entziehen wird die Option der Nichtbedienung der Verbindlichkeiten von den Schuldnerstaaten praktisch zumeist nicht gewählt. Den absoluten Regelfall stellt vielmehr die Restrukturierung der Schulden dar. Zuletzt hat Argentinien 2002 die Bedienung seiner Schulden eingestellt, um dann nach dieser „Machtdemonstration" später doch noch eine Umschuldung seiner Schulden anzustreben.[517]

Aber woran liegt es, dass Schuldnerstaaten die Option der Nichtbedienung ihrer Schulden beinahe nie wählen? Zum einen kann man mit Blick auf die rechtliche Lage feststellen, dass die Staaten trotz der Nichtbedienung ihrer Verbindlichkeiten Schuldner der Forderungen bleiben. Denn selbst bei Eingreifen der Staatsnotstandseinrede wird die Forderung nicht vernichtet, sondern lediglich

516 *ILC,* YbILC 1991 II 2, S. 59; ebenfalls *Baars/Böckel,* ZBB 2004, 445, 454; *Szodruch,* Staateninsolvenz und private Gläubiger, 2008, S. 397, wohl auch BVerfGE 117, 141, 155, 163.

517 Ecuador wählte 2008 ebenfalls diesen Weg, indem es zunächst ankündigte auf Verbindlichkeiten nicht mehr zu leisten, um dann eine Umschuldung zu verhandeln, s. *Benninghofen,* Die Staatsumschuldung, 2014, S. 27 f.

deren Durchsetzbarkeit während des Bestehens des Notstandes gehemmt. Bei der Nichtbedienung seiner Verbindlichkeiten setzt ein Schuldnerstaat sich damit der Gefahr einer Welle von Gerichtsverfahren aus. Die Vollstreckung der weiterhin bestehenden Verbindlichkeiten kann er nur durch ein ewiges „Versteckspiel" vor den Gläubigern verhindern, sodass die Option der Nichtbedienung die Situation des Schuldnerstaates nicht endgültig löst, da keine Schuldbefreiung eintritt. Verstärkt wird dieser Effekt durch den durch die Nichtbedienung entstehenden Marktdruck. Staaten die keine Lösung mit ihren Gläubigern suchen, werden von den Finanzmärkten abgeschnitten. Kein Gläubiger wird einem Staat einen neuen Kredit gewähren, der sich per se weigert seine Verbindlichkeiten zu bedienen. Doch ein Staat wird in einer finanziellen Notsituation meist kaum auf die Zuführung frischen Kapitals verzichten können. Denn meist kann nur so erfolgreich ein Neuanfang angestrebt werden. Dieser faktische Druck führt dazu, dass Staaten es anstreben, sich mit ihren Gläubigern auf eine Restrukturierung ihrer Verbindlichkeiten zu einigen.

5. *Option der Nichtbedienung: Frage der Autonomie, nicht der Souveränität*

Bei den zu bedienenden Staatsschulden handelt es sich um Verpflichtungen, die ein Staat freiwillig einging.[518] Die Tatsache, dass ein Staat sich aufgrund seiner Insolvenz nur in Ausnahmefällen erfolgreich auf eine Einrede berufen und damit von seiner rechtlichen Bindung zumindest zeitweise „lösen" kann, beeinträchtigt die staatliche Souveränität nicht. Erforderlich für den Beistand der Souveränität ist nicht, dass ein Staat sich jederzeit von seinen Bindungen lösen kann. Vielmehr genügt es, dass einem Staat grundsätzlich die Möglichkeit einer Lösung offensteht. Auch wenn im Falle der Insolvenz keine Lösungsmöglichkeit greift, kann ein Staat sich bei Vorliegen der Voraussetzungen nach der *clausula sic stantibus* von den eingegangenen Verbindungen lösen. Eine Beschränkung der staatlichen Souveränität ist daher nicht festzustellen.

Im Rahmen der Option der Nichtbedienung von Schulden scheint die staatliche Souveränität durch das Institut der Immunität besonders greifbar. Soweit keine Einrede einschlägig ist, und ein Staat sich lediglich hinter seiner Immunität „versteckt", handelt es sich bei der Nichtbedienung staatlicher Schulden letztlich um Vertragsbruch. Die Möglichkeit eines Staates sich durch Rechtsbruch seinen Bindungen zu entziehen, wird teilweise fälschlicherweise als Ausfluss

---

518 *Seiler*, Der souveräne Verfassungsstaat zwischen demokratischer Rückbindung und überstaatlicher Einbindung, 2005, S. 102.

staatlicher Souveränität verstanden.[519] Wie bereits diskutiert wurde, geht diese Einschätzung jedoch fehl, da es die Souveränität zu einer faktischen Machtkategorie deklassiert.[520] Der Rechtsbruch eines Staates ist jedoch *„nie Ausdruck seiner Souveränität, sondern stets rechtswidrig"*.[521]

Die Frage, ob die Strategie eines Staates seine Schuldner nicht zu bedienen erfolgsversprechend ist, betrifft damit weniger die staatliche Souveränität, als die staatliche politische Autonomie. Kann ein Staat die Bedienung seiner Schulden erfolgreich verweigern, ist das nichts anderes als eine tatsächliche Machtdemonstration. Damit wird letztlich die staatliche Verhandlungsposition gegenüber den Gläubigern gestärkt, wenn es darum geht eine finanzielle Krise zu lösen. Obwohl es Staaten immer noch möglich ist durch eine geschickte Verschiebung von Vermögensgegenständen der Vollstreckung von Schuldtiteln zu entgehen, wurde diese Machtposition im Laufe der Zeit erheblich geschwächt. Zum einen durch die stetige Zurückdrängung staatlicher Immunität, zum anderen durch erhebliche Abhängigkeiten von den internationalen Finanzmärkten, die eine Nichtbedienung durch den Staat konsequent bestrafen. Daher wird die Option der Nichtbedienung der Verbindlichkeiten von den Schuldnerstaaten praktisch nicht gewählt. Den absoluten Regelfall stellen dagegen Restrukturierungen der Schulden dar.

II. Restrukturierung der Schulden

Obwohl Restrukturierungen im Rahmen der immer wiederkehrenden Staatsinsolvenzen eine herausragende Rolle spielen, ist ihr Ablauf bis heute nicht spezifisch geregelt. Anders als bei Insolvenzen von Privatrechtssubjekten, für die die nationalen Rechtsordnungen Insolvenzverfahren vorsehen, existiert für Staatsinsolvenzen kein einheitliches, rechtliches Regime. Diese „Regelungslücke" offenbart sich besonders im Rahmen von Restrukturierungen, deren Ablauf sowie Grenzen von verschiedenen Rechtsregimen geprägt werden. Nicht ohne Grund werden Umschuldungen daher als *„messy, painful and unpredictable"* beschrieben.[522]

519 *Heller,* Die Souveränität, 1927, S. 149; *Giegerich,* Die Souveränität als Grund- und Grenzbegriff, in: FS Schmidt-Jortzig, 2011, 603, 610.

520 Siehe oben S. 68.

521 *Seiler,* Der souveräne Verfassungsstaat zwischen demokratischer Rückbindung und überstaatlicher Einbindung, 2005, S. 102.

522 *Brooks/Lombardi,* CIGI Papers No. 64, April 2015, S. 2.

1. Bedeutung von Umschuldungen

Tatsächlich kann die Restrukturierung von Staatsschulden zur Lösung von finanziellen Krisen auf eine lange Tradition zurückblicken.[523] *Das/Papaioannou/Trebesch* gehen in ihrer ausführlichen Studie davon aus, dass allein im Zeitraum 1950–2010 über 600 Umschuldungen in 95 Ländern stattfanden.[524] Dabei definieren sie Umschuldungen *als „exchange of outstanding sovereign debt instruments, such as loans or bonds, for new debt instruments or cash through a legal process."*[525] Die bestehenden Schuldinstrumente können dabei auf zwei verschiedene Arten angepasst werden. Zum einen kann der Nominalwert der Instrumente reduziert werden, sodass der Schuldnerstaat insgesamt weniger zurückzahlen muss (*debt reduction*). Zum anderen können die Rückzahlungsbedingungen modifiziert werden, indem die Laufzeit der Instrumente verlängert oder die Zinslast minimiert wird, was im Ergebnis einem Schuldenerlass gleichkommt (*debt rescheduling*). Darüber hinaus existiert die Kategorie des *debt buybacks*. Im Rahmen eines *debt buybacks* werden die ursprünglichen Schuldtitel nicht ausgetauscht, sondern vielmehr – meist gegen einen Abschlag – ausgelöst. Allerdings ist die Option des *debt buybacks* praktisch kaum relevant.[526]

Während die meisten Umschuldungen nach einer Insolvenz vorgenommen werden (sog. *post default restructurings*), sind jüngst auch gehäuft Restrukturierungen im Vorfeld einer Insolvenz (sog. *preemptive restructurings*) durchgeführt worden. Dazu zählt beispielsweise die im Jahre 2012 durchgeführte Umschuldung griechischer Staatsschulden als größte jemals durchgeführte Umschuldung.[527] Trotzdem beklagte der IWF in einem Positionspapier 2013, dass die meisten erfolgten Restrukturierungen mit zu geringem Umfang und zu spät [*„too little and too late"*] durchgeführt würden, wenngleich das Hinauszögern einer notwendigen Umschuldung sowohl für Schuldnerstaat als auch Gläubiger einen hohen Preis haben kann.[528] Denn es wird angenommen, dass sich der Zustand der Überschuldung negativ auf das Wirtschaftswachstum und das

---

523 Vgl. *Benninghofen*, Die Staatsumschuldung, 2014, S. 25.

524 *Das/Papaioannou/Trebesch*, IMF Working Paper, WP/12/203, 2012, S. 5.

525 *Das/Papaioannou/Trebesch*, IMF Working Paper, WP/12/203, 2012, S. 7.

526 *Das/Papaioannou/Trebesch*, IMF Working Paper, WP/12/203, 2012, S. 7, die seit 1950 nur 26 *debt buybacks* zählten.

527 *IMF*, Sovereign Debt Restructuring – Recent Developments and implications fort he Fund's legal and policy framework, 2013, S. 2, 22.

528 *IMF*, Sovereign Debt Restructuring – Recent Developments and implications fort he Fund's legal and policy framework, 2013, S. 15 ff.

Investitionsklima einer Volkswirtschaft auswirkt. Ist bekannt, dass ein Staat mit finanziellen Problemen kämpft, führt das zu einer Unsicherheit an den Finanzmärkten, die das Problem noch vertiefen kann. Die Verschlechterung der volkswirtschaftlichen Lage im Schuldnerstaat mindert wiederum den ökonomischen Wert der Schuldtitel der Gläubiger.

Trotzdem bestehen für Schuldnerstaaten Anreize, eine Restrukturierung möglichst spät durchzuführen, weil auch diese mit ökonomischen Kosten verbunden ist. Die Schuldnerstaaten selbst fürchten vom Finanzmarkt abgeschnitten zu werden, wenn sie Umschuldungsverhandlungen einleiten. Zudem erwarten Schuldnerstaaten dadurch negative *spill-over*-Effekte auf die Privatwirtschaft. Auf der anderen Seite versuchen aber auch Gläubiger eine Umschuldung zu vermeiden, da diese einen endgültigen, erheblichen Verlust bedeutet, der beispielsweise durch ein sog. *bail-out* durch öffentliche Gläubiger noch verhindert werden könnte. Des Weiteren möchte man auf der Gläubigerseite vermeiden, dass eine zu frühe Umschuldung die fiskalische Disziplinierungsfunktion des Marktes außer Kraft setzt.[529]

2. Rechtliche Verpflichtung zur Umschuldung?

Die praktische Relevanz von Umschuldungen und die dafür sprechenden ökonomischen Zwänge lassen die Frage nach der rechtlichen Lage etwas in den Hintergrund treten. Tatsächlich ist es für die Verhandlungen aber von Bedeutung, ob auch rechtlich eine Pflicht zur Umschuldung besteht. Aufgrund des Schweigens des geschriebenen Völkerrechts zu dieser Frage, kann sich eine solche Verpflichtung nur aus dem Völkergewohnheitsrecht ergeben. Teilweise wird davon ausgegangen, dass sich bereits eine völkergewohnheitsrechtliche Umschuldungspflicht verfestigt hat.[530] Dafür spricht zum einen die Aufnahme einer solchen Pflicht in die *Principles on Promoting Sovereign Lending and Borrowing* der UNCTAD, wo es in Principle 7 heißt: „*In circumstances where a sovereign is manifestly unable to service its debts, all lenders have a duty to behave in good faith and with cooperative spirit to reach a consensual rearrangement of those*

529 *IMF*, Sovereign Debt Restructuring – Recent Developments and implications fort he Fund's legal and policy framework, 2013, S. 20 f.; zu den ökonomischen Kosten einer Umschuldung *Das/Papaioannou/Trebesch*, IMF Working Paper, WP/12/203, 2012, S. 60 ff.

530 *Bothe/Brink*, GYIL 1986, 86, 106 ff.; wohl auch *Dolzer*, Staatliche Zahlungsunfähigkeit, in: FS Partsch, 1989, 531, 536 ff.; *Pfeiffer*, ZVglRWiss 2003, 142, 152 ff.; *Tietje*, Die Argentinien-Krise aus rechtlicher Sicht, 2005, S. 18.

obligations."[531] Zum anderen können sich die Befürworter eines solchen Völkergewohnheitssatzes auf eine lange Praxis erfolgreich durchgeführter Restrukturierungen berufen. Allerdings haben sich diese in ihrem Ablauf und Ausgang immer wieder voneinander unterschieden, sodass es wohl schon an einer einheitlichen Rechtspraxis mangelt.[532] Auch der Verweis auf die *Principles on Promoting Sovereign Lending and Borrowing* hilft nur bedingt, da es sich dabei nicht um die Kodifizierung bereits bestehenden Völkerrechts handelt, sondern durch diese die Weiterentwicklung der bestehenden Völkerrechtslage gerade beeinflusst werden soll.[533] Jedenfalls aber lässt sich keine notwendige Rechtsüberzeugung für eine bestehende Umschuldungspflicht hinreichend nachweisen. Denn dahin gehende Äußerungen werden durch die Gläubiger meist unterlassen, auch wenn diese Umschuldungen zustimmen. Damit kann nicht davon ausgegangen werden, dass diese an Umschuldungen teilnehmen, weil sie sich dazu verpflichtet sehen.

Auch für eine völkergewohnheitsrechtliche Verfestigung einer weniger intensiven Verpflichtung zum Eintreten in Umschuldungsverhandlungen mangelt es an der erforderlichen Rechtsüberzeugung.[534] Auch wenn eine Verhandlungspflicht aus politischer Sicht zwar wünschenswert wäre, ist diese bisher noch nicht völkerrechtlich verankert. Mit der Aufnahme in die *Principles on Promoting Sovereign Lending and Borrowing* ist eine dahin gehende Entwicklungstendenz jedoch erkennbar.

3. Umschuldung im Rahmen des Pariser Club

Wurde 1953 im Londoner Schuldenabkommen noch eine umfassende Regelung über die Schulden Nachkriegsdeutschlands gefunden,[535] werden heute Schulden nicht mehr einheitlich restrukturiert. Vielmehr existieren verschiedene

---

531 *UNCTAD,* Draft Principles on Promoting Sovereign Lending and Borrowing, 26.4.2011, abrufbar unter http://unctad.org/en/Docs/gdsddf2011misc1_en.pdf.

532 Siehe *Szodruch,* Staateninsolvenz und private Gäubiger, 2008, S. 156.

533 Siehe dazu ausführlich *Bohoslavsky/Espósito,* Principles Matter: The Legal Status of the Principles on Responsible Sovereign Financing, in: Espósito/Li/Bohoslavsky, Sovereign Financing and International Law, 2013, S. 73 ff.

534 *Marauhn,* Nachhaltiges Schuldenmanagement, in: Dabrowski/Fisch/Gabriel/Lienkamp, Die Diskussion um ein Insolvenzrecht für Staaten, 2003, S. 289; *Szodruch,* Staateninsolvenz und private Gäubiger, 2008, S. 155 ff.; wohl auch *von Bogdandy/Goldmann,* ZaöRV 2013, 61, 85 f., die sich aber für eine solche Pflicht *de lege feranda* aussprechen.

535 Dazu ausführlich *Benninghofen,* Die Staatsumschuldung, 2014, S. 49 ff.

ad-hoc-Foren, die sich je nach betroffener Gläubigergruppe zusammensetzen und sich jeweils auf eigene Restrukturierungsvereinbarungen einigen. Grundsätzlich kann zwischen bilateralen Schulden, multilateralen Schulden, syndizierten Bankschulden und denjenigen gegenüber privaten Gläubigern unterschieden werden.[536] Während bilaterale Schulden vornehmlich im Paris Club und syndizierte Kredite im London Club umgeschuldet wurden, existiert für die Umschuldung gegenüber privaten Anleihegläubigern gar kein Rahmen. Multilaterale Schulden wie beispielsweise die Instrumente des IWFs unterliegen wiederum den Sonderregelungen des jeweiligen Regimes. Aufgrund der Unübersichtlichkeit der rechtlichen Lage ist daher eine gesonderte Untersuchung nach Gläubigergruppen angezeigt, um die rechtliche Situation der Schuldnerstaaten zu umfassen.

a) Allgemeines

Das *ad-hoc*-Gremium des Pariser Clubs ist das wichtigste Forum für die Umschuldung bilateraler Schulden, also derjenigen Schulden, die ein Schuldnerstaat gegenüber anderen Staaten hat. Außerhalb der Organisationsstruktur des Pariser Clubs haben sich aber auch immer wieder Konsortien gebildet, die über einzelne Umschuldungen verhandelten. Insbesondere über die Restrukturierung griechischer Schulden im Rahmen des zweiten griechischen Rettungspakets verhandelten die staatlichen Gläubiger nicht im Rahmen des Pariser Clubs, sondern schwerpunktmäßig in der Eurogruppe.[537] Da die Staaten der Eurogruppe die größten Kreditgeber Griechenlands sind und sich zugleich mit Griechenland in einer Währungsunion befinden, bestand insofern ein Sonderinteresse der Eurostaaten. Auch für hochverschuldete unterentwickelte Staaten existiert mit der HIPC-Initiative ein gesonderter Mechanismus, an dem der Pariser Club neben dem IWF und der Weltbank zwar mitwirkt, der aber gesonderten Regeln unterliegt.[538]

Der Pariser Club ist seinem Selbstverständnis nach eine „*non-institution*", also keine internationale Organisation, sondern lediglich ein bloßer informeller *ad-hoc*-Zusammenschluss von Staaten.[539] Da mit aktuell 433 abgeschlossenen

---

536 Siehe zur Einteilung *Megliani*, Sovereign Debt, 2015, S. 277 ff.

537 *Megliani*, Sovereign Debt, 2015, S. 278 f. mit weiteren Beispielen von Restrukturierungen außerhalb des Pariser Clubs.

538 Vgl. https://www.imf.org/external/np/exr/facts/hipc.htm, zuletzt aufgerufen am 20.3.2017.

539 S. http://www.clubdeparis.org/en/communications/page/frequently-asked-questions, zuletzt aufgerufen am 20.3.2017.

Verhandlungen mit einem Gesamtvolumen von 583 Mrd. € aber eine gewisse Dauerhaftigkeit des Clubs nicht von der Hand zu weisen ist,[540] der Club die teilnehmenden Staaten selbst als permanente Mitglieder bezeichnet und darüber hinaus eigene Organe wie das Sekretariat besitzt, wird zu Recht vorgebracht, dass der Pariser Club sich zumindest auf dem Weg befindet eine internationale Organisation zu werden.[541] Da der Club jedoch nicht mit der selbstständigen Wahrnehmung eigener Aufgaben betraut ist, sondern immer noch vornehmlich ein Forum für Verhandlungen darstellen soll, kann wohl immer noch davon ausgegangen werden, dass der Pariser Club lediglich eine Staatenkonferenz darstellt, der keine eigene Rechtspersönlichkeit zukommt.[542]

Zurzeit besteht der Pariser Club aus 22 ständigen Mitgliedern,[543] wobei andere Staaten jederzeit auch als *ad-hoc*-Teilnehmer zu Verhandlungen eingeladen werden können, um aktiv an den Verhandlungen teilzunehmen.[544] Institutionen wie der IWF oder die Weltbank können als Beobachter den Verhandlungen beiwohnen. Gegenstand der Verhandlungen sind ausschließlich bilaterale Schulden, also Schulden eines Schuldnerstaates gegenüber einem Mitgliedstaat, wobei aber auch durch garantierte Handelskredite darunter fallen, soweit der Versicherungsfall eintritt.

b) Prinzipien

Auch wenn der Pariser Club sehr darauf bedacht ist keine schriftlichen Regelungen zu verfassen, da er seinen vorübergehenden Charakter wahren möchte, folgen die Verhandlungen des Pariser Clubs sechs Grundprinzipien.[545] Zum einen

540 Daten von http://www.clubdeparis.org/en/communications/page/key-numbers, zuletzt aufgerufen am 20.3.2017.

541 *Lowenfeld* spricht insofern von einer "informal organization", *Lowenfeld,* International Economic Law, 2. Aufl. 2008, S. 756; *Megliani* wählt den Begriff der " 'soft' international organisation", *Megliani,* Sovereign Debt, 2015, S. 282.

542 *Reinisch,* Debt Restructuring, in: Carreau/Shaw, La dette éxterieure, 1995, 537, 544.

543 Vgl. http://www.clubdeparis.org/en/communications/page/permanent-members, zuletzt aufgerufen am 20.3.2017. Zurzeit sind die folgenden Staaten permanente Mitglieder: Australien, Belgien, Brasilien, Dänemark, Deutschland, Finnland, Frankreich, Großbritannien, Irland, Israel, Italien, Japan, Kanada, Korea, Niederlande, Norwegen, Österreich, Russland, Schweden, Schweiz, Spanien und die USA, Stand März 2017.

544 http://www.clubdeparis.org/en/communications/page/ad-hoc-participants, zuletzt aufgerufen am 20.3.2017.

545 http://www.clubdeparis.org/en/communications/page/the-six-principles, zuletzt aufgerufen am 20.3.2017. Bei *Sevigny,* The Paris Club, 1990, S. 9 ff., wird noch auf die vier grundlegenden Prinzipien *imminent default, conditionality, equitable burden-sharing* und *consensus* verwiesen; *Megliani,* Sovereign Debt, 2015, S. 292, dagegen nennt die

handeln die Gläubiger untereinander solidarisch (*solidarity*) und entscheiden in Rahmen des Pariser Clubs immer einstimmig (*consensus*). Um besser arbeiten zu können, teilen die Gläubiger untereinander ihre Informationen (*information sharing*). Jeder Umschuldungsfall wird eigenständig nach seinen konkreten Umständen verhandelt (*case-by-case*). Jedoch verhandelt der Club nur mit einem Schuldnerstaat, der nachgewiesenerweise einen Schuldenerlass benötigt und sich bereits im Rahmen eines IWF-Programms zur Umsetzung wirtschaftspolitischer Anpassungsmaßnahmen verpflichtet hat (*conditionality*). Schließlich ist der Schuldnerstaat angehalten, in Vereinbarungen mit Nicht-Mitgliedern des Pariser Clubs keine für sich schlechteren Bedingungen zu akzeptieren als die, die er mit dem Pariser Club vereinbart hat (*comparability*).

c) Verfahrensablauf

Da der Pariser Club sehr auf seinen *ad-hoc*-Charakter pocht, besitzt er bis heute kein verbindliches Verfahrensrecht. Über die Zeit verfestigten sich aber dennoch bestimmte Vorgehensweisen. Jede Verhandlung des Pariser Clubs beginnt mit der förmlichen Antragstellung des betroffenen Schuldnerstaats, der darlegt, inwiefern es ihm unmöglich ist, seine Verbindlichkeiten zu bedienen.[546] Wichtige Voraussetzung hierfür ist, dass der Schuldnerstaat nachweisen kann, dass er bereits eine konditionale Einigung mit dem IWF erzielt hat.[547] Nachdem der Schuldnerstaat zu Anfang der Verhandlungen zunächst seinen Vorschlag für eine Umstrukturierung repräsentiert, einigen sich die Gläubigerstaaten einstimmig auf einen Gegenvorschlag. Dieser erste Gegenvorschlag der Gläubiger wird aufgrund seiner harten Bedingungen meist abgelehnt, indem ein neuer Vorschlag seitens des Schuldnerstaates eingereicht wird. Dieser Rhythmus aus Vorschlag und Gegenvorschlag wird fortgeführt, bis eine Einigung zwischen den Parteien

---

heute geltenden Prinzipien ohne das Prinzip *information sharing*, das erst kürzlich vom Pariser Club ergänzt worden sein muss. Da der Pariser Club keine geschriebene Charta hat, können die Grundprinzipien ohne Schwierigkeiten jederzeit angepasst werden.

546 Vgl. *Sevigny*, The Paris Club, 1990, S. 13 ff., insgesamt zum Verfahren.

547 *Rieffel*, The role of the Paris Club in managing debt problems, Princeton Essays in International Finance No. 161 (1985), S. 16 f.; *Sevigny*, The Paris Club, 1990, S. 10 f., der darauf hinweist, dass der Paris Club bereits seit Mitte der 1960er Jahre IWF-Programme voraussetzte; *Megliani*, Sovereign Debt, 2015, S. 285. Zur Krisenhilfe durch den IWF S. 113 ff.

erzielt wird. Das erreichte Verhandlungsergebnis wird dann in einer sog. *agreed minute* festgeschrieben.[548]

Bereits die Formulierung dieser *agreed minutes*, die lediglich von „recommendations“ sprechen verraten, dass diese vielmehr ein Verhandlungsprotokoll, als eine rechtsverbindliche Vereinbarung darstellen.[549] Erst durch die Umsetzung in einzelnen bilateralen Verträgen zwischen dem Schuldnerstaat und den Gläubigerstaaten erlangen die Empfehlungen aus der *agreed minute* Rechtsverbindlichkeit. Der Paris Club selbst bestätigt diese Einschätzung und spricht von einem „Dokument“.[550]

Nichtsdestotrotz ist die Rechtsnatur der *agreed minutes* unklar. Während *agreed minutes* teilweise als politische Absichtserklärungen eingestuft werden,[551] qualifizieren andere diese als *gentlemen's agreement*.[552] *Gentlemen's agreements* sind aufgrund des mangelnden Rechtsbindungswillens der Parteien im Gegensatz zu völkerrechtlichen Verträgen rechtlich unverbindlich und erzeugen lediglich eine politische und moralische Verpflichtung.[553] Nichtsdestotrotz entfalten *gentlemen's agreements* dennoch gewisse normative Vorwirkungen.[554] Insbesondere können sich in Verbindung mit dem generell völkerrechtlich anerkannten Grundsatz von Treu und Glauben gewisse Verpflichtungen ergeben. Da *agreed minutes* von Gegenseitigkeit geprägt sind, spiegelt die Einordnung als *gentlemen's agreement* ihren Vertragscharakter besser wieder. In Bezug auf die *agreed minutes* wird deshalb jedenfalls zu fordern sein, dass zumindest ernsthafte Verhandlungen zu bilateralen Vereinbarungen, die die in *agreed minutes* festgelegten

548 http://www.clubdeparis.org/en/communications/page/steps-in-a-negotiation-meeting. Dazu ebenso *Benninghofen,* Die Staatsumschuldung, 2014, S. 82 ff.; *Megliani,* Sovereign Debt, 2015, S. 285 ff.

549 *Rieffel,* Restructuring Sovereign Debt, 2003, S. 91.

550 “The outcome of the negotiation is not a legally-binding agreement between the debtor and each of its creditors but instead a document called Agreed Minutes.”, http://www.clubdeparis.org/en/communications/page/implementation-in-legally-binding-bilateral-agreements, zuletzt aufgerufen am 20.3.2017.

551 *Benninghofen,* Die Staatsumschuldung, 2014, S. 89.

552 *Megliani,* Sovereign Debt, 2015, S. 292.

553 Vgl. nur *Bothe/Brink,* GYIL 1986, 86, 105. Laut *Gautier* ist der mangelnde Rechtsbindungswille der Parteien das entscheidende Kriterium für die Annahme eines *gentlemen's agreement, Gautier,* Non-Binding Agreements, MPEPIL, Stand: Dezember 2006, Rdnr. 11 ff.

554 Zu den Vorwirkungen völkerrechtlich nicht verbindlicher Verträge *Schachter,* AJIL 71 (1977), 296, 303 f.; *Gautier,* Non-Binding Agreements, MPEPIL, Stand: Dezember 2006, Rdnr. 14.

Punkte umsetzen, geführt werden. Ein Anspruch auf Abschluss einer bilateralen Vereinbarung aus *agreed minutes* dürfte aufgrund deren offener Formulierung gerade nicht herzuleiten sein.[555]

Trotz mangelnder Rechtsverbindlichkeit können die Gläubigerstaaten dennoch die Einhaltung der *agreed minutes* durch den Schuldnerstaat mithilfe ihrer faktischen Verhandlungsposition sicherstellen. Zum einen können sie bei schwerwiegenden Verstößen die aktuelle *agreed minute* suspendieren oder schlechtere Umschuldungsbedingungen für zukünftige Verhandlungen androhen. Zum anderen können erneute Schuldenerleichterungen für den Fall in Aussicht gestellt werden, dass der Schuldnerstaat die aufgestellten Bedingungen zufriedenstellend erfüllt.[556]

4. *Multilaterale Schulden*

Zusätzlich sind Schuldnerstaaten häufig auch bei multilateralen Finanzorganisationen verschuldet. Zentraler Akteur ist hier der IWF. Darüber hinaus treten beispielsweise auch die Internationale Bank für Wiederaufbau und Entwicklung oder die Bank für Internationalen Zahlungsausgleich als Gläubigerinstitutionen auf. Auf europäischer Ebene wurde im Zuge der europäischen Staatsschuldenkrise mit dem ESM eine eigene multilaterale Gläubigerinstitution geschaffen. Die Besonderheiten des IWF-Verfahrens, als bedeutendstem Verfahren, wurden bereits in Kapitel 3.B.I. geschildert.

Auffallend ist, dass die Schulden gegenüber dem IWF wie auch den anderen multilateralen Finanzorganisationen von Umschuldungen meist explizit ausgenommen werden. In der Praxis sind Schulden multilateraler Finanzinstitutionen bisher noch nie restrukturiert worden und nur sehr selten werden Verbindlichkeiten dieser Organisationen nicht bedient.[557] Diese Besserbehandlung im Vergleich zu anderen Gläubigern wird damit begründet, dass die betroffenen Organisationen als sog. *lender of last resort* agieren. Das heißt, sie geben dem Schuldnerstaat in einer Phase Kredite, in der diese aufgrund der Risikolage kein regulärer

555 *Benninghofen,* Die Staatsumschuldung, 2014, S. 90.

556 *Benninghofen,* Die Staatsumschuldung, 2014, S. 94 f.

557 *Szodruch,* Staateninsolvenz und private Gläubiger, 2008, S. 190. Der erste Fall einer Nichtbedienung von IWF-Krediten durch ein entwickeltes Land ereignete sich gar erst im Juli 2015, als Griechenland eine Kredittranche in Höhe von 1,5 Mrd. € nicht an den IWF zurückzahlte, vgl. IMF Press Release No. 15/310, https://www.imf.org/external/np/sec/pr/2015/pr15334.htm, zuletzt aufgerufen am 20.3.2017. *Benninghofen,* Die Staatsumschuldung, 2014, S. 105, weißt dagegen daraufhin, dass der IWF schon mehrmals erneut Kredite vergab, um einen Ausfall zu verhindern. Richtigerweise kann dann aber gerade nicht von einer Umschuldung gesprochen werden.

Marktteilnehmer gewähren würde. Die Organisationen gehen daher ein sehr hohes Risiko ein. Da aber gerade diese Brückenfinanzierung die negativen Auswirkungen einer finanziellen Krise erheblich abdämpft, ist diese von der internationalen Gemeinschaft gewollt. Dafür, dass die Organisationen dieses hohe Risiko im Interesse der internationalen Gemeinschaft eingehen, bekommen sie faktisch einen höheren Rang zugesichert.[558] Dazu kommt, dass die finanzielle Leistungskapazität der betroffenen Organisationen ernorm beschränkt würde, wenn deren Kredite mit umgeschuldet würden. Das Kapital dieser Organisationen ist aber gerade dazu da, auch wieder anderen Schuldnerstaaten zur Verfügung zu stehen.[559]

Diese vorrangige Bedienung der multilateralen Kredite ist jedoch nirgends festgeschrieben; sie folgt weder aus den Satzungen noch aus den MoU.[560] Etwas anderes gilt lediglich für den ESM, dem in Erwägungsgrund 13 ESMV ein vorrangiger Status eingeräumt wird.[561] Inwiefern ein solcher Vorrang gegenüber Drittgläubigern wirksam festgelegt werden kann, erscheint recht zweifelhaft. Darüber hinaus gehen die Vertragsparteien des ESM augenscheinlich davon aus, dass zumindest den Verbindlichkeiten gegenüber dem IWF Vorrang zukommt. Auch der IWF selbst nimmt an, dass seine Forderungen Vorrang genießen;[562] ebenso die Weltbank.[563]

---

558 *Szodruch,* Staateninsolvenz und private Gläubiger, 2008, S. 191; *Megliani,* Sovereign Debt, 2015, S. 311 ff.

559 *Szodruch,* Staateninsolvenz und private Gläubiger, 2008, S. 196; *Benninghofen,* Die Staatsumschuldung, 2014, S. 105.

560 *Roubini/Setser,* Bailouts or Bail-ins?, 2004, S. 252.

561 „(13) […] Eingedenk dessen haben die Staats- und Regierungschefs festgelegt, dass ESM-Darlehen – vergleichbar denen des IWF – den Status eines bevorrechtigten Gläubigers haben werden, wobei akzeptiert wird, dass der IWF gegenüber dem ESM als Gläubiger vorrangig ist. Dieser Status wird ab dem Tag des Inkrafttretens dieses Vertrags gelten. In dem Fall, dass sich die ESM-Finanzhilfe in Form von ESM-Darlehen an ein Finanzhilfeprogramm anschließt, das im Zeitpunkt der Unterzeichnung dieses Vertrags bereits besteht, wird der ESM den gleichen Rang haben, wie alle anderen Darlehen und Verpflichtungen des die Finanzhilfe empfangenden ESM-Mitglieds, ausgenommen die Darlehen des IWF."

562 IWF, Communiqué of the Interim Commitee oft he Board of Governors oft he IMF, Press Release No. 88/33, 26.9.1988; IWF, Communiqué of the Interim Commitee oft he Board of Governors oft he IMF, Press Release No. 89/8, 4.4.1989; zitiert nach *Martha,* International and Comparative Law Quarterly 39 (1990), 801, 802.

563 Vgl. https://www.ifc.org/wps/wcm/connect/corp_ext_content/ifc_external_corporate_site/solutions/products+and+services/syndications/preferred-creditor-status, zuletzt aufgerufen am 20.3.2017.

Teilweise wird vertreten, dass dieser Vorrang dem Völkergewohnheitsrecht entspringt.[564] Aufgrund des jahrelang eingeräumten de-facto-Vorrangs für multilaterale Finanzorganisationen, könne eine dahin gehende Staatenpraxis bejaht werden. Größere Probleme wirft jedoch der Nachweis der erforderlichen Rechtsüberzeugung auf, da in diesem Zusammenhang öffentliche Einlassungen über die vertretenen Rechtsauffassungen vermieden werden. Eine entsprechende Rechtsüberzeugung aufgrund einer vermuteten Motivation der Schuldnerstaaten, die finanzielle Leistungsfähigkeit der internationalen Organisationen nicht zu beeinträchtigen zu bejahen, zumal keine eindeutige Motivation auszumachen ist, ist abzulehnen.[565] Erwägungsgrund 13 ESMV weist darauf hin, dass zumindest nicht allen multilateralen Finanzorganisationen ein völkergewohnheitsrechtlicher Vorrang zukommt, ansonsten hätte ein solcher für den ESM ja nicht explizit festgeschrieben werden müssen. Auch die Weltbank anerkennt, dass der ihr eingeräumte Vorrang lediglich faktischer Natur ist und diesem keine rechtliche Verbindlichkeit zukommt.[566] Für Verbindlichkeiten des IWF hingegen gehen zumindest die Vertragsparteien des ESM von einem bestehenden Vorrang aus. Aber auch für den IWF ist das Bestehen einer entsprechenden Rechtsüberzeugung nicht eindeutig auszumachen.

---

564 *Carreau,* JDI 1985, 5, 15 („valeur coutumière"); *Reinisch,* State Responsibility for Debts, 1995, S. 35; *Szodruch*, Staateninsolvenz und private Gläubiger, 2008, S. 197; *Megliani,* Sovereign Debt, 2015, S. 312; wohl auch *Völk,* Zur Gläubingerrangfolge bei souveränen Schuldnern, 2008, S. 138; a.A. *Martha,* International and Comparative Law Quarterly 39 (1990), 801, 810 f.; *Benninghofen,* Die Staatsumschuldung, 2014, S. 105 f.

565 So aber *Szodruch*, Staateninsolvenz und private Gläubiger, 2008, S. 196 f.

566 "As is the case for the World Bank and other multilateral development institutions, Preferred Creditor Status is not a legal status, but is embodied in practice [...].", http://www.ifc.org/wps/wcm/connect/Topics_Ext_Content/IFC_External_Corporate_Site/IFC+Syndications/Overview_Benefits_Structure/Syndications/Preferred+Creditor+Status/, zuletzt aufgerufen am 20.3.2017; ebenso *Standard and Poor's,* Structured Finance: Securitization of Latin America 2000, S. 66.

5. *Umschuldung von syndizierten Krediten*

a) *Kreditvergabe durch Bankkonsortien*

Neben bilateralen und multilateralen Schulden, bilden syndizierte Kredite[567] im Rahmen der Restrukturierung eine gesonderte Gruppe der Verbindlichkeiten. Als syndizierte Kredite sind Kredite eines Schuldnerstaats gegenüber einem Konsortium aus Geschäftsbanken zu verstehen. Seit den 1970er Jahren bildeten sich solche Konsortien, um die vom Schuldnerstaat gewünschten Kreditvolumina überhaupt aufzubringen, aber auch das Risiko für die einzelnen Geschäftsbanken zu vermindern.[568] Auch wenn die in den 1980er Jahren identifizierte Hochphase syndizierter Kredite inzwischen vorbei ist und diese durch Staatsanleihen als Hauptkapitalquelle für Staaten abgelöst wurden, spielen sie bei der Finanzierung von Staaten immer noch eine Rolle.[569] Folglich sind auch syndizierte Kredite immer wieder von Restrukturierungen betroffen wie 2005 hinsichtlich der Dominikanischen Republik oder 2006 hinsichtlich des Iraks.[570] Zuletzt spielte die Restrukturierung der griechischen Bankschulden eine prominente Rolle für den gesamten griechischen Umschuldungsprozess.[571]

Grundsätzlich kann zwischen zentralisierten- und dezentralisierten Konsortien unterschieden werden. Die Konstellation des dezentralisierten Konsortiums ist im Zusammenhang mit Staatsschulden die häufigste.[572] Während bei einem zentralisierten Konsortium nur eine Bank mit dem Staat in vertragliche Beziehungen tritt und somit nur ein Kreditvertrag besteht, treten beim dezentralisierten Konsortium alle Konsortialbanken gegenüber dem Staat als Vertragspartner auf. Alle Mitgliedsbanken eines dezentralisierten Konsortiums stehen aber auch zueinander in einem vertraglichen Verhältnis mit gegenseitigen Rechten und Pflichten.[573] Aus diesem Innenverhältnis ergeben sich für die Restrukturierung von syndizierten Krediten wiederum Besonderheiten.

---

567 Terminologie nach *Megliani,* Sovereign Debt, 2015.

568 *Semkow,* The International Lawyer 18 (1984), 869, 873.

569 Siehe zum Anteil von Bankkrediten an der deutschen Staatsverschuldung oben S. 30; *Szodruch,* Staateninsolvenz und private Gläubiger, 2008, S. 60 f.; *Megliani,* Sovereign Debt, 2015, S. 165 f., 326.

570 Siehe dazu *Das/Papaioannou/Trebesch,* IMF Working Paper, WP/12/203, 2012, S. 33.

571 *Zettelmeyer/Trebesch/Gulati,* Economic Policy 2013, 513, 536; *dies.,* Managing Holdouts, in: Lastra/Buchheit, Sovereign Debt Management, 2014, S. 25, 26.

572 *Megliani,* Sovereign Debt, 2015, S. 168.

573 *Megliani,* Sovereign Debt, 2015, S. 182 ff.

b) Besonderheiten bei der Restrukturierung syndizierter Kredite

Ersucht ein Schuldnerstaat seine Geschäftsbanken um die Restrukturierung seiner Schulden, bilden diese zur Verhandlungsführung ein ad-hoc-Gremium, ein sog. *Bank Advisory Committee* (BAC). Dieses besteht nur aus einer Gruppe von 5–20 Banken; meist denjenigen mit den höchsten Außenständen gegenüber dem Schuldnerstaat. Diese vertreten die gesamte Gläubigergruppe der Geschäftsbanken bei den Verhandlungen mit dem Schuldnerstaat. Parallel zu den bilateralen Umschuldungen im Pariser Club werden diese Gremien als Londoner Club bezeichnet.[574] Nichtsdestotrotz unterscheidet sich der Londoner Club ganz wesentlich vom Pariser Club. Ein wesentlicher Unterschied ist, dass der Londoner Club ohne festen Sitz und Verwaltungsorgane noch weniger formalisiert ist als der Pariser Club. Des Weiteren sind an den Restrukturierungen des Londoner Clubs eine viel größere Anzahl an Gläubigern beteiligt, was unter anderem dazu führt, dass sich die Verhandlungen langwieriger gestalten.[575]

Das BAC ist zwar befugt die Verhandlungen mit dem Schuldnerstaat zu führen, hat aber keine Befugnis eine verbindliche Einigung zu erzielen. Ist durch das BAC eine Einigung mit dem Schuldnerstaat erzielt worden, muss die Gemeinschaft der Gläubigerbanken durch eine Mehrheit von mindestens 95 % des Kreditvolumens der erreichten Einigung zustimmen.[576] Hervorzuheben ist zudem, dass die Geschäftsbanken sich durch den Schuldnerstaat versichern lassen, dass dieser Mitglied des IWFs ist und Zugang zu dessen Ressourcen hat. Für den Fall, dass ein Staat zusätzliche Finanzierung benötigt, wird diese von dem gleichzeitigen Abschluss eines IWF-Instruments abhängig gemacht. Dadurch wird die Kreditvergabe durch die Geschäftsbanken quasi durch die Hintertür mit der Konditionalitätenpolitik des IWFs verknüpft und der Schuldnerstaat somit zur Durchführung wirtschaftspolitischer Anpassungsmaßnahmen gedrängt, wozu

---

574 Allerdings ist unklar woher der Begriff des „London Clubs" stammt, da die Verhandlungen meist sogar in New York stattfanden, *Rieffel*, Restructuring Sovereign Debt, 2003, S. 102 f.

575 *Rieffel*, The role of the Paris Club in managing debt problems, 1985, S. 22 f.; *Sevigny*, The Paris Club, 1990, S. 17; *Megliani*, Sovereign Debt, 2015, S. 331 f.

576 *Rieffel*, Restructuring Sovereign Debt, 2003, S. 122; teilweise kann aber auch Einstimmigkeit erforderlich sein, vgl. *Buchheit*, How to negotiate Eurocurrency loan agreements, 2000, S. 145 ff.

den Banken isoliert sowohl die Verhandlungsmacht als auch die notwendige Expertise fehlen dürfte.[577]

6. *Umschuldung von Staatsanleihen*

a) *Besonderheiten bei der Umschuldung von Staatsanleihen*

Bis zu den 1990er Jahren wurden Staatsanleihen auch aufgrund ihrer mangelnden Relevanz von Umschuldungen ausgenommen.[578] Heute kommen den Restrukturierungen von Staatsanleihen – aufgrund ihres immer größer werdenden Anteils an den Staatsschulden insgesamt – große Bedeutung zu.[579] Im Gegensatz zu den bereits behandelten Gläubigergruppen, die aus einer klar definierten Anzahl aus Teilnehmern bestehen, sieht sich der Schuldnerstaat bei der Umschuldung von Staatsanleihen meist sehr vielen verschiedenen Gläubigern gegenüber.[580] Da Anleihen sehr liquide sind, hat der Schuldnerstaat auch keinen Überblick über die Identitäten seiner aktuellen Gläubiger. Insgesamt ist die Kommunikation mit den Gläubigern damit deutlich erschwert, wodurch auch eine erfolgreiche Einigung zwischen einem Schuldnerstaat und seinen Gläubigern schwieriger zu erzielen ist. Komplizierter wird die Umschuldung von Staatsanleihen weiterhin dadurch, dass für diese anders als für andere Gläubigergruppen kein spezifisches Umschuldungsforum wie beispielsweise der Pariser Club für bilaterale Schulden existiert.

Im Laufe der Zeit haben sich für die Umschuldungen von Staatsanleihen dennoch zwei unterschiedliche Umschuldungsprozeduren etabliert. Zum einen der Tausch der ursprünglichen Anleihen gegen neue Anleihen mit besseren Bedingungen für den Schuldnerstaat und zum anderen die Abänderung der ursprünglichen Anleihebedingungen.[581]

---

577 *Walker/Buchheit,* Legal Issues in the Restructuring of Commercial Bank Loans to Sovereign Borrowers, in: Gruson/Reisner, Sovereign lending: Managing Legal Risk, 1984, S. 150.

578 *Rieffel,* Restructuring Sovereign Debt, 2003, S. 262 f.

579 Siehe beispielsweise die Zusammensetzung der deutschen Staatsverschuldung, S. 28 ff.

580 *Szodruch,* Staateninsolvenz und private Gläubiger, 2008, S. 153; *Das/Papaioannou/Trebesch,* IMF Working Paper, WP/12/203, 2012, S. 21, 24 f., weisen allerdings richtigerweise darauf hin, dass dies nicht immer der Fall sein muss. Während bei der argentinischen Restrukturierung 2005 um die 600.000 Anleger betroffen waren, hielt bei Moldawiens Restrukturierung 2002 allein ein Gläubiger 78 % der ausstehenden Staatsanleihen.

581 *Szodruch,* Staateninsolvenz und private Gläubiger, 2008, S. 203 ff.; *Benninghofen,* Die Staatsumschuldung, 2014, S. 121 f.

b) Umschuldung im Wege des Anleihentauschs

Eine Möglichkeit für den Schuldner eine Restrukturierung seiner Staatsanleihen zu erzielen, ist das Angebot an die Gläubiger, die ursprünglichen Anleihen innerhalb einer bestimmten Frist gegen neue Anleihen zu tauschen, die günstigere Bedingungen für den Schuldnerstaat enthalten. Diese günstigeren Bedingungen können in einer Verlängerung der Laufzeit, einer Verringerung der Zinsen oder einer Reduzierung des Nennwertes bestehen. Den Gläubigern steht es jedoch frei, ein solches Angebot anzunehmen. Richtigerweise verstößt das Ausschlagen eines Umtauschangebots nicht gegen den Grundsatz von Treu und Glauben, auch wenn dadurch eine Umschuldung verhindert wird.[582]

Allerdings ist es im ureigenen Interesse des Gläubigerstaates möglichst viele Gläubiger zur Teilnahme am Umtausch zu bewegen. Teilweise wird von den Schuldnerstaaten auch ausgegeben, welche Partizipationsquote sie bei einer Umschuldung anstreben. Dieser kommt jedoch keine normative Wirkung zu.[583] Um eine möglichst hohe Partizipationsquote zu erreichen, bedienen sich die Schuldnerstaaten des Prinzips *„Zuckerbrot und Peitsche"*, indem sie verschiedene positive und negative Anreize setzen.[584]

(1) „Peitsche"

Zum einen bedienen sich Schuldnerstaaten verschiedener negativer Anreize, um die Gläubiger zu einem Umtausch zu bewegen. Zunächst wird in den allermeisten Fällen mehr oder weniger explizit kommuniziert, dass die Anleihen derjenigen Gläubiger, die sich nicht an der Umschuldung beteiligen, nicht mehr bedient werden. Während Argentinien bei seiner Umschuldung 2005 den Gläubigern recht drakonisch drohte, bezeichnete Griechenland 2012 sein Umtauschangebot lange Zeit als freiwillig, erhöhte jedoch den Druck je näher der Termin der Umschuldung rückte.[585] Obwohl eine Nichtbedienung der Anleihen zwar in den allermeisten Fällen einen Rechtsbruch darstellt, kann die Androhung eines

---

582 *Kämmerer,* ZaöRV 2005, 651, 662; a.A. *Dolzer*, Staatliche Zahlungsunfähigkeit, in: FS Partsch, 1989, 531, 538.

583 *Szodruch,* Staateninsolvenz und private Gläubiger, 2008, S. 204.

584 Diese Anreize werden in der Literatur teilweise als *Carrots* und *Sticks* beschrieben („Zuckerbrot und Peitsche"), vgl. *Buchheit/Daly,* Minimizing Holdout Creditors: Carrots, in: Lastra/Buchheit, Sovereign Debt Management, 2014, S. 3 ff.

585 Der damalige Finanzminister Venizelos etwa drohte drei Tage vor Ablauf der Umtauschfrist:"Whoever thinks that they will hold out and be paid in full, is mistaken.", zitiert nach *Zettelmeyer/Trebesch/Gulati,* Managing Holdouts, in: Lastra/Buchheit, Sovereign Debt Management, 2014, S. 36. Mit weiteren Beispielen für Drohungen

Zahlungsmoratoriums dennoch erheblichen Druck auf die Gläubiger ausüben, da vor allem die Durchsetzung der Ansprüche gegen den Schuldnerstaat höchst problematisch und mit hohen Kosten verbunden sein kann.

Die Entwertung der ursprünglichen Anleihen bildet eine weitere Option, um Druck auf die Gläubiger aufzubauen und diese zu einer Umschuldung zu bewegen. Ecuador wählte im Jahr 2000 erstmals den Weg über sog. *exit consents*.[586] Der Schuldnerstaat legt in seinem Umtauschangebot dann fest, dass jeder Gläubiger, der das Umtauschangebot annimmt, gleichzeitig einer Änderung der Altanleihen zustimmt. Da Anleihen eine Änderung der *key financial* terms, also aller Regelungen, die die Zahlung betreffen, durch Mehrheitsbescheid oftmals nicht zulassen,[587] strebt man an, andere Anleihebedingungen wie beispielsweise die Rechtswahlklausel dahin gehend zum Nachteil der Gläubiger zu verändern, dass die Anleihen beträchtlich an Wert verlieren. Je mehr Gläubiger das Umtauschangebot annehmen, desto höher steigt dann der Druck auf die restlichen Gläubiger sich ebenfalls der Umschuldung anzuschließen, um nicht auf entwerteten Anleihen sitzen zu bleiben. Die Gläubiger, die bereits auf das Umtauschangebot eingegangen sind, tangiert die Änderung der Anleihebedingungen wirtschaftlich hingegen nicht mehr.

Eine weitere Möglichkeit Gläubiger dazu zu bewegen das Umtauschangebot des Schuldnerstaats anzunehmen, besteht in der Ausweitung der Immunität des Schuldnerstaates. Obwohl große Teile staatlichen Vermögens ohnehin der Immunität unterliegen, existieren mitunter immer noch Vermögensgegenstände, in die Gläubiger, die ein Umtauschangebot nicht angenommen haben und daraufhin keine Zahlung erhalten, vollstrecken können.[588] Eine Ausweitung der Immunität kann allerdings nicht vom Schuldnerstaat selbst vorgenommen

---

an Gläubiger *Buchheit/Daly,* Minimizing Holdout Creditors: Sticks, in: Lastra/Buchheit, Sovereign Debt Management, 2014, S. 17 f.

586 Siehe ausführlich zu *exit consents Buchheit/Gulati,* UCLA Law Review 48 (2000), 59.

587 Nach *Choi/Gulati,* IFLR 2003, 15, sehen die Mehrheit der nach New Yorker Recht begebenen Anleihen eine Schwelle von 66,66 % vor. Dagegen ließen Anleihen, die nach deutschem Recht begeben wurden meist gar keine Änderung der Anleihebedingungen durch eine Gläubigermehrheit zu; wohl auch aufgrund einer unsicheren Rechtslage, vgl. *IMF,* The Design and Effectiveness of Collective Action Clauses, 2002, S. 7 f. Allerdings hat sich seitdem die Rechtslage grundlegend geändert; sowohl in § 5 SchVG als auch in § 4 b BSchuWG sind Mehrheitsentscheidungen nun ausdrücklich erlaubt. Zur neuen deutschen Rechtslage ausführlich *Benninghofen,* Die Staatsumschuldung, 2014, S. 134 ff.

588 Vgl. dazu oben S. 143 ff.

werden. Denkbar ist eine Ausweitung durch die Völkerrechtsgemeinschaft wie beispielsweise durch die Resolution 1483 des UN-Sicherheitsrates, die alle Erdölvorkommen des Iraks und alle damit zusammenhängenden Transaktionen unter eine gesonderte Immunität stellte, um dem Irak nach dem Sturz Saddam Husseins eine geordnete Restrukturierung zu ermöglichen.[589] In die gleiche Richtung zielte ein Vorschlag im Rahmen der europäischen Staatsschuldenkrise. Dieser sah vor, die Eurozone zu einem „safe harbour" für den Schuldnerstaat zu machen. Durch eine Klausel im ESM-Vertrag sollte die Immunität eines Schuldnerstaates, der Stabilitätshilfe durch den Mechanismus erhält, gegenüber solchen Forderungen festgeschrieben werden, die unter die Umschuldung fallen.[590] Nimmt man an, dass sich der größte Anteil des mitgliedstaatlichen Vermögens tatsächlich in der Eurozone befindet, würden durch eine solche Immunitätsausweitung die Erfolgschancen einer Vollstreckung der Forderungen aus den originären Staatsanleihen schwinden und somit die Motivation für die Teilnahme an einer Restrukturierung steigen. Allerdings ist die Ausweitung der Immunität kein Instrument, das durch den Schuldnerstaat selbst ergriffen werden könnte. Vielmehr bedarf es einer möglichst großen Anzahl anderer Staaten, die in ihren Rechtsordnungen die ausgeweitete Immunität gewähren und durchsetzen.

(2) „Zuckerbrot"

Neben den dargestellten negativen Anreizen, setzen Schuldnerstaaten auch positive Anreize, um Gläubiger zur Annahme eines Umtauschangebots zu bewegen. Schuldnerstaaten haben bisher verschiedene Instrumente benutzt und es ist zu erwarten, dass auch noch neue Instrumente entwickelt werden.[591]

Eine Möglichkeit ist, die neuen Anleihen durch eine Verbesserung der Anleihebedingungen aufzuwerten. Denkbar ist beispielsweise die Änderung der Gerichtsstandklausel auf eine andere Rechtsordnung als die des Schuldnerstaates oder auch ein weitergehender Immunitätsverzicht. Im Rahmen der griechischen Restrukturierung wurde beispielsweise die Technik der Ko-Finanzierung angewandt. Da Schuldnerstaaten es in der Geschichte der Staatsinsolvenzen immer

---

589 *Buchheit/Daly,* Minimizing Holdout Creditors: Sticks, in: Lastra/Buchheit, Sovereign Debt Management, 2014, S. 20.

590 *Buchheit/Gulati/Tirado,* The Problem of Holdout Creditors in Eurozone Sovereign Debt Restructurings, 2013, S. 8 ff., abrufbar unter http://papers.ssrn.com/sol3/papers.cfm?abstract_id=2205704.

591 Einen guten Überblick über die verschiedenen bis jetzt verwendeten Anreizmechanismen bei *Buchheit/Daly,* Minimizing Holdout Creditors: Carrots, in: Lastra/Buchheit, Sovereign Debt Management, 2014, S. 6 ff.

vermieden haben, die Verbindlichkeiten institutioneller Gläubiger wie dem IWF nicht zu bedienen, verbindet man die neuen Anleihen mit den institutionellen Verbindlichkeiten, sodass eine Nichtleistung auf die neuen Schulden zugleich immer auch eine Nichtleistung an die institutionellen Gläubiger bedeutet. Auf diese Weise verspricht man den privaten Gläubigern an der „Aura" der institutionellen Gläubiger teilzuhaben.[592] Im Falle der griechischen Umschuldung 2012 wurden die neuen Anleihen an Kredite des EFSF gebunden, da man davon ausging, dass Griechenland sich keinen Ausfall auf EFSF Kredite erlauben würde.[593] Eine weitere Möglichkeit ist die Sicherung der neuen Anleihe durch eine Garantie einer multilateralen Finanzorganisation; beispielsweise garantierte die Afrikanische Entwicklungsbank für die durch die Republik Seychellen im Rahmen ihrer Restrukturierung 2010 neu ausgegebenen Staatsanleihen.[594]

Weit verbreitet ist zudem die Aufnahme von Gleichbehandlungsklauseln in die neuen Anleihen.[595] Denn diejenigen, die sich auf den Tausch einlassen, wollen nicht zusehen, wie der Schuldnerstaat den anderen Gläubigern später ein besseres Angebot unterbreitet. Denn die Erwartung, dass man bei Annahme des Umtauschangebots später gegenüber den umtauschunwilligen Gläubigern benachteiligt wird, senkt die Motivation der potentiell umtauschwilligen Gläubiger das Angebot anzunehmen. Können die Gläubiger dagegen sicher sein, dass eine Schlechterbehandlung nicht zu befürchten ist, geht man davon aus, dass die Motivation für eine Teilnahme an einem Anleihentausch steigt. Allerdings ist zu beachten, dass Gleichbehandlungsklauseln nur eingeschränkte Wirksamkeit entfalten. Wenn Gläubiger den Schuldnerstaat auf Grundlage der Altanleihe

---

592 *Buchheit/Daly,* Minimizing Holdout Creditors: Carrots, in: Lastra/Buchheit, Sovereign Debt Management, 2014, S. 7.

593 *Allen&Overy,* How the Greek debt reorganisation of 2012 changed the rules of sovereign insolvency, 2012, abrufbar unter http://www.allenovery.com/SiteCollectionDocuments/AO%20-%20Greek%20debt%20reorganisation%20of%202012.pdf, zuletzt aufgerufen am 20.3.2017; *Zettelmeyer/Trebesch/Gulati,* Managing Holdouts, in: Lastra/Buchheit, Sovereign Debt Management, 2014, S. 32 ff., insgesamt zu den positiven Anreizen, die im Rahmen der griechischen Umschuldung eingesetzt wurden.

594 *Buchheit/Daly,* Minimizing Holdout Creditors: Carrots, in: Lastra/Buchheit, Sovereign Debt Management, 2014, S. 7.

595 Diese können als „comparable treatment" oder auch als "most favored creditor"-Klausel ausgestaltet sein. Bei ersterer wird versichert, dass keinem anderen Gläubiger eine Besserbehandlung gewährt wird, bei Letzter wird versichert, dass jede gewährte Besserbehandlung ebenfalls den Umtauschgläubigern gewährt wird. Vgl. dazu mit Beispielen *Buchheit/Daly,* Minimizing Holdout Creditors: Carrots, in: Lastra/Buchheit, Sovereign Debt Management, 2014, S. 9 f.

verklagen und einen erhaltenen Titel vollstrecken, wird die Gleichbehandlung nicht ausgelöst. Zu Recht wird deshalb ihre tatsächliche Motivationswirkung bezweifelt.[596]

Insgesamt ist fraglich, ob positive Anreize überhaupt einen maßgebliche Rolle für die Umtauschbereitschaft der Gläubiger spielen oder nur erhebliche Kosten produzieren. *Buchheit/Gulati* beschreiben die Lage recht plakativ: „*[N]o matter how many ornaments you hang on the tree, if the customer is not in the Christmas spirit, you are unlikely to make a sale.*“[597] Natürlich können alleine positive Anreize keine notwendige positive Umschuldungsstimmung generieren. Doch muss man auch beachten, dass die tatsächliche Wirksamkeit solcher Instrumente nur schwer zu messen ist. Es darf daher nicht der Fehler gemacht werden, deshalb ihre Wirksamkeit gänzlich infrage zu stellen. Das griechische Umtauschangebot 2012, das auch sehr stark von positiven Anreizen geprägt war, erzielte eine sehr hohe Teilnahmequote, die sicherlich auch auf die gesetzten Anreize zurückzuführen war.[598] Dennoch bleibt ein Umtauschangebot für einen Schuldnerstaat eine höchst unsichere Angelegenheit, die er nur in Maßen erfolgreich beeinflussen kann.

c) Umschuldung im Wege der Änderung der Anleihebedingungen durch Entscheidung der Gläubigermehrheit

Trotz der Möglichkeiten eines Schuldnerstaates die Umschuldungsbereitschaft der Gläubiger zu fördern, ist eine Restrukturierung basierend auf einem freiwilligen Umtauschangebot für den Schuldnerstaat weiterhin mit unabsehbaren Unsicherheiten belastet. Eine weitere Möglichkeit einer Restrukturierung stellt die Änderung der Bedingungen der ursprünglichen Anleihe im Wege einer Mehrheitsentscheidung der Gläubiger dar. Grundsätzlich können Anleihebedingungen jedoch nur im Wege der Einstimmigkeit geändert werden, es sei denn, die Möglichkeit einer Mehrheitsentscheidung ist in den Anleihebedingungen ausdrücklich vorgesehen, sog. *Collective Action Clauses* (CACs).

---

596 *Szodruch,* Staateninsolvenz und private Gläubiger, 2008, S. 207 f., zur „most favored creditor“-Klausel.

597 *Buchheit/Daly,* Minimizing Holdout Creditors: Carrots, in: Lastra/Buchheit, Sovereign Debt Management, 2014, S. 12.

598 *Zettelmeyer/Trebesch/Gulati,* Managing Holdouts, in: Lastra/Buchheit, Sovereign Debt Management, 2014, S. 34.

(1) Die Verbreitung von CACs

Noch um die Jahrtausendwende war die Verwendung von CACs in Anleihebedingungen wenig gebräuchlich. Insbesondere am bedeutendsten internationalen Finanzplatz New York wurden lange Zeit keine CACs verwendet.[599] Eine Ausnahme bildeten die Anleihen nach englischem Recht, die schon seit Mitte des 19. Jahrhunderts CACs enthielten.[600] Die Aufnahme von CACs in die Anleihebedingungen von Staatsanleihen wurde allerdings durch den öffentlichen Sektor, insbesondere durch einen Bericht der G-10 im Jahre 2002,[601] stark propagiert. 2003 inkorporierte Mexiko als erstes Land CACs in seine Staatsanleihen nach New Yorker Recht. Rasch zogen viele Staaten bei ihren Neuemissionen nach. Trotz der Furcht vor Risikoaufschlägen sind CACs in Anleihen, die nach New Yorker Recht begeben wurden, heute Standard.[602] In der Eurozone blieben CACs jedoch lange Zeit die Ausnahme,[603] obwohl sich der Wirtschafts- und Finanzausschuss der EU bereits 2003 auf die Implementierung von CACs in Staatsanleihen verständigte.[604] Im Rahmen der griechischen Restrukturierung spielten CACs

599 *Das/Papaioannou/Trebesch*, IMF Working Paper, WP/12/203, 2012, S. 44.

600 *Buchheit/Daly*, Minimizing Holdout Creditors: Sticks, in: Lastra/Buchheit, Sovereign Debt Management, 2014, S. 21.

601 *Group of Ten*, Report of the G-10 Working Group on Contractual Clauses, 2002, abrufbar unter: www.bis.org/publ/gten08.htm, zuletzt aufgerufen am 20.3.2017; siehe dazu Drage/*Hovaguimian*, Collective Action Clauses (CACS): an analysis of provisions included in recent sovereign bond issues, 2004, abrufbar unter: http://www.finanzaonline.com/forum/attachments/obbligazioni-titoli-di-stato/1986399d1414067331-venezuela-2027-us922646as37-vol-27-il-ritorno-dagli-inferi-cac.pdf, zuletzt aufgerufen am 20.3.2017.

602 *Das/Papaioannou/Trebesch*, IMF Working Paper, WP/12/203, 2012, S. 44. In einer Veröffentlichung aus dem Jahr 2014 geht der IWF davon aus, dass mittlerweile 75 % der noch ausstehenden Anleihen unter New Yorker Recht CACs enthalten, s. *IMF*, Strengthening the Contractual Framework to Address Collective Action Problems in Sovereign Debt Restructuring, 2014, S. 18, abrufbar unter: http://www.imf.org/external/np/pp/eng/2014/090214.pdf, zuletzt aufgerufen am 20.3.2017.

603 Dazu u.a. *Audit*, A Debt Restructuring Mechanism for European Sovereigns, in: Paulus: A Debt Restructuring Mechanism for Sovereigns, 2014, S. 217 f. Nach deutschem Recht war die rechtliche Zulässigkeit von Mehrheitsentscheid-Klauseln bis 2009 noch nicht geklärt, vgl. dazu *Benninghofen*, Die Staatsumschuldung, 2014, S. 134 ff.

604 S. *EFC*, Implementation of the EU commitment on Collective Action Clauses in documentation of International Debt Issuance, 2004, CPE(2004)REP/50483 final, abrufbar unter: http://europa.eu/efc/sub_committee/pdf/cacs_en.pdf

jedoch eine gewichtige Rolle.[605] Zwar enthielt nur ein kleiner Anteil der griechischen Staatsanleihen CACs (die unter englischem Recht stehenden),[606] doch der Großteil der Anleihen unterstand griechischem Recht, sodass der griechische Gesetzgeber die Anleihebedingungen durch ein nationales Gesetz ändern konnte. Griechenland machte von dieser Möglichkeit Gebrauch, um nachträglich CACs in diese Anleihen aufzunehmen.[607] Im ESMV verpflichteten sich schließlich alle Mitgliedstaaten CACs in ihre Anleihen zu inkorporieren.[608]

(2) Die Ausgestaltung von CACs

CACs ist ein Oberbegriff für Klauseln, die eine Umschuldung durch einen Beschluss einer Gläubigermehrheit ermöglichen. Die konkrete Ausgestaltung der Klauseln unterscheidet sich jedoch je nach Finanzplatz, emittierendem Staat und teilweise auch nach Anleihetranche. Allgemein existieren zur Zeit mit den Standardklauseln von G-10,[609] EU[610] und ICMA[611] drei verschiedene Systeme

---

605 „Among the many records broken by the Greek debt restructuring is one relting tot he extensive use of CACs as compared to previous debt restructurings.“, *Zettelmeyer/Trebesch/Gulati,* Managing Holdouts, in: Lastra/Buchheit, Sovereign Debt Management, 2014, S. 34.

606 Nur ca. 10 % der Anleihen waren mit CACs ausgestattet, s. *Zettelmeyer/Trebesch/Gulati,* Economic Policy 2013, 513, 525.

607 *Zettelmeyer/Trebesch/Gulati,* Economic Policy 2013, 513, 525.

608 Art. 12 III ESMV: „Ab 1. Januar 2013 enthalten alle neuen Staatsschuldtitel des Euro-Währungsgebiets mit einer Laufzeit von mehr als einem Jahr Umschuldungsklauseln, die so ausgestaltet sind, dass gewährleistet wird, dass ihre rechtliche Wirkung in allen Rechtsordnungen des Euro-Währungsgebiets gleich ist.“ Zum Stand der Implementierung s. *EU,* Report on the implementation of euro area model Collective Action Clauses (CACs), abrufbar unter: http://europa.eu/efc/sub_committee/cac/cac_2012/final_-_cac_public_report.pdf.

609 Wobei es sich hierbei nicht um Standardklauseln im engeren Sinn handelt, sondern Vorschläge. *Group of Ten,* Report of the G-10 Working Group on Contractual Clauses, 2002, S. 1, abrufbar unter: www.bis.org/publ/gten08.htm, zuletzt aufgerufen am 20.3.2017.

610 Euro area Model CAC 2012, abrufbar unter: http://europa.eu/efc/sub_committee/pdf/cac_-_text_model_cac.pdf, ausführlich dazu *Seitz,* Umschuldungsklauseln (Collective Action Clauses) in Staatsanleihen des europäischen Währungsraumes, 2014, S. 187 ff.

611 *ICMA,* Standard aggregated Collective Action Clauses (“CACS”) for the terms and conditions of sovereign notes governed by English Law, Stand: Mai 2015, abrufbar unter: http://www.icmagroup.org/assets/documents/Resources/ICMA-Standard-CACs-Pari-Passu-and-Creditor-Engagement-Provisions---May-2015.pdf, zuletzt aufgerufen am 20.3.2017.

von Standardklauseln. Für eine bessere Vergleichbarkeit lassen sich die verschiedenen Klauseln nach ihren unterschiedlichen Zielen in drei Kategorien einteilen: Koordinationsklauseln, Mehrheitsentscheidungsklauseln und Durchsetzungsklauseln.[612]

i) *Koordinationsklauseln*

Koordinationsklauseln sollen die Kommunikation und Koordination unter den verschiedenen Gläubigern verbessern. Um einen zielgerichteten Kommunikationsprozess zu ermöglichen kann festgelegt werden, ob und auf welche Art und Weise Gläubigerversammlungen einberufen werden können und welche Informationen den Gläubigern durch den Schuldnerstaat bereitgestellt werden müssen.[613] Im Vorschlag der G-10 Arbeitsgruppe wurde zudem angeraten, dass die Gläubiger einen Repräsentanten wählen, der dann mit dem Schuldnerstaat in Verhandlungen tritt.[614] Allerdings wurde dieser Vorschlag in der Praxis der Anleihengestaltung nur sehr selten aufgegriffen.[615] In den Euro area Model clauses ist eine Repräsentation erst gar nicht mehr vorgesehen.

ii) *Mehrheitsentscheidungsklauseln*

Die grundlegende Klausel aller CACs ist diejenige, die die Möglichkeit einer Änderung der sog. *key financial terms* durch Mehrheitsbeschluss vorsieht. *Key*

---

612 So auch *Group of Ten,* Report of the G-10 Working Group on Contractual Clauses, 2002, S. 1, abrufbar unter: www.bis.org/publ/gten08.htm, zuletzt aufgerufen am 20.3.2017; vgl. dazu ausführlich *Drage/Hovaguimian*, Collective Action Clauses (CACS): an analysis of provisions included in recent sovereign bond issues, 2004, S. 8 ff., abrufbar unter: http://www.finanzaonline.com/forum/attachments/obbligazioni-titoli-di-stato/1986399d1414067331-venezuela-2027-us922646as37-vol-27-il-ritorno-dagli-inferi-cac.pdf, zuletzt aufgerufen am 20.3.2017; ähnlich auch *Commiteri/Spadafora*, You Never Give Me Your Money? Sovereign Debt Crises, Collective Action Problems, and IMF Lending, IMF Working Paper WP/13/20, 2013, S. 13, abrufbar unter: http://www.imf.org/external/pubs/ft/wp/2013/wp1320.pdf, zuletzt aufgerufen am 20.3.2017; *Seitz,* Umschuldungsklauseln (Collective Action Clauses) in Staatsanleihen des europäischen Währungsraumes, 2014, S. 46 f. mit einer eingehenderen Auseinandersetzung zur Klassifizierung.

613 Solche Klauseln sind in allen genannten Standardklauseln enthalten, vgl. nur Nr. 4 der EU-Klauseln, Euro area Model CAC 2012, abrufbar unter: http://europa.eu/efc/sub_committee/pdf/cac_-_text_model_cac.pdf, zuletzt aufgerufen am 20.3.2017.

614 *Group of Ten,* Report of the G-10 Working Group on Contractual Clauses, 2002, S. 2, abrufbar unter: www.bis.org/publ/gten08.htm, zuletzt aufgerufen am 20.3.2017.

615 *Drage/Hovaguimian*, Collective Action Clauses (CACS): an analysis of provisions included in recent sovereign bond issues, 2004, S. 9.

financial terms sind jedenfalls solche Bestimmungen, die im direkten Zusammenhang mit der Zahlung der Forderung stehen. In den Bedingungen ist dann die erforderliche qualifizierte Mehrheit für eine Entscheidung festgelegt, die typischerweise bei 75 % der noch ausstehenden Forderungssumme einer Anleihentranche festgesetzt wird.[616]

Damit der Schuldnerstaat die Abstimmung nicht zu seinen Gunsten manipulieren kann, enthalten CACs teilweise eine sog. *disenfranchisement clause,* die sicherstellt, dass der Staat von Abstimmungen ausgeschlossen ist, wenn er selbst Anleihen hält.[617] Die Ausgestaltung von *disenfranchisement clauses* variiert jedoch erheblich.[618] Im Vorschlag der G-10 werden „*bonds directly or indirectly owned or controlled by the sovereign issuer, and its public sector instrumentalities*" von der Abstimmung ausgeschlossen.[619] Unter *Public sector instrumentalities* werden auch Zentralbanken subsumiert, die wiederum nach den Euro area model CACs von den *disenfranchisement clauses* ausgeschlossen sind.[620]

Mehrheitsentscheide entfalten grundsätzlich immer nur innerhalb derselben Anleihentranche Geltung. Schuldnerstaaten emittieren jedoch meist eine Vielzahl von verschiedenen Tranchen. Griechenland sah sich bei seiner Umschuldung 2012 beispielsweise noch 99 verschiedenen ausstehenden Anleihentranchen gegenüber.[621] Eine Vielzahl von Anleihentranchen erfordern also

616 *IMF,* Strengthening the Contractual Framework to Address Collective Action Problems in Sovereign Debt Restructuring, 2014, S. 17.

617 Ausführlich *Drake,* Disenfranchement in Sovereign Bonds, in: Paulus, A Debt Restructuring Mechanism for Sovereigns, 2014, S. 141 ff.

618 *Drage/Hovaguimian,* Collective Action Clauses (CACS): an analysis of provisions included in recent sovereign bond issues, 2004, S. 9, die auf das Beispiel Uruguays hinweisen, das sich im Rahmen seines Anleihentausches noch zu sehr viel strengeren Anti-Manipulationsklauseln verpflichtete.

619 *Group of Ten,* Report of the G-10 Working Group on Contractual Clauses, 2002, S. 5, abrufbar unter: www.bis.org/publ/gten08.htm, zuletzt aufgerufen am 20.3.2017.

620 Ausgeschlossen sind die staatlichen Entitäten, die autonom in ihren Entscheidungen sind und damit auch die allermeisten Zentralbanken, vgl. dazu *IMF,* Strengthening the Contractual Framework to Address Collective Action Problems in Sovereign Debt Restructuring, 2014, S. 27. Kritisch *Drake,* Disenfranchement in Sovereign Bonds, in: Paulus, A Debt Restructuring Mechanism for Sovereigns, 2014, S. 160 f.

621 Zumindest wenn man die verschiedenen International Securities Identification Numbers zählt, s. *Zettelmeyer/Trebesch/Gulati,* Managing Holdouts, in: Lastra/Buchheit, Sovereign Debt Management, 2014, S. 26, Fn. 3. Bei der argentinischen Restrukturierung waren sogar 152 verschiedene Tranchen umfasst, s. *Szodruch,* Staateninsolvenz und private Gläubiger, 2008, S. 228.

eine Vielzahl von einzelnen Abstimmungen, die den Verhandlungsprozess zwischen Schuldnerstaat und Gläubigern insgesamt erschweren. Zudem ist es für Gläubiger, die eine Restrukturierung vermeiden wollen einfacher, durch den Erwerb einer Sperrminorität in einer Tranche die Restrukturierung dieser Tranche zu verhindern.

Um diese Problematik zu lösen, schlug schon die G-10 in ihrem Report vor, sog. Aggregationsklauseln in den Anleihen zu etablieren.[622] Da der Erfolg von Griechenlands Restrukturierung in weiten Teilen auf der nachträglichen Einführung von Aggregationsklauseln beruhte, sind Aggregationsklauseln seitdem immer mehr in den Fokus geraten.[623] Durch Aggregationsklauseln werden Anleihetranchen für die Abstimmung zusammengefasst, sodass die Abstimmung von der Ebene der einzelnen Tranchen auf eine Gesamtebene gehoben wird. Dabei herrscht das sog. *two-limb*-Verfahren vor. In zwei Stufen wird zunächst im Rahmen der Anleihetranche und dann auf Ebene aller zu restrukturierenden Anleihen abgestimmt. Auf beiden Ebenen muss eine festgelegte qualifizierte Mehrheit erreicht werden, dass für die einzelnen Anleihetranchen regelmäßig auf 66,66 % abgesenkt wird, im Gesamten aber höher liegt. Dadurch ist es für einzelne Gläubiger schwieriger in einzelnen Tranchen Sperrminoritäten zu etablieren. Da aber insbesondere bei sehr kleinen Tranchen einzelne Gläubiger dennoch die Möglichkeit haben eine Restrukturierung zu verhindern, wird propagiert von dem *two-limb*-Verfahren auf ein sog. *single-limb*-Verfahren überzugehen.[624] In einem einstufigen Verfahren ist dann nur noch die Zustimmung der qualifizierten Mehrheit aller Gläubiger für die Durchführung einer Restrukturierung vorgesehen. Die ICMA-Standardklauseln sehen ausdrücklich ein solches *single-limb*-Verfahren mit einer notwendigen qualifizierten Mehrheit von 75 % vor.

iii) *Durchsetzungsklauseln*

Nicht zuletzt können in Anleihebedingungen Klauseln verwendet werden, die die gerichtliche Durchsetzung der in den Anleihen verbrieften Forderungen von einem Mehrheitsbeschluss abhängig machen.

---

622 *Group of Ten*, Report of the G-10 Working Group on Contractual Clauses, 2002, S. 5 f., abrufbar unter: www.bis.org/publ/gten08.htm, zuletzt aufgerufen am 20.3.2017.

623 Vgl. nur *IMF*, Strengthening the Contractual Framework to Address Collective Action Problems in Sovereign Debt Restructuring, 2014.

624 *IMF*, Strengthening the Contractual Framework to Address Collective Action Problems in Sovereign Debt Restructuring, 2014.

Weit verbreitet in Anleihebedingungen sind mittlerweile sog. *acceleration clauses*.[625] Verfehlt ein Schuldnerstaat die Leistung auf eine Anleihe, so sind die Gläubiger häufig berechtigt, die gesamte Forderungssumme unter Umständen mittels einer *cross-default* Klausel fällig zu stellen. Die vorzeitige Fälligstellung schafft erst die notwendige Voraussetzung für eine klageweise Durchsetzung der Forderung gegenüber dem Schuldnerstaat durch einzelne Gläubiger. Die *acceleration clause* macht die vorzeitige Fälligstellung einer Forderung von einem Beschluss der Gläubiger abhängig. Als notwendiges Quorum werden dabei meist 25 % festgesetzt, wobei die Möglichkeit besteht, die vorzeitige Fälligstellung durch einen qualifizierten Mehrheitsbeschluss von in der Regel maximal 75 % wieder zurückzuweisen.[626]

Darüber hinaus kann das individuelle Klagerecht auch explizit beschränkt werden. Insbesondere in Anleihen nach britischem Recht findet sich eine sehr weitgehende Treuhandstruktur, nach der der Anleihegläubiger nur noch wirtschaftlich Berechtigter, nicht aber mehr Inhaber der Forderung ist. Nur der Treuhänder ist befugt aufgrund eines bestimmten Gläubigerquorums rechtlich relevante Akte wie beispielsweise eine klageweise Verfolgung des Forderungsanspruchs vorzunehmen. Bei Erfolg ist der erzielte Erlös *pro rata* unter allen Gläubigern aufzuteilen.[627]

(3) Ungelöste Probleme

Seit der Vorschlag des IWF zur Einführung eines institutionalisierten Insolvenzmechanismus für Staaten (SDRM)[628] am Widerstand der USA scheiterte, wurde die Inkorporation von CACs in die Anleihebedingungen (sog. *contractual approach*) als der goldene Weg zur Lösung von Staatsinsolvenzen ausgewiesen.[629]

---

625 *Drage/Hovaguimian*, Collective Action Clauses (CACS): an analysis of provisions included in recent sovereign bond issues, 2004, S. 11.

626 *Drage/Hovaguimian*, Collective Action Clauses (CACS): an analysis of provisions included in recent sovereign bond issues, 2004, S. 11; *IMF*, The Design and Effectiveness of Collective Action Clauses, 2002, S. 11 f.; kritisch *Bedford*, Financial Stability Review, Juni 2005, 101, 103.

627 *Seitz*, Umschuldungsklauseln (Collective Action Clauses) in Staatsanleihen des europäischen Währungsraumes, 2014, S. 50 ff.

628 *Krueger*, A New Approach to Sovereign Debt Restructuring, 2002, abrufbar unter: http://www.imf.org/external/pubs/ft/exrp/sdrm/eng/sdrm.pdf, zuletzt aufgerufen am 20.3.2017.

629 Zur Entwicklung eingehend *Seitz*, Umschuldungsklauseln (Collective Action Clauses) in Staatsanleihen des europäischen Währungsraumes, 2014, S. 22 ff.

Nicht zuletzt im Rahmen der griechischen Umschuldung wurde CACs ein großes Gewicht beigemessen und alle Eurostaaten verpflichteten sich im Rahmen des ESMV zur Aufnahme von CACs in ihre Staatsanleihen.[630] Die Tendenz zur Implementierung von CACs ermöglicht es den Schuldnerstaaten durch vertragliche Gestaltung für ein geordnetes Verfahren im Falle einer Insolvenz zu sorgen.

Allerdings sind Zweifel angebracht, ob CACs tatsächlich das „Wundermittel" sind, als das sie beschrieben werden. Zum einen ist natürlich anzumerken, dass CACs in vielen ausgegeben Anleihen noch gar nicht enthalten sind. Insbesondere in der Eurozone waren CACs bis vor Kurzem nicht verbreitet, sodass viele Anleihen bestehen, die nicht über eine Mehrheitsklausel restrukturiert werden können.[631] Aber auch wenn CACs in die Anleihen inkorporiert sind, können finanzstarke Investoren im Falle einer angekündigten Restrukturierung Anteile einer bestimmten Tranche aufkaufen bis sie eine Sperrminorität besitzen, um dann mit ihrem Stimmanteil eine Restrukturierung zu verhindern.[632] Diese Vorgehensweise ist zumindest solange möglich, bis flächendeckend eine umfassende Aggregation stattgefunden hat. Eine solche dürfte in nächster Zukunft jedoch noch nicht zu erwarten sein.

Darüber hinaus kann die Effektivität von CACs insgesamt bezweifelt werden. Essentiell ist trotz der Implementierung von CACs die grundsätzliche Offenheit der Gläubiger für eine Restrukturierung. Ist diese Stimmung nicht gegeben und fährt der Schuldnerstaat einen zu konfrontativen Kurs, so werden auch CACs nicht zu einer erfolgreichen Restrukturierung führen. Beispielsweise verzichtete Pakistan 2002 komplett auf eine Berufung auf die in seinen Anleihen enthaltenen CACs, da befürchtet wurde, dass eine Versammlung der Gläubiger den Widerstand gegen eine Restrukturierung nur stärken würde und ein freiwilliges Umtauschangebot daher erfolgsversprechender sei.[633] Aber auch bei einer

---

630 Zum Stand der Implementierung s. *EU,* Report on the implementation of euro area model Collective Action Clauses (CACs), abrufbar unter: http://europa.eu/efc/sub_committee/cac/cac_2012/final_-_cac_public_report.pdf.

631 S. *Paulus/van den Busch,* WM 2014, 2025, 2026.

632 So auch im Rahmen der griechischen Umschuldung, wenn auch die sog. Hold-out-Quote mit 3 % eher gering ausfiel, s. *IMF,* Sovereign Debt Restructuring – Recent Developments and implications fort he Fund's legal and policy framework, 2013, S. 28, abrufbar unter: https://www.imf.org/external/np/pp/eng/2013/042613.pdf, zuletzt aufgerufen am 20.3.2017.

633 *IMF,* Involving the Private Sector in the Resolution of Financial Crises – Restructuring International Sovereign Bonds, 2001, S. 5, abrufbar unter: https://www.imf.org/external/pubs/ft/series/03/IPS.pdf, zuletzt aufgerufen am 20.3.2017.

grundsätzlichen positiven Umschuldungsstimmung unter den Gläubigern können CACs den Anreiz für manche Gläubiger, auf Kosten der anderen Profit herauszuschlagen, erhöhen. Denn nicht zuletzt der Umgang mit den Gläubigern, die sich nicht an der griechischen Umschuldung beteiligten zeigte, dass Schuldnerstaaten gewillt sind solche Gläubiger in voller Höhe auszuzahlen, wenn sich bereits genügend Gläubiger an der Umschuldung beteiligt haben. Diese Vorgehensweise könnte sich aber vielleicht schon bei der nächsten Umschuldung rächen, wenn dann weniger Gläubiger bereit sind an einer Umschuldung teilzunehmen, da sie auf eine Auszahlung in voller Höhe des Nennwertes spekulieren.

Wie bereits angeklungen stellen sog. Hold-out-Gläubiger ein massives Problem für erfolgreiche Umschuldungen dar, sei es bei Restrukturierungen im Wege des Anleihentauschs oder durch Mehrheitsentscheid. Um beurteilen zu können, welche Rolle ihnen tatsächlich beizumessen ist, ist es erforderlich, sich mit dem Phänomen der Hold-out-Gläubiger genauer auseinanderzusetzen.

7. Die Gefahr der Rechtsverfolgung durch sog. Hold-out-Gläubiger

a) Die Problematik

Unter Hold-out-Gläubigern versteht man solche Gläubiger, die nicht an einer Restrukturierung teilnehmen („hold-out"), um den vollen Nennbetrag ihrer Anleihe zu erlösen. Die problematischste Gruppe unter diesen Gläubigern bilden die sog. Geierfonds; Investoren, deren Geschäftsmodell darauf beruht, Anleihen, die vor einer Restrukturierung stehen, billig am Sekundärmarkt aufzukaufen, um dann aber später vom Schuldnerstaat den vollen Nennwert der Anleihe nebst Zinsen einzufordern.[634] Dieses Geschäftsmodell stellt Schuldnerstaaten vor große Probleme. Denn sind die Geierfonds erfolgreich, sinkt die Bereitschaft der übrigen Gläubiger sich auf eine Umschuldung einzulassen, die für sie mit hohen Abschlägen verbunden ist. Da Geierfonds die Hold-out-Taktik professionell verfolgen, agieren sie zudem sehr hartnäckig und versuchen mit allen juristischen Mitteln den Nominalwert ihrer Anleihen zu erzielen.

Dabei ist es anerkannt, dass die Hold-out-Strategie volkswirtschaftlich keinen Sinn macht. Schon 2006 kamen *Sturzenegger/Zettelmeyer* zu dem Ergebnis, dass es volkswirtschaftlich optimal wäre, wenn Gläubiger ihre Forderungen nicht gerichtlich durchsetzen, sondern nur über den Marktdruck Einfluss nehmen könnten.[635] *Schumacher/Trebesch/Enderlein* stellten jüngst fest, dass gerichtliche

634 Vgl. *Paulus/van den Busch*, WM 2014, 2025.

635 *Sturzenegger/Zettelmeyer*, Has the Legal Threat to Sovereign Debt Restructuring Become Real?, 2006, abrufbar unter http://www.utdt.edu/download.

Auseinandersetzungen zwischen Schuldnerstaaten und ihren Gläubigern erhebliche ökonomische Kosten produzieren, indem sie Kreditaufnahmen erschweren, den internationalen Handel stören und Lösung der finanziellen Krise verzögern.[636]

Allerdings konnten Hold-out-Gläubiger in jüngster Vergangenheit immer wieder Erfolge vor nationalen und internationalen Gerichten erzielen. Aufgrund dieses „legal threat“ änderte sich das Verhalten von Schuldnerstaaten bereits beträchtlich.[637] Um langwierige Verfahren zu umgehen, zahlte Griechenland alle Hold-out-Gläubiger seiner Umschuldung 2012 vollständig aus, auch wenn die Hold-out-Quote mit 3 % relativ gering war. Welche Folgen dieses Vorgehen für zukünftige Umschuldungen insbesondere in der Eurozone haben wird, ist noch nicht abzuschätzen. Allgemein kann beobachtet werden, dass Staaten versuchen, wegen der potentiellen Rechtsverfolgung durch Hold-out-Gläubiger Umschuldungen zu vermeiden.[638]

b) *Die Aktualität der Problematik*

Auch wenn sich jüngst im Rahmen der griechischen Umschuldung die Gefahr der Hold-outs nicht realisiert hat, zeigen die folgenden Fälle, dass die Problematik nichts an ihrer Aktualität eingebüßt hat.

(1) Der Fall NML Capital Ltd.

In der Öffentlichkeit haben Hold-out-Gläubiger mit ihren Erfolgen in einem langwierigen „Katz und Maus“-Spiel mit der argentinischen Regierung immer wieder für großes Aufsehen gesorgt.[639] An dieser Stelle soll exemplarisch der

---

php?fname=_115331294204239500.pdf, zuletzt aufgerufen am 20.3.2017. Damit bestätigen sie die These von *Eaton/Gersovitz,* die diese Annehme schon 1981 getroffen hatten, *Eaton/Gersovitz,* Review of Economic Studies 48 (1981), 289.

636 “[...] [L]egal disputes are accompanied by significant economic costs, by impeding external borrowing, by disrupting international trade, and by delaying crisis resolution.”, *Schumacher/Trebesch/Enderlein,* Sovereign Defaults in Court, 2014, S. 26 f., abrufbar unter: http://papers.ssrn.com/sol3/papers.cfm?abstract_id=2189997, zuletzt aufgerufen am 20.3.2017.

637 *Schumacher/Trebesch/Enderlein,* Sovereign Defaults in Court, 2014, S. 23 f., abrufbar unter: http://papers.ssrn.com/sol3/papers.cfm?abstract_id=2189997.

638 Eine dezidierte Auseinandersetzung mit der Vermeidung von Hold-outs in der Eurozone findet sich bei *Buchheit/Gulati/Tirado* The Problem of Holdout Creditors in Eurozone Sovereign Debt Restructurings, 2013, abrufbar unter http://papers.ssrn.com/sol3/papers.cfm?abstract_id=2205704.

639 Vgl. dazu ausführlich *Sandrock,* RIW 2014, 703, 710 ff.

jüngste Erfolg des amerikanischen Hedge-Fonds *NML Capital Ltd.* dargestellt werden.

Nachdem Argentinien sich nach seinem zweiten Umtauschangebot im Jahr 2010 insgesamt mit 91,3 % seiner Gläubiger einig geworden war[640] und mit Zahlungen auf die neuen Anleihen beginnen wollte, klagte u.a. *NML Capital Ltd.* auf Befriedigung der ursprünglichen Anleihe vor einem New Yorker Bezirksgericht. Im Wesentlichen berief sich *NML Capital Ltd.* dabei auf eine in den Altanleihen enthaltene *pari-passu*-Klausel. Sollte Argentinien auf die neuen Anleihen zahlen, so hätten die Inhaber der ursprünglichen Anleihen ebenfalls Anspruch auf Zahlung auf die ursprüngliche Anleihe. Dieser Ansicht folgte ein New Yorker Bezirksgericht, bestätigt durch den US Court of Appeals, und verurteilte Argentinien zu einer pro-rata-Befriedigung der Hold-out-Gläubiger. Nachdem der amerikanische Supreme Court im Juni 2014 eine Revision des Urteils ablehnte,[641] wurde dieses rechtskräftig. Argentinien wurde verboten an die Gläubiger, die sich an der Umschuldung beteiligt hatten, zu zahlen ohne in gleicher Weise auch die Hold-out-Gläubiger zu bedienen. Argentinien hatte in den Anleihebedingungen der neuen Anleihen jedoch zugesichert, eine Besserbehandlung einer anderen Gläubigergruppe auch auf die Gläubiger der neuen Anleihen zu erstrecken. Da Argentinien damit wieder alle Inhaber von Anleihen zu 100 % hätte befriedigen müssen, was wiederum die finanziellen Möglichkeiten Argentiniens überstiegen hätte, stellte Argentinien abermals jegliche Zahlungen auf Anleihen ein.[642] Die Einstellung der Zahlungen führte im Juli 2014 zur erneuten Insolvenz Argentiniens.[643]

Neben der Aktualität des Falls ist vor allem dessen Ausmaß für den Schuldnerstaat Argentinien erschreckend. Führte doch ein von einem Hold-out-Gläubiger

---

640 *Hornbeck*, Argentina's Defaulted Sovereign Debt: Dealing with the „Holdouts", 2013, S. 7, abrufbar unter: https://www.fas.org/sgp/crs/row/R41029.pdf, zuletzt aufgerufen am 20.3.2017.

641 Republic of Argentina v. NML Capital, 134 S. Ct. 2250 (2014).

642 *Sandrock*, RIW 2014, 703, 714 f.

643 S. *FAZ* vom 1.8.2014, S. 15. Auch wenn Argentinien in diesem Falle noch zahlungsfähig war, kann aufgrund der Zahlungsunwilligkeit von einer Insolvenz Argentiniens gesprochen werden, vgl. S. 13. Im April 2016 begab Argentinien nach 15-jähriger Pause erstmals wieder Anleihen am internationalen Kapitalmarkt, nachdem sich die argentinische Regierung insbesondere mit dem Hedgefond NML Capital einig geworden war, vgl. http://www.faz.net/agenturmeldungen/dpa/argentinien-schafft-nach-15-jahren-rueckkehr-an-die-finanzmaerkte-14188338.html, zuletzt aufgerufen am 20.3.2017.

erstrittenes New Yorker Bezirksgerichtsurteil zur Eliminierung des in den Jahren davor mühsam erzielten Restrukturierungskonsenses zwischen Argentinien und der Mehrheit seiner privaten Gläubiger.

(2) Der Fall Abaclat und die Relevanz der Investitionsschiedsgerichtsbarkeit für den Restrukturierungsprozess

Neben dem Ausmaß die Eingriffe durch Hold-out-Gläubigerin den mitgliedstaatlichen Restrukturierungsprozess haben können, ist insbesondere die rechtliche Entwicklung, die durch den Fall *Abaclat* angestoßen wurde, von besonderer Bedeutung.

Im Fall *Abaclat v. The Argentine Republic* verklagten 60.000 private italienische Gläubiger[644] Argentinien gestützt auf das bilaterale Investitionsschutzabkommen zwischen Italien und Argentinien vor dem International Centre for Settlement of Investment Disputes (ICSID).[645] Diese Gläubiger hatten sich an der im Jahr 2001 durchgeführten Umschuldung nicht beteiligt und hatten in der Folge keine Zahlungen mehr auf ihre Anleihen erhalten. 2011 entschied das Schiedsgericht, dass es zur Entscheidung über die Schiedsklage zuständig sei.[646] Damit hatte zum ersten Mal ein internationales Schiedsgericht seine Zuständigkeit für die Überprüfung einer in Folge einer Staatsinsolvenz durchgeführten Umschuldung bejaht. Des Weiteren wurde das erste Mal eine Massenklage zugelassen.[647]

Auch wenn das Verfahren im Fall *Abaclat* im Dezember 2016 durch eine Vereinbarung der Parteien beendet wurde,[648] wurde die damalige Bejahung der Zuständigkeit durch das Schiedsgericht als die Öffnung der Büchse der Pandora

644 Ursprünglich waren es 180.000 Kläger, allerdings nahmen 120.000 davon ein erneutes Umtauschangebot Agentiniens an und stiegen aus der Klage aus, vgl. *Bischoff*, WM 2012, 1371.

645 *Abaclat and others v. Argentinien*, ICSID Case No. ARB/07/5, dazu u.a. *Bees und Chrostin*, Havard International Law Journal 53 (2012), 505; *Bischoff*, WM 2012, 1371.

646 *Abaclat and others v. Argentinien*, ICSID Case No. ARB/07/5, Decision on Jurisdiction and Admissibility, 4.8.2011, abrufbar unter: http://www.italaw.com/sites/default/files/case-documents/ita0236.pdf, zuletzt aufgerufen am 20.3.2017.

647 *Bees und Chrostin*, Havard International Law Journal 53 (2012), 505; *Bischoff*, WM 2012, 1371

648 *Abaclat and others v. Argentinien*, ICSID Case No. ARB/07/5, Consent Award, 29.12.2016, abrufbar unter: http://www.italaw.com/sites/default/files/case-documents/italaw8024.pdf, zuletzt aufgerufen am 20.3.2017; siehe zum zum Gang des Verfahrens http://www.italaw.com/cases/35, zuletzt aufgerufen am 20.3.2017.

bezeichnet.[649] Denn sollte sich die Auslegung des Schiedsgerichts durchsetzen, würde dies die Attraktivität der Hold-out-Strategie erheblich erhöhen. Die internationale Schiedsgerichtsbarkeit bietet nämlich für Gläubiger einige relevante Vorteile. Zum einen ist diese im Vergleich zur Bestreitung nationaler Rechtswege mitunter erheblich schneller. Zum anderen erhält der Gläubiger zumindest bei einem Schiedsspruch nach ICSID einen nach Art. 54 ICSID in allen Mitgliedstaaten direkt vollstreckbaren Titel.[650] Auch wenn die Vollstreckungsimmunität der Schuldnerstaaten einer erfolgreichen Vollstreckung teilweise im Wege stehen mag, bedeutet ein grenzüberschreitend vollstreckbarer Titel dennoch eine erhebliche Erleichterung für die Gläubiger. Auch die Zulassung von Massenklagen und die damit verbundene Möglichkeit sich die doch erheblichen Kosten eines Schiedsverfahrens zu teilen, könnte eine Klage vor Schiedsgerichten für Inhaber von Staatsanleihen erheblich attraktiver machen. Eine Steigerung der Attraktivität von Schiedsverfahren bedeutet gleichzeitig eine Steigerung der Attraktivität einer Hold-out-Position. Dadurch können Staaten in ihrem Restrukturierungsprozess erheblich unter Druck geraten.

Die Fälle *NML Capital* und *Abaclat* zeigen, dass die Gefahr durch die Rechtsverfolgung durch Hold-out-Gläubiger nach wie vor aktuell ist und für umschuldungswillige Schuldnerstaaten eine große Unsicherheit darstellt. Doch wie groß die Gefahr tatsächlich ist, lässt sich nur durch eine umfassendere Betrachtung der Erfolgsaussichten der Rechtsverfolgung durch Hold-out-Gläubigerklären. Dabei muss zwischen der Rechtsverfolgung vor nationalen Gerichten und internationalen Investitionsschiedsgerichten unterschieden werden.

c) *Die Rechtsverfolgung durch sog. Hold-out-Gläubiger vor nationalen Gerichten*

(1) Verschiedene Rechtswege

Bei einer Rechtsverfolgung vor nationalen Gerichten kommt es auf die Ausgestaltung der konkreten Anleihebedingungen an. Um Schwierigkeiten bezüglich

649 Die Formulierung „[O]pening Pandora's box" wählte der Schiedsrichter *Abi Saab* in seiner abweichenden Meinung, *Abi Saab*, Abaclat and Others v. Argentina Dissenting Opinion, Rdnr. 271, abrufbar unter: http://www.italaw.com/sites/default/files/case-documents/italaw4085.pdf, zuletzt aufgerufen am 20.3.2017. Dieser bezog sich dabei auch einen früheren Artikel von *Waibel*, der darin schon diese Formulierung gewählt hatte, *Waibel*, AJIL 101 (2007), 711.

650 Vgl. dazu *Cane*, 15 American Review of International Arbitration (2004), 439 ff.

des Gerichtsstandes bei einer grenzüberschreitenden Anleihemission zu vermeiden, ist in heutigen Anleihen der Gerichtsstand meist im Rahmen einer Gerichtsstandsklausel vereinbart.[651] Der Gerichtsstand deckt sich meist mit dem nach der Rechtswahlklausel anwendbaren Recht. Für Schwellen- und Entwicklungsländer ist es durchaus üblich, dass diese das Recht eines internationalen Finanzplatzes wie New York für anwendbar erklären und gleichzeitig auch den New Yorker Gerichtsstand vereinbaren, um das Vertrauen in die Anleihe zu stärken. Teilweise wird von Schwellen- und Entwicklungsländern zusätzlich zum ausländischen Gerichtsstand auch noch der inländische Gerichtsstand vereinbart.[652] Andererseits ist es auch möglich, dass inländisches Recht anwendbar, aber ein ausländischer Gerichtsstand einschlägig ist. Zwar ist eine solche Vereinbarung in Anleihebedingungen recht selten, kann aber nicht ausgeschlossen werden.[653]

(2) Fehlende „Schutzmechanismen" des Schuldnerstaats

Das völkerrechtliche Institut der Staatenimmunität wäre grundsätzlich dazu geeignet Schuldnerstaaten vor einer Rechtsverfolgung durch Hold-outs zu schützen. In ihrer früheren Lesart verhinderte die Staatenimmunität als Prozesshindernis generell die Rechtsverfolgung gegen Staaten. Heute ist deren Wirkung sehr beschränkt. Insbesondere die Begebung von Anleihen und deren Nichtbedienung werden wie bereits dargestellt nicht mehr von der Immunität auf Ebene des Erkenntnisverfahrens erfasst.[654]

In einem 2014 durch Argentinien angestrengten Verfahren gegen die USA vor dem IGH, wegen der Urteile amerikanischer Gerichte im Fall *NML Capital*, berief sich Argentinien explizit darauf, dass durch die Behinderung der Umschuldung die argentinische Immunität verletzt sei.[655] Fraglich ist also, ob eine Restrukturierung im Lichte der Staatenimmunität anders zu beurteilen ist,

---

651 Ausführlich *Siebel*, Rechtsfragen internationaler Anleihen, 1997, S. 395 ff.; *Szodruch*, Staateninsolvenz und private Gläubiger, 2008, S. 56 ff.

652 Z.B. von Argentinien, vgl. *Baars/Böckel*, ZBB 2004, 445, 450.

653 Vgl. dazu *Benninghofen*, Die Staatsumschuldung, 2014, S. 225, der sich dabei auf die Möglichkeit eines Gerichtsstandes nach Art. 15 I lit. c, Art. 17 EuGVVO a.F. beruft.

654 Siehe oben S. 141 ff.

655 „The actions by the US Judiciary to decide on and frustrate the decision oft he Argentine Republic to restructure its debt constitute a violation of Argentine sovereignty and immunity.", Application instituting proceedings, 7. August 2014, Argentina v. United States of America, S. 27, liegt der Verfasserin vor. Da die USA in diesem Fall die Zuständigkeit des IGH jedoch nicht anerkannte, kam es nie zu einer Verhandlung.

als eine reine Nichtbedienung der Staatsanleihen. Da die USA die Zuständigkeit des IGH in diesem Fall ablehnten, bekam der IGH keine Möglichkeit sich zu der Frage zu äußern. Argentinien argumentiert hier, dass die Entscheidungen Staatsschulden zu restrukturieren als *acta iure imperii* zu qualifizieren seien und daher der Immunität unterliegen. Im Bereich der Nichtbedienung der Schulden wird angebracht, dass ein Staat, der sich mit der Ausgabe der Staatsanleihen auf die Ebene eines normalen Wirtschaftsteilnehmers begibt, nicht wieder durch einseitigen Akt in den Schutz der Immunität flüchten darf. Ansonsten sei das Prinzip der relativen Immunität redundant. Allerdings entspricht die Situation einer Restrukturierung nicht der der reinen Nichtbedienung der Schulden. Denn in dieser Situation begibt sich der Schuldnerstaat in den Dialog mit seinen Gläubigern, um eine gemeinsame Lösung zu erreichen. Es geht nicht um die Negierung der Forderung an sich, sondern um die Erschaffung eines finanziellen Neustarts des Schuldnerstaats, der notwendig sein kann, um die staatliche Aufgabenwahrnehmung zu sichern.[656] Die Anerkennung dieses Prozesses im Rahmen der Immunität zumindest für dessen Dauer würde ein positives Ergebnis des Restrukturierungsprozesses deutlich befördern. Unter anderem sprach sich der Oberste Kassationshof Italiens für die Anwendung des Immunitätsgrundsatzes auf Restrukturierungsprozesse aus.[657] Diese Einschätzung des in Immunitätsfragen sowieso recht eingenwillig urteilenden italienischen Kassationshofs überzeugt indes nicht. Zum einen scheint dieses den Wunsch zur Wirklichkeit machen zu wollen, da diese Interpretation in der völkerrechtlichen Rechtspraxis bisher keine Ansatzpunkte findet. Zum anderen geht diese Einschätzung auch dogmatisch fehl. Denn sie entzieht den Gläubigern dadurch, dass hinsichtlich der Immunität nicht auf das zugrunde liegende Rechtsgeschäft abgestellt wird, letztlich jede Möglichkeit die Rechtmäßigkeit der Maßnahmen des Schuldnerstaates überprüfen zu lassen.[658]

---

656 Argentinien führte in seiner Klageschrift aus: "In the case of Argentina, those actions were taken by the National Legislative Branch and were mainly aimed at preserving the Nation itself and protecting the basic needs for he survival of the population in a historical context of serious national emergency, giving the highest priority to the interest of the community as a whole, and thus excluding the possibly of assessing those interest from the perspective of a potential violation of the legal regime applicable to '*jure privatorum*' acts.", Application instituting proceedings, 7.8.2014, Argentina v. United States of America, S. 21, liegt der Verfasserin vor.

657 Corte Suprema di Cassazione, *Borri Lucca v. Argentine republic,* Ordinanza N 6532/2005 vom 27.5.2005. Bersprechung siehe *Keller,* BKR 2005, 333.

658 Siehe auch *Reinisch,* ZaöRV 2008, 3, 33.

Wie bereits ausführlich dargestellt vermag auch das Institut des *act of state* aus dem US-amerikanischen Recht den Schuldnerstaat nicht vor der Rechtsverfolgung durch Gläubiger zu schützen. Hingegen haben amerikanische Gerichte unter Berufung auf die *international comity* bereits Verfahren gegen Schuldnerstaaten ausgesetzt, wenn diese nach Auffassung des Gerichts in gutem Glauben Umschuldungsverhandlungen mit ihren Gläubigern durchführten. Allerdings ist die amerikanische Rechtsprechung in dieser Frage recht wechselhaft. Zuletzt lehnte der Supreme Court im Fall *NML Capital* die Anwendung des *comity*-Einwands gänzlich ab und verwies auf die abschließende Regelung im Foreign Sovereign Immunities Act (FSIA). Einwände der amerikanischen Regierung im Rahmen eines *amicus curiae* brief bezüglich der Verletzung der *international comity*,[659] wiegelte der Supreme Court in einem Satz ab: „*These apprehensions are better directed to that branch of government with authority to amend the Act*".[660] Aus dieser Entscheidung kann jedoch nicht der Schluss gezogen werden kann, dass amerikanische Gerichte auch in Zukunft den *comity*-Einwand nicht mehr anwenden, da der Supreme Court in seiner Rechtsprechung zur Berücksichtigung von *comity* sehr inkonsistent ist.[661]

d) Die Rechtsverfolgung durch sog. Hold-out-Gläubiger vor Investitionsschiedsgerichten

Spätestens seit *Abaclat* ist bekannt, dass sich die Rechtsverfolgung von Holdouts vor Investitionsschiedsgerichten zu einem zentralen Pfeiler der Hold-out-Strategie entwickelt hat.[662] Da Schiedsgerichtsentscheidungen jedoch keine Bindungswirkung für zukünftige Schiedsgerichte entfalten, können aus dieser Entscheidung keine allgemeingültigen Schlüsse für zukünftige Fälle gezogen werden. Um die Einbindung eines Schuldnerstaats durch die Rechtsverfolgung

---

659 *Republic of Argentina v. NML Capital*, 134 S. Ct. 2250 (2014); In ihrem *amicus curiae* brief spricht die Regierung unter anderem von „undermining international comity", Brief for the United States as amicus curiae in support of petititioner, *Argentina v. NML Capital*, S. 28, abrufbar unter http://www.americanbar.org/content/dam/aba/publications/supreme_court_preview/briefs-v3/12-842_pet_amcu_usa.authcheckdam.pdf, zuletzt aufgerufen am 20.3.2017.

660 *Republic of Argentina v. NML Capital*, 134 S. Ct. 2250 (2014).

661 Vgl. *Republic of Argentina v. NML Capital, Ltd.*, 128 Harvard Law Review 381 (2014), abrufbar unter http://harvardlawreview.org/2014/11/republic-of-argentina-v-nml-capital-ltd/.

662 Früh warnte dagegen schon *Tietje*, Die Argentinien-Krise aus rechtlicher Sicht, 2005, S. 13 ff., aber auch *Waibel*, AJIL 101 (2007), 711.

vor Investitionsschiedsgerichten beurteilen zu können, ist eine Untersuchung von deren Erfolgschancen daher unerlässlich, zumal aktuell auch schon Fälle, die die griechische Umschuldung betreffen, anhängig sind.[663]

(1) Negative Auswirkungen erfolgreicher Investitionschiedsverfahren

Durch die Entwicklung einer für Hold-out-Gläubigervorteilhaften Schiedsgerichtspraxis könnten Restrukturierungsprozesse erheblich geschädigt werden. Wie bereits dargestellt wurde, gehen mit einer erfolgreichen Rechtsverfolgung durch Hold-out-Gläubiger erhebliche volkswirtschaftliche Kosten einher.[664] Darüber hinaus ist aber festzustellen, dass die Investitionsschiedsgerichtbarkeit die Problematik des sog. „legal threat" eindeutig verschärft. Sie bietet Hold-out-Gläubigern gegenüber nationalen Rechtswegen entscheidende Vorteile – wie beispielsweise die unmittelbare Vollstreckbarkeit in allen Mitgliedstaaten nach Art. 54 ICSID –[665] und macht somit die Einnahme einer Hold-out-Position noch attraktiver. Des Weiteren führen Investitionsschiedsverfahren zu einer empfindlichen Ungleichbehandlung zwischen Gläubigern, die sich auf Investitionsschutzabkommen berufen können und solchen, denen ein Gang vor Investitionsschiedsgerichten nicht offen steht. Eine solche Differenzierung ist aber weder sachgerecht, noch trägt sie zum Erfolg einer Umschuldung bei.

(2) Investitionsschiedsgerichtsbarkeit und Gerichtsstandvereinbarungen

Auch wenn in Anleihen neben den Gerichtsstandvereinbarungen meist keine Schiedsklausel enthalten ist,[666] kann sich eine Zuständigkeit internationaler Schiedsgerichte aus völkerrechtlichen Verträgen außerhalb der Anleihen ergeben. Einen weitgehenden Schutz für private Investoren garantieren die heute sehr verbreiteten *Bilateral Investment Treaties* (BITs).[667] Diese sehen meist auch

---

663 Vgl. unter https://icsid.worldbank.org/apps/ICSIDWEB/cases/Pages/AdvancedSearch.aspx?gE=s&rntly=ST55.

664 Siehe S. 177 f.

665 Zu weiteren Vorteilen der ICSID-Schiedsgerichtsbarkeit siehe *Griebel,* Internationales Investitionsrecht, 2008, S. 119 ff.

666 *Waibel,* Sovereign Defaults before International Courts and Tribunals, 2011, S. 167 f. m.w.N.

667 Weltweit existieren zurzeit etwa 2.926 BITs, zählt man noch alle anderen völkerrechtlichen Abkommen hinzu, die ebenfalls Investitionsschutzregelungen enthalten, sind es sogar 3.271 Internationael Investitionsschutzabkommen (IIA), vgl. *UNCTAD*, World Investment Report 2015, S. 106, abrufbar unter: http://unctad.org/en/PublicationsLibrary/wir2015_en.pdf.

die Möglichkeit vor, dass Investoren ihre durch das BIT gewährten Rechte vor Investitionsschiedsgerichten einklagen können. Somit kann neben die vertraglich vereinbarten Gerichtsstände zusätzlich noch eine völkerrechtlich begründete Zuständigkeit treten. Das am weitesten verbreitete Forum für solche Investitionsstreitigkeiten ist das multilaterale Vertragsregime des International Centre for Settlement of Investment Disputes (ICSID).[668] Deshalb sollen sich die nachstehenden Überlegungen auf das Forum ICSID beziehen.

Probleme wirft jedoch eine ausschließliche Gerichtsstandsvereinbarung zu Gunsten einer nationalen Gerichtsbarkeit in den Anleihebedingungen auf. Wird dadurch auch auf die Rechtsverfolgung vor internationalen Schiedsgerichten verzichtet? Teilweise wird dies mit dem Verweis, dass es sich bei Ansprüchen aus Anleihen und BITs um unterschiedliche Streitgegenstände handle, ohne Umwege verneint.[669] Allerdings greift diese Einschätzung zu kurz. Richtigerweise muss an dieser Stelle differenziert werden. Denn Ansprüche aus Anleihen können über in BITs enthaltene *umbrella clauses* als sog. *contract claims* Teil des völkerrechtlich gewährten Investitionsschutzes werden, sodass es sich dabei um identische Streitgegenstände handelt. Daher muss eine Rechtsverfolgung von *contract claims* vor Investitionsschiedsgerichten bei ausschließlichen Gerichtsstandvereinbarungen in den Anleihebedingungen ausscheiden. Anders verhält es sich bei der Geltendmachung von *treaty claims,* also Ansprüchen der Investoren aus dem BIT. Denn ob ein Investor überhaupt auf die Geltendmachung seiner sog. *treaty claims* aus dem BIT verzichten kann, ist bereits umstritten. Jedenfalls wird man deshalb aber einen expliziten Verzicht auf die Geltendmachung der durch das BIT garantierten Rechte fordern müssen. Eine Gerichtsstandklausel, die lediglich einen nationalen Gerichtsstand festlegt, genügt diesen Anforderungen jedenfalls nicht.[670]

---

668 ICSID hat aktuell 152 Mitgliedstaaten, https://icsid.worldbank.org/apps/ICSIDWEB/about/Pages/Database-of-Member-States.aspx?tab=AtoE&rdo=CSO. Von den 42 in 2014 angestrengten Schiedsverfahren, die öffentlich bekannt sin, wurden 33 bei ICSID angestrengt, vgl. *UNCTAD*, World Investment Report 2015, S. 114, abrufbar unter: http://unctad.org/en/PublicationsLibrary/wir2015_en.pdf.

669 *Benninghofen*, Die Staatsumschuldung, 2014, S. 227.

670 Anderer Auffassung ist *Waibel*: „By including exclusive domestic jurisdiction clauses in an investment agreement, investors waive ICSID arbitration.“, *Waibel*, Sovereign Defaults before International Courts and Tribunals, 2011, S. 272.

(3) Die Zuständigkeit eines ICSID-Schiedsgerichts: Staatsanleihen als Investitionen?

Die Zulässigkeitsvoraussetzungen[671] eines Schiedsverfahrens ergeben sich grundsätzlich aus den zugrunde liegenden Investitionsschutzabkommen wie beispielsweise einem BIT. Wenn dieses eine Verfahrensordnung wie das ICSID vorsieht, so richtet sich die Zuständigkeit des Schiedsgerichts zusätzlich nach den Voraussetzungen der Verfahrensordnung. Die Zuständigkeit des ICSID ist in Art. 25 ICSID-Konvention geregelt. Neben der beiderseitigen Zustimmung der Parteien zu dem Verfahren ist die Zuständigkeit *ratione materiae, ratione personae* und *ratione temporis* notwendig.[672] Im Rahmen von Umschuldungen ist besonders kritisch, ob es sich bei den betroffenen Staatsanleihen und anderen Finanzinstrumenten tatsächlich um Investitionen handelt, d.h. die Zuständigkeit des Schiedsgerichts *ratione materiae* eröffnet ist.

i) *Umstrittener Investitionsbegriff im Rahmen von ICSID*

In Investitionsschutzabkommen ist meist sehr ausführlich definiert, was nach dem Abkommen unter Investitionen zu verstehen ist. Dabei sind bezüglich Staatsanleihen ganz unterschiedliche Regelungen in den Abkommen enthalten. Teilweise werden Staatsanleihen vom Anwendungsbereich eines Investitionsschutzabkommens ausdrücklich umfasst,[673] teilweise *expressis verbis* ausgeschlossen,[674] teilweise äußern sich Abkommen nicht explizit dazu. Die Vertragspraxis ist insoweit uneinheitlich. Erfüllen die betroffenen Instrumente die Voraussetzungen eines Investitionsschutzvertrages nicht, so scheidet ein Investitionsschiedsverfahren auf alle Fälle aus. Problematischer stellt sich die Situation dar, wenn ein Finanzinstrument den Investitionsbegriff eines Investitionsschutzabkommens erfüllt, denn es ist weiterhin umstritten, ob die Schiedsgerichte

---

671 Zulässigkeit wird an dieser Stelle als Zuständigkeit einschließlich der weiteren Zulässigkeitsvoraussetzungen verstanden. Genau genommen wird im Rahmen von ICSID-Schiedsverfahren die Zuständigkeit des Schiedsgerichts (*jurisdiction*) und die Zulässigkeit der erhobenen Klage (*admissibility*) theoretisch getrennt geprüft, tatsächlich aber miteinander vermengt. Vgl. *Griebel*, Internationales Investitionsrecht, 2008, S. 121 f.

672 Dazu ausführlicher *Griebel*, Internationales Investitionsrecht, 2008, S. 122 ff.

673 Siehe nur das 2012 US-Model BIT, abrufbar unter https://ustr.gov/sites/default/files/BIT%20text%20for%20ACIEP%20Meeting.pdf.

674 Siehe das 2004 Canada Model BIT, das Kreditinstrumente an staatliche Entitäten ausdrücklich ausschließt, abrufbar unter http://www.italaw.com/documents/Canadian2004-FIPA-model-en.pdf, zuletzt aufgerufen am 20.3.2017.

zusätzlich die Kompatibilität mit einem ICSID-autonomen Investitionsbegriff prüfen (sog. *double keyhole approach).*[675]

Art. 25 ICSID sieht zwar vor, dass die Zuständigkeit eines ICSID-Schiedsgerichts nur dann eröffnet ist, wenn eine Investitionsstreitigkeit vorliegt, enthält selbst jedoch keine Definition einer Investition. Wie aus der Entstehungsgeschichte der Konvention hervorgeht, sollte dadurch den Vertragsparteien ein größerer Spielraum bei der Beurteilung, welche Streitigkeiten sie einem ICSID-Schiedsgericht zuführen wollen, eingeräumt werden.[676] Diese Lücke führt jedoch dazu, dass sowohl die Existenz eines autonomen Investitionsbegriffs als auch dessen Inhalt noch heute umstritten sind. Das Schweigen der ICSID-Konvention kann als starkes Argument gegen einen autonomen Investitionsbegriff gewertet werden, zumal aus der Entstehungsgeschichte der Konvention hervorgeht, dass den Parteien ein größtmöglicher Spielraum zukommen sollte, da die Vertragsparteien der Konvention sich eben auf keinen gemeinsamen Investitionsbegriff einigen konnten.[677] Für einen autonomen Investitionsbegriff spricht hingegen, dass Art. 25 ICSID ansonsten keine Funktion zukäme und damit entbehrlich wäre. Vielmehr erscheint es sinnvoll, dass durch die ICSID-Konvention ein Rahmen vorgegeben wird, da auch nach dem Willen der Konventionsparteien nicht jede wirtschaftsvölkerrechtliche Streitigkeit vor dem ICSID verhandelt werden sollte. Eine solche Ausweitung wäre aber zu befürchten, wenn die Abgrenzung der Jurisdiktion allein in die Hände der jeweiligen Vertragsparteien gelegt würde.[678]

---

675 *Dolzer/Schreuer,* Principles of International Investment Law, 2008, S. 61 f.

676 S. Report of the Executive Directors of the International Bank for Reconstruction and Development on the Convention on the Settlement of Investment Disputes between States and Nationals of Other States, abrufbar unter: https://icsid.worldbank.org/ICSID/StaticFiles/basicdoc/partB.htm:
"No attempt was made to define the term "investment" given the essential requirement of consent by the parties, and the mechanism through which Contracting States can make known in advance, if they so desire, the classes of disputes which they would or would not consider submitting to the Centre."

677 *Dolzer/Schreuer,* Principles of International Investment Law, 2008, S. 61.

678 So das Schiedsgericht im Fall *Salini v. Morrocco:* "However, it would be inaccurate to consider that the requirement that a dispute be "in direct relation to an investment" is diluted by the consent of the Contracting Parties. To the contrary, ICSID case law and legal authors agree that the investment requirement must be respected as an objective condition of the jurisdiction of the Centre.", *Salini v. Morocco,* ICSID Case No. ARB/00/4, Decision on Jurisdiction, 23.7.2001, Para. 52, abrufbar unter http://www.italaw.com/sites/default/files/case-documents/ita0738.pdf, zuletzt aufgerufen am 20.3.2017; *Dolzer/Schreuer,* Principles of International Investment Law,

Allerdings ist zu beachten, dass der Investitionsbegriff der ICSID-Konvention aufgrund der Entstehungsgeschichte der Konvention nur eine äußere Leitplanke bilden sollte und deswegen möglichst weit zu fassen ist.

Für die Bestimmung eines ICSID-autonomen Investitionsbegriffs hat sich der sog. *Salini*-Test[679] *„weitestgehend durchgesetzt“*[680]. Eine Investition im Sinne von Art. 25 ICSID liegt demnach vor, wenn ein Investor einen substantiellen finanziellen Beitrag (1) von gewisser Dauer (2) mit einem bestehenden unternehmerischen Risiko (3) erbringt, der einen Beitrag zur Entwicklung des Gaststaates (4) leistet.[681] Der *Salini*-Test ist ein Versuch die Voraussetzungen eines autonomen Investitionsbegriffs objektiv zu bestimmen. Nach dem heute vorherrschenden *Typical Characteristics Approach* ist es allerdings nicht notwendig, dass alle Voraussetzungen kumulativ vorliegen. Vielmehr können sich im Rahmen einer flexiblen Auslegung die verschiedenen Kriterien gegenseitig ausgleichen.[682]

ii) *Staatsanleihen als Investitionen?*

Ausgehend von einem bis heute umstrittenen Investitionsbegriff ist eine allgemeingültige Beantwortung der Frage, ob Staatsanleihen unter den Investitionsbegriff der ICSID-Konvention subsumiert werden können, nur schwierig vorzunehmen. Unter der Berücksichtigung von Schiedssprüchen in den Fällen *Fedax v. Venezuela* und *CSOB v. Slovakei*, in welchen die Schiedsgerichte die Investitionseigenschaft von Staatsanleihen *obiter dicta* bejahten, ging die Literatur jedoch lange davon aus, dass Staatsanleihen und andere finanzielle

---

2008, S. 60 ff.; *Griebel,* Internationales Investitionsrecht, 2008, S. 127; *Waibel,* AJIL 101 (2007), 711, 722 f., 730; ebenso *Abaclat and others v. Argentinien,* ICSID Case No. ARB/07/5, Dissenting Opinion *Abi-Saab* to Decision on Jurisdiction and Admissibility, Para. 38 ff., abrufbar unter: http://www.italaw.com/sites/default/files/case-documents/italaw4085.pdf, zuletzt aufgerufen am 20.3.2017.

679 *Salini v. Morocco,* ICSID Case No. ARB/00/4, Decision on Jurisdiction, 23.7.2001, abrufbar unter http://www.italaw.com/sites/default/files/case-documents/ita0738.pdf, zuletzt aufgerufen am 20.3.2017.

680 *Johannsen,* Der Investitionsbegriff nach Art. 25 Abs. 1 der ICSID-Konvention, 2009, S. 32 m.w.N.

681 Ursprünglich umfasste der *Salini*-Test noch das zusätzliche Merkmal der regelmäßigen Abschöpfung von Gewinnen. Dieses Merkmal wurde doch durch die Schiedsgerichtspraxis als nicht relevant eingestuft. Vgl. *Schreuer,* ICSID Convention, 2. Aufl. 2009, Art. 25 Rdnr. 155 ff. m.w.N.

682 *Waibel,* AJIL 101 (2007), 711, 723; *Dolzer/Schreuer,* Principles of International Investment Law, 2008, S. 68 f.; Zum Streitstand *Johannsen,* Der Investitionsbegriff nach Art. 25 Abs. 1 der ICSID-Konvention, 2009, S. 21 ff.

Instrumente unter den Investitionsbegriff der ICSID-Konvention fallen, wenn sie von einer gewissen Dauer geprägt sind.[683] Dabei wurde eine Investitionsdauer von zwei Jahren als ausreichend angesehen. Allein kurzfristigere Instrumente zur Staatsfinanzierung wurden als kritisch betrachtet.[684]

Seit der argentinischen Restrukturierung hatten ICSID-Schiedsgerichte nun mehrmals die Gelegenheit sich konkret mit der Investitionseigenschaft von Staatsanleihen zu befassen. Im Fall *Abaclat* bejahte das Gericht die Investitionseigenschaft von Staatsanleihen. Obwohl das Schiedsgericht von einem autonomen Investitionsbegriff der ICSID-Konvention ausging und somit auch ausdrücklich eine zweistufige Prüfung durchführte, lehnte es den *Salini*-Test als Maßstab ab. Ohne sich näher mit den *Salini*-Kriterien auseinanderzusetzen, begründete das Schiedsgericht recht verkürzt, dass es nicht sein könne, dass Investitionen, die die Vertragsparteien in einem BIT als Investitionen einordneten, wegen eines engen Verständnisses des Art. 25 ICSID von der ICSID-Schiedsgerichtsbarkeit ausgenommen würden.[685] Stattdessen wählte das Schiedsgericht einen Maßstab, der sich sehr stark auf das BIT bezog. Das Schiedsgericht prüfte, ob die Anleihen einen Wert erschaffen, der durch das BIT geschützt ist (*„creation of the value that Argentina and Italy intended to protect under the BIT“).*[686] Diese Voraussetzung sah das Schiedsgericht als erfüllt an. Es führte damit formell zwar eine zweistufige Prüfung durch, maß dem Investitionsbegriff nach der Konvention de facto jedoch keine eigenständige Bedeutung bei. In seinem Sondervotum kritisierte der Schiedsrichter *Abi-Saab* die Entscheidung der übrigen Schiedsrichter entschieden.[687]

---

683 Siehe nur *Tietje,* Die Argentinien-Krise aus rechtlicher Sicht, 2005, S. 14 f.; *Szodruch,* Staateninsolvenz und private Gläubiger, 2008, S. 404; *Benninghofen*, Die Staatsumschuldung, 2014, S. 231.

684 *Dolzer/Schreuer,* Principles of International Investment Law, 2008, S. 68 m.w.N.; a.A. *Waibel,* AJIL 101 (2007), 711, 722 ff.; später auch *Abaclat and others v. Argentinien,* ICSID Case No. ARB/07/5, Dissenting Opinion *Abi-Saab* to Decision on Jurisdiction and Admissibility, Para. 69 ff., abrufbar unter: http://www.italaw.com/sites/default/files/case-documents/italaw4085.pdf, zuletzt aufgerufen am 20.3.2017; *Müller,* Staatsbankrott und private Gläubiger, 2015, S. 221 ff.

685 *Abaclat and others v. Argentinien,* ICSID Case No. ARB/07/5, Decision on Jurisdiction and Admissibility, 4.8.2011, Para. 363 f., abrufbar unter: http://www.italaw.com/sites/default/files/case-documents/ita0236.pdf, zuletzt aufgerufen am 20.3.2017.

686 *Abaclat and others v. Argentinien,* ICSID Case No. ARB/07/5, Decision on Jurisdiction and Admissibility, 4.8.2011, Para. 365, abrufbar unter: http://www.italaw.com/sites/default/files/case-documents/ita0236.pdf, zuletzt aufgerufen am 20.3.2017.

687 *Abaclat and others v. Argentinien,* ICSID Case No. ARB/07/5, Dissenting Opinion *Abi-Saab* to Decision on Jurisdiction and Admissibility, abrufbar unter:

Dennoch folgten auch die nachfolgenden Schiedsgerichtentscheidungen *Ambiente Ufficio v. Argentinien*[688] und *Giovanni Alemanni v. Argentinien*[689] dem durch das *Abaclat*-Schiedsgericht eingeschlagenen Weg. Während das Schiedsgericht in letzterer Entscheidung ohne jeglichen Begründungsaufwand die Investitionseigenschaft von Staatsanleihen unter dem Verweis auf *Abaclat* und *Ambiente Ufficio* bejahte,[690] betrieben die Schiedsrichter im Fall *Ambiente Ufficio* noch einen erhöhten Begründungsaufwand. Die Schiedsrichter gehen zwar von einem weiten Investitionsbegriff im Rahmen des Art. 25 ICSID aus, lassen aber offen, ob dieser jede plausible wirtschaftliche Aktivität umfasst oder zumindest einzelne Handelsgeschäfte ausklammert.[691] Nichtsdestotrotz anerkennt das Schiedsgericht auch die im *Salini*-Test statuierten Kriterien als „nützlich", solange sie flexibel angewendet würden. Nach Prüfung der einzelnen *Salini*-Kriterien kam das Schiedsgericht zu dem Ergebnis, dass selbst bei Anwendung des *Salini*-Tests Staatsanleihen als Investitionen zu qualifizieren seien.[692]

---

http://www.italaw.com/sites/default/files/case-documents/italaw4085.pdf, zuletzt aufgerufen am 20.3.2017.

688 *Ambiente Ufficio v. Argentinien,* ICSID Case No. ARB/08/9, Decision on Jurisdiction and Admissibility, 8.2.2013, abrufbar unter: https://icsid.worldbank.org/ICSID/FrontServlet?requestType=CasesRH&actionVal=showDoc&docId=DC2992_En&caseId=C340, zuletzt aufgerufen am 20.3.2017.

689 *Giovanni Alemanni v. Argentinien,* ICSID Case No. ARB/07/8, Decision on Jurisdiction and Admissibility, 17.11.2014, abrufbar unter: https://icsid.worldbank.org/ICSID/FrontServlet?requestType=CasesRH&actionVal=showDoc&docId=DC5132_En&caseId=C100, zuletzt aufgerufen am 20.3.2017.

690 *Giovanni Alemanni v. Argentinien,* ICSID Case No. ARB/07/8, Decision on Jurisdiction and Admissibility, 17.11.2014, Para. 296 f., abrufbar unter: https://icsid.worldbank.org/ICSID/FrontServlet?requestType=CasesRH&actionVal=showDoc&docId=DC5132_En&caseId=C100, zuletzt aufgerufen am 20.3.2017. Ausführlich zu dieser Entscheidung *Giuponni,* ICSID Review 30 (2015), 556.

691 Das Schiedsgericht äußert sich in diesem Zusammenhang recht lapidar: "There is no need here for the Tribunal to decide the question whether one should go as far as including any 'plausibly economic activity or asset' under the umbrella of Art. 25 of the Convention as long as States are prepared to subject it to ICSID jurisdiction. In fact, there are good reasons to leave a single commercial transaction such as the delivery of a single load of cars outside the concept of investment and thus outside the subject-matter jurisdiction of the Centre.", *Ambiente Ufficio v. Argentinien,* ICSID Case No. ARB/08/9, Decision on Jurisdiction and Admissibility, 8.2.2013, Para. 470, abrufbar unter: https://icsid.worldbank.org/ICSID/FrontServlet?requestType=CasesRH&actionVal=showDoc&docId=DC2992_En&caseId=C340.

692 *Ambiente Ufficio v. Argentinien,* ICSID Case No. ARB/08/9, Decision on Jurisdiction and Admissibility, 8.2.2013, Para. 482 ff., abrufbar unter: https://icsid.worldbank.org/

Diese Schiedsgerichtspraxis wurde im April 2015 durch die Schiedsgerichtsentscheidung im Fall *Poštová banka v. Griechenland* durchbrochen.[693] In diesem Schiedsspruch verneint das Schiedsgericht die Investitionseigenschaft von Staatsanleihen und damit seine Zuständigkeit. Wie im *Abaclat*-Fall wendet das Schiedsgericht zur Bestimmung seiner Zuständigkeit den *double keyhole approach* an. Bereits auf der Stufe der Konvergenz mit dem Investitionsbegriff des einschlägigen BIT verneint das Schiedsgericht die Investitionseigenschaft von Staatsanleihen.[694] Dennoch prüft das Schiedsgericht weiterhin, ob nach Art. 25 ICSID eine Investition vorläge. Dabei lässt das Schiedsgericht allerdings offen, ob nach seiner Ansicht eine objektive oder subjektive Prüfung erfolgen müsse, denn eine Investition läge bereits aufgrund des BITs nicht vor. „Vollständigkeitshalber" prüft das Schiedsgericht dennoch, ob nach einem objektiven Verständnis des Art. 25 ICSID eine Investition vorläge. Dabei prüfen die Schiedsrichter die Kriterien „contribution, duration, risk". Anders als beispielsweise das Gericht in *Ambiente Ufficio v. Argentinien* verlangt das Gericht jedoch einen Beitrag an einer Unternehmung. Denn im Vergleich zu einem Handelsgeschäft sei eine Investition dadurch gekennzeichnet, dass sie darauf ausgerichtet ist einen Wert zu schaffen. Fließen wie im vorliegenden Fall die Mittel nur in den allgemeinen Haushalt ohne mit einem konkreten Wertschöpfungsprojekt verbunden sein, könne nicht von einer Investition gesprochen werden. Des Weiteren sei eine Investition von dem Eingehen eines unternehmerischen Risikos geprägt. Das Risiko von Inhabern von Staatsanleihen gehe jedoch nicht über das Ausfallrisiko eines gewöhnlichen Handelsgeschäftes hinaus.[695] Nach Ansicht des Schiedsgerichts stellen Staatsanleihen, ein objektives Verständnis von Art. 25 ICSID vorausgesetzt, keine Investitionen dar. Gleichwohl es sich bei den Ausführungen des Schiedsgerichts nur um *obiter dicta* handelt, stellen diese eine

---

ICSID/FrontServlet?requestType=CasesRH&actionVal=showDoc&docId=DC2992_En&caseId=C340.

693 *Poštová banka v. Griechenland,* ICSID Case No. ARB/13/8, Award, 9.4.2015, abrufbar unter: http://www.italaw.com/sites/default/files/case-documents/italaw4238.pdf, zuletzt aufgerufen am 20.3.2017. Ausführlich dazu *Mitsou,* Journal of International Arbitration 33 (2016), 687.

694 Dies ist umso erstaunlicher, als dass das betreffende BIT zwischen Griechenland und der Slowakei die weite Formulierung "every kind of asset" beinhaltete, vgl. dazu ausführlich *Montanaro,* ICSID Review 30 (2015), 549, 550 ff.

695 *Poštová banka v. Griechenland,* ICSID Case No. ARB/13/8, Award, 9.4.2015, abrufbar unter: http://www.italaw.com/sites/default/files/case-documents/italaw4238.pdf, zuletzt aufgerufen am 20.3.2017.

eindeutige Kehrtwende in der bisherigen Rechtsprechung dar. Nicht nur die Ausführlichkeit der Einlassungen *obiter dicta* sprechen dafür, dass diese vom Schiedsgericht nicht ohne Grund vorgenommen wurden, sondern ein gezielter Versuch unternommen werden sollte, den im *Abaclat*-Fall eingeschlagenen Kurs noch umzureißen. Es bleibt abzuwarten wie dieser Schiedsspruch die nachfolgende Schiedspraxis beeinflussen wird.[696]

Wie bereits erläutert wurde, sprechen die besseren Gründe für einen autonomen Investitionsbegriff. Allerdings überzeugt es nicht, diesen wie das *Abaclat*-Schiedsgericht rein subjektiv zu verstehen, denn dann ist er ohne Bedeutung. Die Vornahme des *double keyhole approach* gerät so zur Farce. Nicht ohne Grund schwenkt bereits das Schiedsgericht im Fall *Ambiente Ufficio* „hilfsweise" auf eine objektive Prüfung um. Es bleibt damit die Frage, ob Staatsanleihen unter eine objektive Investitionsdefinition subsumiert werden können. Auch wenn die *Salini*-Kriterien schon mangels ihrer ausdrücklichen Verankerung keine abschließende Definition darstellen, bilden sie doch eine hilfreiche Leitschnur. Das Schiedsgericht in *Poštová banka v. Griechenland* bemängelt zu Recht den fehlenden unternehmerischen Charakter von Staatsanleihen.[697] Dieser zeichnet Investitionen im Gegensatz zu gewöhnlichen Handelsgeschäften, die nach einhelliger Meinung nicht vom Anwendungsbereich von ICSID umfasst seien sollen, jedoch aus. Die Voraussetzung des unternehmerischen Charakters schließt derweil kapitalbasierte Geschäfte nicht gänzlich aus. Bei Staatsanleihen hingegen trägt der Gläubiger das gleiche Risiko wie der Gläubiger eines Kaufpreisanspruchs: Das Insolvenzrisiko.[698] Darüber hinaus fehlt es bei Staatsanleihen, die jederzeit an Sekundärmärkten gehandelt werden können, an der notwendigen Dauerhaftigkeit der Investition. Selbst wenn ein Anleger seine Anleihe längere Zeit hält, besteht aufgrund der ständigen Handelbarkeit, die der Anleihe innewohnt, von Anfang an keine dauerhafte Investition. Bei jederzeit handelbaren Anleihen handelt es sich dem Charakter nach um Spekulationskapital, das vom Anwendungsbereich der ICSID-Konvention ausscheiden muss. Die besseren

696 Einen entsprechenden Einfluss auf Restrukturierungsprozesse vermutet *Montanaro,* ICSID Review 30 (2015), 549, 555.

697 *Poštová banka v. Griechenland,* ICSID Case No. ARB/13/8, Award, 9.4.2015, para. 360 ff., abrufbar unter: http://www.italaw.com/sites/default/files/case-documents/italaw4238.pdf, zuletzt aufgerufen am 20.3.2017. Kritisch *Mitsou,* Journal of International Arbitration 33 (2016), 687, 720.

698 Ähnlich *Waibel,* Sovereign Defaults before International Courts and Tribunals, 2011, S. 237 f.; *Müller,* Staatsbankrott und private Gläubiger, 2015, S. 227 f.

Argumente sprechen deshalb dafür, die Investitionseigenschaft nach Art. 25 ICSID zu verneinen.

Aufgrund der bereits ergangenen Entscheidung im Rahmen der argentinischen Umschuldung ist es jedoch zumindest nicht auszuschließen, dass Schuldnerstaaten auch zukünftig vor Investitionsschiedsgerichten in zulässiger Weise verklagt werden. Der letztendliche Erfolg solcher Klagen hängt jedoch davon ab, inwieweit durch den Restrukturierungsprozess materielle Investitionschutzstandards verletzt wurden, die nicht gerechtfertigt werden können.

(4) Verletzung materieller Standards durch Umschuldungsmaßnahmen

Je nach Ausgestaltung einer Restrukturierung können verschiedene materielle investitionsrechtliche Standards verletzt sein. Grundsätzlich ist bei Umschuldungsmaßnahmen zunächst an den in Investitionsabkommen enthaltenen Enteignungsschutz zu denken. Aber auch eine Verletzung des *Fair and Equitable Treatment*-Standards (FET), der Inländergleichbehandlung und Meistbegünstigung erscheint im Rahmen einer Restrukturierung denkbar.[699] Dabei ist freilich immer der Wortlaut des speziellen Umschuldungsangebots zu beachten.

i) *Enteignungsschutz*

Überwiegend wird davon ausgegangen, dass eine Reduzierung des Nennwertes von Staatsanleihen oder deren vollkommene Eliminierung durch den Schuldnerstaat ohne adäquate Entschädigung des Investors den Tatbestand einer direkten Enteignung erfüllt.[700] Hingegen wäre eine von der Gläubigermehrheit auf Grundlage von CACs beschlossene Umschuldung nicht als Enteignung zu qualifizieren, da diese von Anfang an in den Anleihen angelegt war.[701] Wesentlich schwieriger sind alle Maßnahmen zu fassen, die unter dieser Eingriffsschwelle liegen.

---

699 Siehe zum Prüfungsumfang *Abaclat and others v. Argentinien,* ICSID Case No. ARB/07/5, Decision on Jurisdiction and Admissibility, 4.8.2011, Para. 314, abrufbar unter: http://www.italaw.com/sites/default/files/case-documents/ita0236.pdf, zuletzt aufgerufen am 20.3.2017.

700 *Wälde,* The Serbian Loans Case: A Precedent for Investment Treaty Protection of Foreign Debt?, in: Weiler, International Investment Law and Arbitration, 2005, 383, 409; *Tietje,* Die Argentinien-Krise aus rechtlicher Sicht, 2005, S. 15; *Szodruch,* Staateninsolvenz und private Gläubiger, 2008, S. 257.

701 Richtigerweise stellt auch die nachträgliche Einführung von CACs in Staatsanleihen keine Enteignung dar, siehe *Seitz,* Umschuldungsklauseln (Collective Action Clauses) in Staatsanleihen des europäischen Währungsraumes, 2014, S. 463.

Das Investitionsschutzrecht geht von einem weiten Enteignungsbegriff aus, der neben direkten Enteignungen auch sog. indirekte Enteignungen umfasst. Allerdings herrscht in der Schiedsgerichtspraxis keine Einigkeit über das Verständnis von indirekten Enteignungen.[702] Zum Teil bejahten Schiedsgerichte schon eine Enteignung bei einem bloßen Wertverlust der Investition. Eine solch weite Auslegung wurde zu Recht dafür kritisiert, Investitionen vor jeglichem wirtschaftlichen Risiko zu schützen. Vernünftigerweise ist deshalb zumindest ein substantieller Verlust zu fordern.[703] Eine bloße Aussetzung des Schuldendienstes ist wohl deshalb nicht als Enteignung zu klassifizieren, da dadurch die ursprünglichen Forderungen noch erhalten bleiben.[704]

Während teilweise nur auf die tatsächlichen Auswirkungen einer staatlichen Maßnahme (sog. *sole effects*-Doktrin) abgestellt wird, beziehen manche Schiedsgerichte die Motivation des Gaststaates in ihre Bewertung mit ein (sog. *police powers doctrine*).[705] Bei letzterer Herangehensweise wäre es möglich, ein vom Schulderstaat initiiertes und notwendiges Umschuldungsverfahren zu dessen Gunsten auf der Tatbestandsseite zu berücksichtigen.[706] Alles in allem erscheint es auch aufgrund der vielen Unwägbarkeiten des Enteignungstatbestands nicht unwahrscheinlich, dass Schiedsgerichte Umschuldungsmaßnahmen als indirekte Enteignungen qualifizieren.

ii) *Fair and Equitable Treatment-Standard*

Das Gebot der gerechten und billigen Behandlung ist standardmäßig in Investitionsschutzabkommen enthalten und wird in Schiedsverfahren am häufigsten geltend gemacht.[707] Gleichwohl ist sein Schutzumfang auch aufgrund seines

702 Vgl. insbesondere *Perkams*, Internationale Investitionsschutzabkommen im Spannungsfeld zwischen effektivem Investitionsschutz und staatlichem Gemeinwohl, 2011, S. 241 ff.

703 "Substantial depriviation", vgl. *CMS v. Argentina*, ICSID Case No. ARB/01/8, Award, 12.5.2005, abrufbar unter: http://www.italaw.com/sites/default/files/case-documents/ita0184.pdf, zuletzt aufgerufen am 20.3.2017.

704 Ebenso *Waibel*, AJIL 101 (2007), 711, 746: "There is hence ample authority that failure to pay a sovereign bond does not engage the state's international responsibility, even if it constitutes a default under the bond."; *Szodruch*, Staateninsolvenz und private Gläubiger, 2008, S. 260; a.A. *Tietje*, Die Argentinien-Krise aus rechtlicher Sicht, 2005, S. 15.

705 *Griebel*, Internationales Investitionsrecht, 2008, S. 78.

706 *Wälde*, The Serbian Loans Case: A Precedent for Investment Treaty Protection of Foreign Debt?, in: Weiler, International Investment Law and Arbitration, 2005, 383, 410.

707 *Schreuer*, JWIT 6 (2005), 357; *Griebel*, Internationales Investitionsrecht, 2008, S. 69.

abstrakten Wortlauts noch heute erheblich umstritten.[708] Uneinigkeit besteht bereits darüber, ob der FET-Standard eine bloße Festschreibung des völkerrechtlichen Mindeststandards bedeutet oder vielmehr einen eigenständigen Schutzstandard darstellt. Überzeugender ist wohl, von einem eigenen vom Fremdenrecht losgelösten Schutzstandard auszugehen, auch wenn es gewiss Überschneidungen geben mag.

Nichtsdestotrotz bedarf der Schutzstandard aufgrund seiner unbestimmten Tatbestandsmerkmale in jedem Einzelfall der Auslegung durch die Schiedsgerichte. Damit geht natürlich für alle Parteien auch eine gewisse Rechtsunsicherheit einher. *Schreuer* hat in seiner umfassenden Untersuchung der schiedsgerichtlichen Praxis dabei vier Hauptanwendungsfelder ausgemacht: Transparenz und der Schutz legitimer Erwartungen des Investors (1), Freiheit von Zwang und Belästigungen (2), angemessenes Verfahren und gerechter Prozess (3) und guter Glauben (4).[709]

Auch wenn zur Restrukturierung von Staatsschulden noch keine einschlägigen Schiedsgerichtsentscheidungen bestehen, sind vielfältige Anknüpfungspunkte für die Verletzung des FET-Standards vorstellbar.[710] Auch im Fall *Abaclat,* in dem bisher nur eine Entscheidung über die Zuständigkeit erging, hat das Schiedsgericht bereits angedeutet, dass es eine Verletzung des FET-Standards für möglich erachtet.[711] Dabei genügt wohl eine Aussetzung des Schuldendienstes nicht, um eine Verletzung des FET-Standards zu bejahen. Diesen Ansatz unterstützen verschiedene Schiedssprüche, die zwar nicht im Zusammenhang mit Staatsinsolvenzen ergingen, wohl aber in ähnlich gelagerten Fällen. Im NAFTA-Fall *Waste Management,* in dem die Stadt Acapulco aufgrund einer finanziellen Krise Zahlungen versäumte, entschied das zuständige Schiedsgericht,

> „ *[…] even the persistent non-payments of debts by a municipality is not to be equated with a violation of Article 1105 [NAFTA] provided that it does not amount to an outright and unjustified repudiation of the transaction and provided that some remedy is open to the creditor to address the problem. In the present case the failure to pay can be explained, albeit not excused, by the financial crisis which meant that at key points the City could*

708 Vgl. nur *Waibel,* AJIL 101 (2007), 711, 748: "[…] the standard is surrounded by considerable fog."

709 *Schreuer,* JWIT 6 (2005), 357, 373 f.

710 Vgl. dazu *Waibel,* AJIL 101 (2007), 711, 752 f.

711 *Abaclat and others v. Argentinien,* ICSID Case No. ARB/07/5, Decision on Jurisdiction and Admissibility, 4.8.2011, Para. 314.

hardly pay its own payroll. There is no evidence that it was motivated by sectoral or local prejudice.“[712]

Allerdings sind auch Fallgestaltungen denkbar, in welchen die Verletzung des FET-Standards angenommen werden könnte. Beispielsweise könnte bei mangelnder Transparenz sowie fehlender Verhandlungsbereitschaft des Schuldnerstaats im Restrukturierungsprozess eine Verletzung des gerechten Prozesses subsumiert werden.

Auch wenn vieles von der Einzelfallentscheidung des jeweiligen Schiedsgerichts abhängt, bestehen für Schuldnerstaaten bei der Restrukturierung ihrer Schulden Risiken gegen den FET-Standard zu verstoßen.

iii) *Meistbegünstigung und Inländergleichbehandlung*

Werden im Rahmen von Restrukturierungsmaßnahmen verschiedene Gläubigergruppen unterschiedlich behandelt, sind Verstöße gegen die wesentlichen Grundsätze der Meistbegünstigung und Inländergleichbehandlung denkbar.[713] Während die Meistbegünstigung im Wesentlichen dem Investor eine ebenso günstige Behandlung durch den Gaststaat zusichert wie Investoren aus Drittstaaten, verbietet der Grundsatz der Inländerbehandlung eine Ungleichbehandlung von inländischen und ausländischen Investoren.[714]

Es erscheint nicht unmöglich, dass Gläubiger im Rahmen von Restrukturierungen aufgrund ihrer Nationalität diskriminiert werden. Würde ein Schuldnerstaat nationale Investoren von einer Umschuldung generell ausnehmen, läge ein Verstoß gegen die Inländergleichbehandlung nahe. In diese Richtung geht auch der Vorwurf im Fall *Abaclat,* Argentinien hätte durch die Besserbehandlung von nationalen Investoren, insbesondere argentinischen Pensionskassen, gegen den Grundsatz der Inländergleichbehandlung verstoßen.[715] Problematisch ist in einem solchen Fall immer, wie man die für die Ungleichbehandlung relevante Vergleichsgruppe bildet, denn davon hängt ganz entscheidend ab, ob man letztlich eine Diskriminierung annimmt. Parallel zum WTO-Recht wird

---

712 Art. 1105 NAFTA enthält unter anderem den FET-Standard, *Waste Management v. Mexico,* ICSID Case No. ARB (AF)/00/3, Award, 30.4.2004, Para. 115.

713 Vgl. insoweit wiederum *Abaclat and others v. Argentinien,* ICSID Case No. ARB/07/5, Decision on Jurisdiction and Admissibility, 4.8.2011, Para. 314.

714 Dazu ausführlicher *Griebel,* Internationales Investitionsrecht, 2008, S. 79 ff. m.w.N.

715 *Abaclat and others v. Argentinien,* ICSID Case No. ARB/07/5, Decision on Jurisdiction and Admissibility, 4.8.2011, Para. 314.

bei der Beurteilung der Vergleichbarkeit auf das Marktverständnis rekurriert.[716] Alle ausgegebenen Staatsanleihen zu einer Vergleichsgruppe zusammenzufassen ginge dabei eindeutig zu weit, denn die verschiedenen Anleihetranchen unterscheiden sich zum Teil erheblich in ihren Bedingungen und damit auch in ihrem Marktwert. Jedenfalls Anleihen derselben Tranche oder alle Anleihen mit vergleichbaren *key financial terms* müssten richtigerweise zu einer Vergleichsgruppe zusammengefasst werden. Die Zusammenfassung aller Fremdwährungsverbindlichkeiten ist daher zu weitgehend, soweit die fremde Währung ihr einziges gemeinsames Merkmal ist und sich die übrigen *key financial terms* erheblich unterscheiden.[717]

In der heutigen weit atomisierten Anleihenstruktur ist den Schuldnerstaaten die Nationalität ihrer Gläubiger allerdings meist gar nicht mehr bekannt. Auch ist es auf dem globalisierten Finanzmarkt auch nicht mehr so, dass bestimmte Anleihetranchen nur von Inländern und andere nur von Ausländern gekauft werden. Rein faktisch begegnet ein Staat, der plant eine bestimmte Gläubigergruppe auf Grundlage seiner Nationalität zu bevorzugen oder zu benachteiligen, erheblichen tatsächlichen Schwierigkeiten.[718] Eine Diskriminierung der Gläubiger aufgrund ihrer Nationalität war in jüngsten Umschuldungen wie 2012 in Griechenland daher auch nicht mehr festzustellen.[719]

Problematisch unter dem Gesichtspunkt einer Verletzung des Meistbegünstigungsstandards könnte hingegen die Ausnahme der Kredite von institutionellen Gläubigern wie dem IWF von Restrukturierungen sein.[720] Im Rahmen der griechischen Umschuldung 2012 wurden zudem die Anleihen, die von Zentralbanken und der EZB gehalten wurden vom Restrukturierungsprozess ausgenommen.[721] Allerdings ist auch hier nach der Vergleichbarkeit der betroffenen Sachverhalte als relevantem Abgrenzungskriterium zu fragen. Multilaterale Finanzinstitutionen sind nach dem Marktverständnis schon nicht mit privaten Investoren vergleichbar, denn diese agieren als *lender of last resort* in

716 *Szodruch*, Staateninsolvenz und private Gläubiger, 2008, S. 177; kritisch *Wälde*, The Serbian Loans Case: A Precedent for Investment Treaty Protection of Foreign Debt?, in: Weiler, International Investment Law and Arbitration, 2005, 383, 411 ff.

717 Dafü aber *Szodruch*, Staateninsolvenz und private Gläubiger, 2008, S. 176 f.

718 *Waibel*, AJIL 101 (2007), 711, 740.

719 *Sandrock*, RIW 2012, 429, 447.

720 Siehe zur de-facto-Seniorität internationaler Finanzorganisationen S. 159 ff.

721 Vgl. *Sandrock*, RIW 2012, 429, 447.

solchen Situationen, in denen private Gläubiger nicht mehr bereit wären Kredite zu gewähren. Wenn auch Zentralbanken per se nicht die Rolle eines *lender of last resort* zukommt, kann aufgrund ihrer Gemeinwohlorientierung[722] eine Vergleichbarkeit mit privaten Investoren, die lediglich nach Gewinnmaximierung streben, verneint werden.[723] Bezieht man sich in der Abgrenzung allerdings allein auf das Marktverständnis, dürfte das Ergebnis nicht so eindeutig ausfallen. Denn anders als bei IWF-Krediten knüpft der Markt an Zentralbankanleihen keine weiterführenden Rechtsfolgen. Vielmehr treten die Zentralbanken wie jeder andere Marktakteur auf dem Sekundärmarkt auf.

(5) Geringe Chancen der Rechtfertigung durch den Schuldnerstaat

Die Untersuchung hat gezeigt, dass Verletzungen von materiellen Schutzstandards im Restrukturierungsprozess durchaus möglich sind. Fraglich ist jedoch, ob ein Schuldnerstaat diese aufgrund seiner finanziellen Krise rechtfertigen könnte. Ein Schuldnerstaat kann sich dabei sowohl auf allgemeine völkerrechtlich anerkannte als auch auf spezielle völkervertragliche Rechtfertigungstatbestände aus Investitionsschutzabkommen berufen. Von besonderer Relevanz ist in diesem Umfeld der Rechtfertigungsgrund des Staatsnotstands. Wie bereits dargestellt wurde, kommt die Rechtfertigung auf Grund des allgemeinen Staatsnotstands nur in Ausnahmefällen in Betracht.[724] Im Bereich des Investitionsschutzrechts können sich jedoch Besonderheiten ergeben, da Investitionsschutzabkommen teilweise gesonderte Notstandsklauseln enthalten.

Im Nachgang der argentinischen Wirtschaftskrise hat der Rechtfertigungsgrund des Staatsnotstands in Investitionsschiedsverfahren erhebliche Beachtung erfahren. Zwar wurde damals nicht über die Rechtfertigung von staatlichen Umschuldungshandlungen verhandelt, dennoch lassen sich die Ausführungen über die Rechtfertigung aufgrund eines Staatsnotstandes auf Restrukturierungsfälle übertragen, da auch damals die Wirtschaftskrise das den Notstand auslösende Ereignis darstellte. Auffällig ist, dass die befassten Schiedsgerichte zu einer höchst unterschiedlichen Bewertung kamen.

Die erste in diesem Sachkomplex ergangene Entscheidung war *CMS v. Argentinien.* Darin stellten die Schiedsrichter maßgeblich auf die

---

722 Für das ESZB ergibt sich diese aus Art. 127 AEUV. Zur Zulässigkeit von Anleihekäufen durch das ESZB siehe EuGH, Rs. C-62/14, *Gauweiler,* ECLI: EU: C:2015:400.

723 Vgl. *Sandrock,* RIW 2012, 429, 447 f., ebenso *Müller,* Staatsbankrott und private Gläubiger, 2015, S. 254.

724 Zur völkerrechtlichen Einrede des Staatsnotstandes ausführlich oben S. 133 ff.

völkergewohnheitsrechtlich anerkannte Notstandseinrede ab. Obwohl eine schwere Wirtschaftskrise wie die argentinische einen Staatsnotstand begründen könne, verneinte das Schiedsgericht eine Rechtfertigung Argentiniens im konkreten Fall. Nach Ansicht des Schiedsgerichts hatte Argentinien nicht ausreichend bewiesen, dass die ergriffenen Maßnahmen die einzige Möglichkeit darstellten die Notstandslage zu lösen. Zudem ging das Schiedsgericht davon aus, dass Argentinien selbst zur Notstandslage beigetragen habe und ihm daher eine Rechtfertigung auf Grundlage des Staatsnotstands schon gar nicht zustünde.[725]

Kurze Zeit später gelangte das Schiedsgericht im Fall *LG&E v. Argentinien* in einem ähnlich gelagerten Fall zu einer diametralen Einschätzung der rechtlichen als auch der tatsächlichen Lage. Das Schiedsgericht wendete die speziellere Notstandsklausel aus dem einschlägigen BIT an und kehrte bezüglich der Erforderlichkeit und dem Mitverschuldenserfordernis die Beweislast zu Lasten des Investors um. Da eine entsprechende Beweisführung scheiterte, bejahte das Schiedsgericht eine Rechtfertigung durch Staatsnotstand. Auf der Rechtsfolgenseite ging das Schiedsgericht parallel zum völkergewohnheitsrechtlichen Konzept lediglich von einer Aussetzung der Pflichten für die Zeit des Bestehens der Notstandssituation aus. Allerdings verneinte das Schiedsgericht eine nach dem Gewohnheitsrecht bestehende Ausgleichspflicht, da in der BIT-Klausel keine Entschädigungspflicht erwähnt wurde. Obwohl die *LG&E*-Entscheidung teilweise als Weiterentwicklung der schiedsgerichtlichen Praxis gelobt wurde, unterlag sie in einigen Punkten starker Kritik. Insbesondere die Übertragung der Beweislast auf den Investor wird als fehlgeleitet betrachtet, da ein Nachweis durch den Investor beinahe unmöglich sein dürfte. Für die Prüfung der Notwendigkeit einer Maßnahme wird anstatt von Beweislastregelungen eine Verhältnismäßigkeitsprüfung vorgeschlagen. Im Rahmen des Mitverschuldenskriteriums soll dem Schuldnerstaat zudem eine Einschätzungsprärogative zukommen, sodass nicht jede alternative Handlungsoption eine Rechtfertigung ausschließt.[726]

Aus der dargestellten Schiedspraxis ergibt sich, dass die Maßstäbe für eine Rechtfertigung mit erheblichen rechtlichen Unsicherheiten belastet sind. Zum heutigen Zeitpunkt ist für Schuldnerstaaten nur schwer abschätzbar, ob eine Rechtfertigung gelingen mag.

---

725 *CMS v. Argentina*, ICSID Case No. ARB/01/8, Award, 12.5.2005, abrufbar unter: http://www.italaw.com/sites/default/files/case-documents/ita0184.pdf, zuletzt aufgerufen am 20.3.2017.

726 *Schill*, SchiedsVZ 2007, 178.

(6) Lösung durch Änderung der Investitionsschutzverträge insb. durch Aufnahme einer Staatsschuldenausnahme

Aufgrund der negativen Auswirkungen einer erwartbaren erfolgreichen Rechtsverfolgung durch Hold-outs vor Investitionsschiedsgerichten auf den Restrukturierungsprozess erscheint es zweckmäßig den Investitionsschutz zumindest bei laufenden Restrukturierungsverhandlungen auszuschließen. Teilweise wird versucht dieses Ergebnis durch die Aufnahme von Ausnahmeklauseln in Investitionsschutzverträge zu verhindern. Bisher fanden sich solche Ausnahmeregelungen vor allem in Annexen verschiedener Abkommen zwischen den USA und lateinamerikanischen Staaten, z.B. im BIT USA-Uruguay von 2004. Die USA verhandeln solche Annexe allerdings nicht standardmäßig, sondern nehmen diese nur auf, soweit sie von Vertragspartnern gefordert werden.[727] Die UNCTAD lobte die Aufnahme von Ausnahmeklauseln bereits 2011 als einen Schritt in die richtige Richtung.[728] Da die Verbreitung von Ausnahmeregelungen bisher geographisch auf Südamerika begrenzt war, fällt es umso mehr ins Gewicht, dass auch die unterzeichneten Fassungen des CETA[729] und des TPP[730] in ihren Investitionsschutzkapiteln Ausnahmeklauseln für „Public Debt" enthalten. Der

---

727 *Gallagher*, IDEAs Working Paper 02/2011, S. 21 ff. mit weiteren Beispielen.

728 *UNCTAD*, IIA Issues Note No. 2, Juli 2011, S. 8, abrufbar unter: http://unctad.org/en/Docs/webdiaepcb2011d3_en.pdf, kritisiert wird lediglich die Rückausnahme für Verstöße gegen die Meistbegünstigung und die Inländergleichbehandlung.

729 Siehe Annex 8-B zum CETA. Darin heißt es:
„2. Es darf keine Klage, dass die Restrukturierung einer Vertragspartei einen Verstoß gegen eine Verpflichtung gemäß den Abschnitten C und D darstelle, eingereicht, oder, wenn die Klage bereits eingereicht wurde, gemäß Abschnitt F aufrechterhalten werden, wenn die Umschuldung zum Zeitpunkt der Einreichung eine ausgehandelte Restrukturierung ist oder nach der Einreichung dazu wird; dies gilt nicht für Klagen, dass die Umschuldung gegen Artikel 8.6 oder Artikel 8.7 verstoße.
3. Unbeschadet des Artikels 8.22 Absatz 1 Buchstabe b und vorbehaltlich Absatz 2 darf ein Investor einer Vertragspartei eine Klage nach Abschnitt F, dass die Umschuldung von Schulden einer Vertragspartei einen Verstoß gegen eine Verpflichtung gemäß den Abschnitten C und D (ausgenommen Artikel 8.6 oder 8.7) darstelle, erst dann einreichen, wenn seit Einreichung des schriftlichen Konsultationsersuchens nach Artikel 8.19 durch den Kläger 270 Tage verstrichen sind."
abrufbar unter: http://data.consilium.europa.eu/doc/document/ST-10973-2016-ADD-3/de/pdf#page=66, zuletzt aufgerufen am 20.3.2017.

730 Siehe Annex 9-G zum TPP, abrufbar unter: https://www.mfat.govt.nz/assets/_securedfiles/trans-pacific-partnership/text/9-investment-chapter.pdf, zuletzt aufgerufen am 20.3.2017.

Wortlaut der CETA-Klausel orientiert sich offenbar an den amerikanischen Vorbildern.[731] Ein Investor-Staat-Schiedsverfahren ist demnach unzulässig, sofern es sich um eine „ausgehandelte Restrukturierung" („negotiated restructuring") handelt und weder der Meistbegünstigungsgrundsatz noch die Inländergleichbehandlung betroffen sind. Liegt keine „ausgehandelte Restrukturierung" vor, so schreibt Nr. 3 des Annex 8-B eine sog. *cooling off*-Periode von 270 Tagen vor, in welcher Gläubiger nicht klagen dürfen. In diesem Zeitraum soll es dem Schuldnerstaat ermöglicht werden Umschuldungsbemühungen anzustrengen, ohne bereits Klagen ausgesetzt zu sein. Die Praxisprobe dieser Ausnahmeannexe steht bisweilen noch aus. Es bleibt daher abzuwarten wie diese von den Schiedsgerichten ausgelegt werden.

Meistbegünstigungsklauseln könnten allerdings die Wirksamkeit solcher Ausnahmeklauseln beeinträchtigen, denn Investoren könnten sich auf andere Investitionsschutzabkommen berufen, die keine entsprechende Einschränkung vorsehen. Die Anwendung der Meistbegünstigungsklausel ist allerdings sehr umstritten. Insbesondere die Begründung einer schiedsgerichtlichen Zuständigkeit über die Meistbegünstigung ist Gegenstand vieler Diskussionen. Richtigerweise kommt es dabei auf die Auslegung jeder einzelnen Klausel an. Wichtig ist daher eine entsprechende Formulierung der Meistbegünstigungsklausel, die eine Anwendung der Meistbegünstigung auf Zuständigkeitsfragen ausschließt. Bei entsprechender Formulierung wäre die Wirksamkeit von Ausnahmeklausel durch die Meistbegünstigung daher nicht gefährdet.

Da die überwiegende Mehrheit von Investitionsschutzabkommen jedoch keine Ausnahmeklauseln enthält, kommt diesen bislang keine große Bedeutung zu. Allerdings kann nicht ausgeschlossen werden, dass den Klauseln in CETA und TPP eine Vorbildfunktion zukommt. Sollten sich solche Ausnahmeklauseln in der Vertragspraxis tatsächlich durchsetzen, würde es bis zur flächendeckenden Verbreitung noch lange Zeit dauern, da bestehende Abkommen meist erst mit Ablauf der Vertragsdauer abgeändert werden.

(7) Zwischenergebnis

Die Untersuchungen haben gezeigt, dass der Erfolg einer Rechtsverfolgung durch Hold-outs vor Investitionsschiedsgerichten nach der aktuellen Schiedspraxis mit einigen Unsicherheiten behaftet ist. Dennoch ist es nach dem jetzigen Stand nicht auszuschließen, dass sich eine für Hold-out-Gläubiger günstige

731 Inhalte der verschieden Klauseln übersichtlich in Tabellenform finden sich bei *Gallagher,* IDEAs Working Paper 02/2011, S. 22.

Schiedspraxis etabliert. Die Bejahung der Zuständigkeit für Streitigkeiten um Restrukturierungen stellt eine Klippe dar, die von Schiedsgerichten bereits mehrmals überwunden wurde. Die Annahme der Verletzung materieller Schutzstandards durch Umschuldungen liegt dann nicht mehr fern. Für die Schuldnerstaaten besteht dadurch die Gefahr, dass der Erfolg ihrer Restrukturierungen nachhaltig gefährdet werden kann. Die Möglichkeit dieser Entwicklung durch die Aufnahme von Ausnahmeklauseln Einhalt zu gebieten, kann nur langfristig Wirkung entfalten.

8. *Ultima Ratio: Umschuldung durch Anordnung des UN-Sicherheitsrats*

Grundsätzlich beruht eine Restrukturierung auf dem freien Entschluss eines Schuldnerstaates seine Schulden zu restrukturieren. Kommt er zu dem Ergebnis, dass seine Schulden nicht mehr tragfähig sind, geht er auf seine Gläubiger zu und tritt mit diesen in Verhandlungen über die Umschuldung ein. Die Gläubiger sind ihrerseits grundsätzlich nicht dazu verpflichtet an einer Umschuldung teilzunehmen. Diese Rechtslage führt zu einem äußerst offenen Restrukturierungsprozess. Ein geregelter Restrukturierungsprozess wird von der Völkerrechtsordnung gerade nicht bereitgehalten.

Im äußersten Fall ist jedoch auch ohne den Willen der Vertragsparteien eine zwangsweise Umschuldung durch eine Anordnung des Sicherheitsrates nach Kapitel VII UN-Charta denkbar. Dafür müsste die Insolvenz des Schuldnerstaates einen Friedensbruch i.S.d. Art. 39 UN-Charta darstellen. Unter Friedensbruch wurde traditionell eine Situation verstanden, in der ein grenzüberschreitender militärischer Konflikt droht. Allerdings wird heute das Merkmal der Friedensbedrohung deutlich weiter ausgelegt, sodass auch interne humanitäre Problemlagen, die mit einer erheblichen Verletzung wirtschaftlicher und sozialer Menschenrechte verbunden sind und bewaffnete Auseinandersetzungen provozieren können, eine zulässige Intervention durch den Sicherheitsrat auslösen können.[732] Es ist durchaus denkbar, dass im Rahmen der Insolvenz eines Staates Situationen auftreten, die unter den Tatbestand der Friedensbedrohung subsumiert werden könnten, beispielsweise wenn ein Staat mangels finanzieller Mittel nicht mehr fähig ist, die Grundbedürfnisse seiner Bürger zu erfüllen.[733] Bloße

---

732 Ausführlich zu Friedensbegriff *Gading,* Der Schutz grundlegender Menschenrechte durch militärische Massnahmen des Sicherheitsrates – das Ende staatlicher Souveränität?, 1996, S. 82 ff.; *Goldmann,* GoJIL 2012, 153, 169 ff.

733 Zur Verletzung von sozialen Menschenrechten im Rahmen der europäischen Staatsschuldenkrise *Hoffmann/Krajewski,* KJ 2012, 1, 10 ff.

Einschränkungen des Lebensstandards oder das Ansteigen der Arbeitslosenzahlen würden für eine Anordnung nach Kapitel VII UN-Charta jedoch nicht genügen. In welche Richtung die Anordnungen des Sicherheitsrats bei Bejahung einer Friedensbedrohung durch staatliche Insolvenz gehen könnten, lässt sich an der Resolution 1483 (2003) des Sicherheitsrates zugunsten des Iraks ablesen. In dieser wurde ein Vollstreckungsverbot für Erdöl, Erdölprodukte und Erdgas aus dem Irak sowie Erlöse aus den Verkäufen dieser Produkte verhängt. Neben der Anordnung eines Vollstreckungsverbots sind auch die Anordnung von Hilfszahlungen an den betroffenen Schuldnerstaat oder die Anordnung einer internationalen Insolvenzverwaltung denkbar.[734] Vorteil eines Vorgehens durch den Sicherheitsrat wäre, dass durch die umfassende Verbindlichkeit seiner Anordnungen für staatliche Akteure wie auch mittelbar über die nationalen Rechtsordnungen für Private, eine wirkungsvolle Umschuldung durchgeführt werden könnte. Auch wenn es bisher nicht der Fall war, ist es nicht ausgeschlossen, dass der Sicherheitsrat deshalb seine Kompetenzen ausweitet und bei zukünftigen Staatsinsolvenzen auch unterhalb der Eingriffsschwelle des Friedensbruchs einschreitet.[735]

Eine solche Ausdehnung wäre jedoch aus zwei Gründen kritisch zu sehen. Zum einen fehlt dem Sicherheitsrat und der UN, als der dahinterstehenden Organisation, die notwendige Erfahrung im Umgang mit insolventen Staaten und der Restrukturierung von Staatsschulden. Die für die erfolgreiche Durchführung einer Restrukturierung notwendige Kompetenz liegt ganz klar bei anderen Organisationen wie dem IWF, wobei die Durchführung einer umfassenden Restrukturierung ein noch viel komplexerer Vorgang ist als das bisherige Vorgehen des IWF. Zum anderen würde eine solche Kompetenzausweitung die dem Sicherheitsrat in Kapitel VII eingeräumten Kompetenzen überschreiten. Denn die UN-Charta legt für den Sicherheitsrat ganz klar eine Friedensbedrohung als Eingriffsschwelle fest. Der Wortlaut der UN-Charta lässt eine Auslegung, die jede Staatsinsolvenz unabhängig von ihren konkreten Auswirkungen als Friedensbedrohung einstuft, nicht zu; zumal aus Kapitel VII der UN Charta hervorgeht, dass ein Eingreifen des Sicherheitsrates auf Ausnahmefälle beschränkt sein soll. Sollte der Sicherheitsrat dennoch unterhalb der Schwelle der Friedensbedrohung tätig werden, wären seine Anordnungen als *ultra-vires*-Akte zu qualifizieren.

---

734 *Kämmerer,* ZaöRV 2005, 651, 661; *Goldmann,* GoJIL 2012, 153, 167.

735 Diese Prognose trifft jedenfalls *Kämmerer,* ZaöRV 2005, 651, 662; a.A. *Benninghofen,* Die Staatsumschuldung, 2014, S. 287 f.

9. *Souveränität im Rahmen der Restrukturierung*

a) *Begrenzte Gestaltungsmöglichkeiten eines Staates in der Restrukturierung: Ein Problem der Souveränität?*

Die Frage inwieweit ein Schuldnerstaat in der Lage ist seine Schulden zu restrukturieren entscheidet meist darüber, ob und wann ein Staat einen Weg aus seiner Insolvenz findet. Die vorstehende Analyse hat gezeigt, dass ein Schuldnerstaat heute nur geringe Gestaltungsmöglichkeiten hat, wenn es um die Restrukturierung seiner Schulden geht. Zwar kann der Schuldnerstaat Verhandlungen über die Restrukturierung seiner Schulden beginnen, doch sind die Gläubiger nicht dazu verpflichtet in diese einzutreten. Auch wenn die Gläubiger ökonomisch motiviert in die Verhandlungen eintreten, sieht der Schuldnerstaat sich unterschiedlichen Foren wie dem Pariser Club und dem Londoner Club gegenüber. Durch die Verbindung der Restrukturierungsverhandlungen mit einem Anpassungsprogramm des IWF ist der Schuldnerstaat noch weiter in seiner Verhandlungsfreiheit beschränkt. Insbesondere im Rahmen der Umschuldung von Staatsanleihen bleibt dem Schuldnerstaat nur die Möglichkeit positive und negative Anreize zu setzen. Auch wenn in den Anleihen CACs enthalten sind, ist eine erfolgreiche Durchführung einer Restrukturierung noch nicht garantiert. Zudem erschwert die erfolgreiche Rechtsverfolgung durch Hold-out-Gläubiger die Restrukturierungsbemühungen eines Schuldnerstaates weiterhin; teilweise wird dadurch eine erfolgreiche Umschuldung sogar gänzlich verhindert. Die Gestaltungsfreiräume eines Staates bei der Restrukturierung sind somit sehr begrenzt. Doch ist dadurch die staatliche Souveränität verletzt?

Letztlich geht es bei einer Umschuldung um die einvernehmliche Umgestaltung bestehender Rechtsverhältnisse, sei es in Form völkerrechtlicher oder auch privatrechtlicher Verträge. Ursprünglich ist der Schuldnerstaat diese Verbindlichkeiten freiwillig eingegangen. Die Frage, ob ein Staat in der Lage ist bestimmte Sachverhalte positiv umzugestalten, ist nichts mehr als die Frage nach der politischen Macht eines Staates und somit eine Frage nach dessen politischer Autonomie.

b) *Verletzung der Souveränität durch Praxis der Investitionsschiedsgerichte*

Dennoch ist ein Staat während des Restrukturierungsprozesses auch gewissen Bindungen unterworfen, die die Souveränität des Schuldnerstaates beschränken können. Dazu zählt die Unterwerfung des Schuldnerstaates unter Investitionsschutzabkommen, deren Durchsetzung Investitionsschiedsgerichten unterliegt. Deren Schiedssprüche können eine staatliche Umschuldung teilweise erheblich stören.

Fraglich ist, ob dadurch die staatliche Souveränität verletzt wird. Zunächst beruht die Schiedspraxis auf Investitionsschutzverträgen, die ein Schuldnerstaat freiwillig abgeschlossen hat. Die daraus entstehenden Bindungen können die Souveränität des Schuldnerstaats damit grundsätzlich nicht verletzen.[736]

(1) Extensive Auslegung des Investitionsbegriffs: *Ultra-vires*?

Eine Verletzung der Souveränität kommt dennoch in Betracht, wenn die Schiedspraxis den Spielraum überschreitet, der durch Vertragsparteien in den Investitionsschutzverträgen festgelegt wurde, d.h. ein *ultra-vires*-Akt vorliegt.

Eine solche Überschreitung könnte in der extensiven Auslegung des Investitionsbegriffs zu sehen sein, die auch Staatsanleihen als Investitionen subsumiert.[737] Wie bereits festgestellt wurde, gibt es viele verschiedene Gestaltungen von Investitionsschutzverträgen, sodass es je nach Vertrag unterschiedlich zu beurteilen sein dürfte, ob ein *ultra-vires*-Akt vorliegt. Teilweise ist die Beurteilung, ob eine Entscheidung *ultra-vires* ist sehr einfach, da manche Investitionsverträge Staatsanleihen *expressis verbis* umfassen, während andere Investitionsschutzabkommen diese explizit vom Schutzumfang ausschließen.[738] Allerdings ist noch kein Fall bekannt, in dem sich das Schiedsgericht ausdrücklich gegen den Wortlaut eines Investitionsschutzvertrages gestellt hätte. Schwieriger wird die Situation, wenn der Investitionsschutzvertrag sich nicht ausdrücklich dazu äußert, ob auch Staatsanleihen vom Schutz des Investitionsschutzvertrages umfasst werden. Auch wenn die besseren Gründe wohl gegen eine Ausdehnung des Investitionsbegriffs auf Staatsanleihen sprechen, haben Schiedsgerichte immer wieder ihre Zuständigkeit bejaht und damit den Restrukturierungsprozess erheblich beeinträchtigt. Allerdings ist fraglich, ob die Schiedsgerichte dadurch überhaupt gegen die durch die Vertragsstaaten gesetzten Zuständigkeitsgrenzen verstoßen, denn die Vertragsstaaten haben eine Formulierung gewählt, die den Schiedsgerichten den Auslegungsspielraum eröffnet, auch Staatsanleihen als Investitionen i.S.d. Investitionsschutzvertrages zu einzustufen.

---

736 Verfehlt dagegen *Karl*, International Investment Arbitration: A Threat to State Sovereignty, in: Shan/Simons/Singh, Redefining Sovereignty in International Economic Law, 2008, S. 230, der davon ausgeht, dass Investitionsschutzverträge die Souveränität beschränken.

737 Kritisch bezüglich der allgemeinen Ausdehnung der Investitionsschiedsgerichtsbarkeit *Sornarajah*, The Neo-Liberal Agenda in Investment Arbitration, in: Shan/Simons/Singh, Redefining Sovereignty in International Economic Law, 2008, 210 f.

738 Siehe dazu nur UNCTAD, IIA Issues Note No. 2, Juli 2011, abrufbar unter: http://unctad.org/en/Docs/webdiaepcb2011d3_en.pdf.

Doch selbst wenn man darin eine unerlaubte Ausdehnung der gewährten Kompetenzen durch das Schiedsgericht sieht, folgt daraus noch keine Souveränitätsverletzung. Denn die Staaten müssen sich letztlich die Ungenauigkeit ihrer eigenen Verträge vorhalten lassen, wenn Schiedsgerichte eine vertretbare Auslegung ihrer Verträge vornehmen. Mit der Vagheit des Investitionsschutzvertrages hat der Schuldnerstaat letztlich alle möglichen Auslegungen konsentiert. Hätte der Schuldnerstaat eine solche Auslegung verhindern wollen, hätte er von Anfang an einen konkreteren Vertrag abschließen oder sich ausdrücklich zur Auslegung äußern müssen.

Den Vertragsstaaten als Herren der Verträge verbleibt jedoch die Möglichkeit, gemeinsam mit ihren Vertragspartnern die bestehenden Verträge entsprechend abzuändern und Staatsanleihen vom Anwendungsbereich der Investitionsschutzverträge ausdrücklich auszunehmen.[739] Ein ähnliches Ergebnis ließe sich mit übereinstimmenden Auslegungserklärungen erzielen. Die hätten gegenüber einer Vertragsänderung den Vorteil, dass diese von den Schiedsgerichten unmittelbar angewendet werden müssten und somit noch Einfluss auf ein bereits laufendes Verfahren genommen werden könnte.

(2) Bestehende Lösungsmöglichkeit

Entscheidend für die Souveränität des Schuldnerstaates ist derweil, ob sich dieser gegebenenfalls von seinen Verpflichtungen im Rahmen des Investitionsschutzrechts wieder lösen kann. Dabei ist zum einen an die Lösung vom Investitionsschutzabkommen insgesamt zu denken. Zum anderen könnte es im Interesse des Schuldnerstaates liegen nur die ICSID-Konvention zu kündigen, um damit eine wirksame Rechtsverfolgung der Hold-out-Gläubiger zu verhindern.

i) *Lösung von Investitionsschutzverträgen*

Die weitgreifendste Möglichkeit würde die Lösung des Schuldnerstaates von seinen Investitionsschutzverträgen darstellen. Nach Art. 54 lit. b WVK ist es den Vertragsstaaten jederzeit möglich Investitionsschutzverträge einvernehmlich aufzulösen.[740] Für die Beurteilung der staatlichen Souveränität ist es jedoch entscheidend, dass ein Staat sich einseitig vom Vertrag lösen kann.

---

739 Dafür beispielsweise *UNCTAD,* IIA Issues Note No. 2, Juli 2011, abrufbar unter: http://unctad.org/en/Docs/webdiaepcb2011d3_en.pdf.

740 Siehe *UNCTAD,* IIA Issues Note No. 4, Juli 2013, S. 2, Fn. 4, abrufbar unter: http://unctad.org/en/PublicationsLibrary/webdiaepcb2013d9_en.pdf; umstritten ist freilich, ob eine solch einvernehmliche Beendigung sofortige Wirksamkeit entfaltet oder ob auch dann eine Nachwirkungszeit gilt *Braun,* Ausprägungen der Globalisierung: Der Investor als partielles Subjekt im Interntionalen Investitionsrecht, 2012, S. 168 ff.;

Tatsächlich haben Staaten in der Vergangenheit erfolgreich Investitionsschutzabkommen gekündigt.[741] Die Lösungsmöglichkeiten eines Staates ergeben sich zunächst aus dem Investitionsschutzvertrag selbst. BITs – als die weitverbreitetsten Investitionsschutzverträge – enthalten dazu eine Vielzahl verschiedener Regelungen.[742] In den meisten BITs ist von Anfang an eine bestimmte Vertragslaufzeit festgelegt, die sich bei Stillschweigen der Parteien automatisch verlängert. Dabei ist während der ersten Vertragslaufzeit (*initial validity period*) eine einseitige Kündigung meist ausgeschlossen. Die *initial validity period* beträgt durchschnittlich etwas mehr als zehn Jahre.[743] Darüber hinaus enthalten über 90 % der BITs sog. *survival clauses*, die dazu führen, dass Investitionen, die

---

Peters, Jenseits der Menschenrechte, 2014; S. 288 f.; *Nowrot*, Termination and Renegotiation of IIAs, in: Hindelang/Krajewski, Shifting paradigms in international investment law, 2016, 249 ff.

741 Eine Recherche auf dem Investment Policy Hub der UNCTAD ergab, das bisher insgesamt 50 Investitionsschutzabkommen einseitig beendet wurden. Angesichts der großen Zahl an Investitionsschutzabkommen – UNCTAD zählte Ende 2014 3271 Investitionsschutzabkommen – ist damit die Zahl der Kündigungen sehr gering, zeigt aber eine steigende Tendenz. *Gordon/Pohl* hatten 2014 nur 19 Investitionsschutzverträge gezählt, die einseitig beendet wurden, *Gordon/Pohl*, Investment Treaties over Time – Treaty Practice and Interpretation in a Changing World, OECD Working Papers on International Investment, 02/2015, S. 18, abrufbar unter: http://www.oecd.org/investment/investment-policy/WP-2015-02.pdf, zuletzt aufgerufen am 20.3.2017. Die Zunahme um mehr als 100 % lässt sich wohl auf die letzten Kündigungswellen durch Indonesien und Südafrika zurückführen.

742 Siehe die Studie von *Gordon/Pohl*, Investment Treaties over Time – Treaty Practice and Interpretation in a Changing World, OECD Working Papers on International Investment, 02/2015, S. 19, abrufbar unter: http://www.oecd.org/investment/investment-policy/WP-2015-02.pdf, zuletzt aufgerufen am 20.3.2017; ausführlicher *Pohl*, Temporal Validity of International Investment Agreements: A Large Sample Survey of Treaty Provisions, OECD Working Papers on International Investment, 2013/04, S. 11 ff., abrufbar unter: http://www.oecd-ilibry.org/docserver/download/5k3tsjsl5fvh.pdf?expires=1456328737&id=id&accname=guest&checksum=B8713821F65B17A44437A069B07695FE, zuletzt aufgerufen am 20.3.2017; dort ebenfalls auch zu den Unterschieden bei multilateralen Investitionsschutzabkommen.

743 *Gordon/Pohl*, Investment Treaties over Time – Treaty Practice and Interpretation in a Changing World, OECD Working Papers on International Investment, 02/2015, S. 18, abrufbar unter: http://www.oecd.org/investment/investment-policy/WP-2015-02.pdf, zuletzt aufgerufen am 20.3.2017; aufbauend auf *Pohl*, Temporal Validity of International Investment Agreements: A Large Sample Survey of Treaty Provisions, OECD Working Papers on International Investment, 2013/04, abrufbar unter: http://www.oecd-ilibry.org/docserver/download/5k3tsjsl5fvh.pdf?expires=1456328737&id

zum Zeitpunkt der Kündigung bereits getätigt oder genehmigt wurden, selbst bei Kündigung des BITs noch sehr lange durch das BIT geschützt werden. Die durschnittliche Wirkungsdauer über die Kündigungsdauer hinaus beträgt dabei 12,5 Jahre.[744] Die Vertragsstaaten sind durch das Zusammenspiel von *initial validity periods* und *survival clauses* meist eine erhebliche Zeit an die von ihnen abgeschlossenen Investitionsschutzverträge gebunden, ohne sich von diesen lösen zu können. *Gordon/Pohl* haben diese Konstellation zutreffend als „*lock in effect*" beschrieben.[745] Während die durschnittliche Bindung von Vertragsstaaten um die 21 Jahre beträgt, haben sich andere Staaten sogar für über 50 Jahre oder teilweise sogar unbegrenzt in BITs verpflichtet.[746]

Fraglich ist, ob dieser lange Zeitraum die Souveränität eines Staates beeinträchtigt. Denn dieser hat zwar grundsätzlich die Option sich vom Investitionsschutzvertrag zu lösen; allerdings ist er dieser Möglichkeit durch die lange Verpflichtungsdauer de facto beraubt. Insbesondere kann ein Schuldnerstaat in seiner Insolvenz seine Investitionsschutzabkommen nicht kündigen, um dadurch die unmittelbar anstehenden Verfahren von sog. *Hold-out*-Gläubigern zu verhindern. Allerdings setzt die Souveränität eines Staates nicht voraus, dass ein Staat sich jederzeit von seinen Bindungen lösen kann. Der Sinn und Zweck

---

=id&accname=guest&checksum=B8713821F65B17A44437A069B07695FE, zuletzt aufgerufen am 20.3.2017.

744 *Gordon/Pohl*, Investment Treaties over Time – Treaty Practice and Interpretation in a Changing World, OECD Working Papers on International Investment, 02/2015, S. 19, abrufbar unter: http://www.oecd.org/investment/investment-policy/WP-2015-02.pdf, zuletzt aufgerufen am 20.3.2017; *Pohl*, Temporal Validity of International Investment Agreements: A Large Sample Survey of Treaty Provisions, OECD Working Papers on International Investment, 2013/04, S. 17 ff., abrufbar unter: http://www.oecd-ilibry.org/docserver/download/5k3tsjsl5fvh.pdf?expires=1456328737&id=id&accname=guest&checksum=B8713821F65B17A44437A069B07695FE, zuletzt aufgerufen am 20.3.2017.

745 *Gordon/Pohl*, Investment Treaties over Time – Treaty Practice and Interpretation in a Changing World, OECD Working Papers on International Investment, 02/2015, S. 20, abrufbar unter: http://www.oecd.org/investment/investment-policy/WP-2015-02.pdf, zuletzt aufgerufen am 20.3.2017.

746 Eine unbegrenzte Wirksamkeit besitzt beispielsweise das Frankreich-Tunesien BIT von 1972, siehe *Pohl*, Temporal Validity of International Investment Agreements: A Large Sample Survey of Treaty Provisions, OECD Working Papers on International Investment, 2013/04, S. 19 Fn. 54, abrufbar unter: http://www.oecd-ilibry.org/docserver/download/5k3tsjsl5fvh.pdf?expires=1456328737&id=id&accname=guest&check sum=B8713821F65B17A44437A069B07695FE.

des Kriteriums der Lösbarkeit ist, dass dadurch alle Hoheitsmacht grundsätzlich beim Staat verortet bleibt. Um diese Rückbindung sicherzustellen genügt auch schon eine potentielle Lösungsmöglichkeit. Dieses Erfordernis erfüllen auch Lösungsmöglichkeiten nach langer Vertragslaufzeit, denn letztlich geht es nur darum, dass ein Staat seine Hoheitsmacht nicht endgültig abgegeben hat.

ii) *Kündigung der ICSID-Konvention*

Die Investor-Staat Schiedsverfahren vor ICSID bergen für Hold-out-Gläubiger große Vorteile, insbesondere können sie einen vor ICSID erstrittenen Award in jedem anderen Vertragsstaat unmittelbar vollstrecken. Eine Kündigung der ICSID-Konvention durch den Schuldnerstaat kann deshalb erstrebenswert scheinen, um die Rechtsverfolgung durch die Hold-out-Gläubiger einzudämmen.

Anders als bei Investitionsschutzabkommen ist eine Kündigung der ICSID-Konvention problemlos möglich. Nach Art. 71 der ICSID-Konvention kann ein Vertragsstaat die Konvention jederzeit kündigen. Sechs Monate nach Erhalt der Kündigung durch den Dispositar wird diese dann wirksam. Allerdings gestaltet sich die rechtliche Lage etwas komplizierter. Denn Art. 72 ICSID bestimmt, dass die Kündigung keine Auswirkung auf die Fälle hat, in welchen der Staat einer Zuständigkeit von ICSID bereits zugestimmt hat.[747] Problematisch wird die Auslegung des Begriffs „consent" für den Fall, dass ein Staat im Rahmen eines BITs seine Zustimmung zur Streitbeilegung vor ICSID erteilt hat. Denn eine solche Zustimmung kann durch einen Staat einseitig nicht mehr zurückgenommen werden. Teilweise wird für einen „consent" i.S.d. Art. 72 ICSID daher die beiderseitige Zustimmung durch Gaststaat und Investor vor Eingang der Kündigungserklärung gefordert, sodass ein Gaststaat nach Eingang seiner Kündigungserklärung nicht mehr verklagt werden kann.[748] Die weitgehendste Auslegung geht hingegen davon aus, dass für die Wirkung des Art. 72 ICSID die einseitige Zustimmung des Gaststaates genügt, sodass dieser auch nach seiner wirksamen Kündigung der ICSID-Konvention weiterhin von Investoren vor ICSID verklagt werden kann, solange das BIT besteht.[749] Ohne sich an dieser

---

747 Art. 72 ICSID: "Notice by a Contracting State pursuant to Articles 70 or 71 shall not affect the rights or obligations under this Convention of that State or of any of its constituent subdivisions or agencies or of any national of that State arising out of consent to the jurisdiction of the Centre given by one of them before such notice was received by the depositary."

748 *Schreuer*, The ICSID Convention: A Commentary, 2. Aufl. 2009, Art. 72 Rdnr. 5.

749 *Gaillard*, 237 NYLJ 122 (2007).

Stelle für eine bestimmte Auslegung zu entscheiden oder eine Prognose für die künftige Schiedspraxis zu wagen, soll mit der weiten Auslegung des Art. 72 ICSID der „worst case" für den Gaststaat zugrunde gelegt werden. In diesem Fall kann ein Gaststaat zunächst nicht einseitig von der Schiedsgerichtbarkeit des ICSID lösen, vielmehr ist er trotz einer ausdrücklichen Kündigung weiterhin ICSID unterworfen. Allerdings besteht diese Bindung nur solange wie auch das entsprechende BIT besteht, in welchem der Gaststaat seine Zustimmung zu ICSID erklärt. Damit kann sich ein Gaststaat indirekt durch eine Kündigung des BITs doch wieder von ICSID lösen, ist hier aber wiederum an die sehr langen Übergangsfristen gebunden. Wie bereits dargelegt wurde, beeinträchtigen diese die Souveränität eines Gaststaates nicht, sodass auch mögliche lange Fristen bei der Lösung von der ICSID-Konvention die Souveränität des Schuldnerstaates nicht beschränken.

c) Verletzung der Souveränität durch Eingreifen des UN-Sicherheitsrates

Auch wenn ein regelmäßiges Eingreifen des Sicherheitsrates in Umschuldungsprozesse bisher Utopie ist, wirft ein solches Vorgehen hinsichtlich der Souveränität des betroffenen Staates Fragen auf. Denn ein Einschreiten unterhalb der Schwelle der Friedensbedrohung müsste richtigerweise als *ultra-vires*-Akt der UN durch das Organ des Sicherheitsrates eingestuft werden. Die Folgen einer solchen Einstufung sind jedoch umstritten, denn im System der UN ist keine Instanz vorgesehen, die das Vorliegen eines *ultra-vires*-Akts feststellen könnte. Der Sicherheitsrat, als ein hochpolitisches Organ, würde seiner Fähigkeit beraubt effektive Entscheidungen zu treffen, wenn jeder Mitgliedstaat mit dem Verweis auf einen Kompetenzverstoß dessen Anordnungen zurückweisen könnte. Allerdings basiert die UN-Charta auf dem Grundsatz der souveränen Gleichheit seiner Mitglieder und garantiert den UN gerade keine grenzenlosen Kompetenzen. Wie aus Art. 2 Nr. 7 UN-Charta abgeleitet werden kann, ist ein Eingriff in die Souveränität der Mitgliedstaaten die Ausnahme. Gäbe es keine Überprüfung und damit keine *ultra-vires*-Akte wäre diese Vorschrift jedoch ohne Bedeutung.[750] Um die Grenzen der Kompetenzen des Sicherheitsrates zu wahren, muss es folglich den Mitgliedstaaten weiterhin möglich sein, die infrage stehenden Akte des Sicherheitsrates unter Verweis auf einen Kompetenzverstoß zurückzuweisen.

Doch bei einer Umschuldung nach Kapitel VII UN-Charta ist eine Zurückweisung des Schuldnerstaates mehr oder weniger sinnlos, denn die Umschuldung

750 *Graefrath*, ZaöRV 1995, 1, 66.

geht ja gerade ohne eine Mitwirkung des Schuldnerstaats vonstatten. Eine Zurückweisung durch den Schuldnerstaat wäre somit ohne Wirkung.[751] De facto wäre ein Schuldnerstaat dann doch an die Umschuldung gebunden, obwohl diese der UN-Charta widerspricht. Eine Umschuldung unterhalb der Schwelle der Friedensbedrohung durch den Sicherheitsrat würde damit der notwendigen Rückbindung an den Willen des Schuldnerstaats entbehren, sodass ein solches Vorgehen des Sicherheitsrates die Souveränität des betroffenen Mitgliedstaates verletzt.[752]

Allerdings ist fraglich, ob es zu so einer Ausdehnung der Kompetenzen des Sicherheitsrates überhaupt kommt, zumal für jede Anordnung des Sicherheitsrats die nach Art. 27 UN-Charta erforderliche Mehrheit von allen fünf ständigen und mindestens vier weiteren Sicherheitsratsmitgliedern erforderlich ist.

d) Zwischenergebnis: Grundsätzlich keine Verletzung der Souveränität während der Reststrukturierung

Insgesamt lässt sich festhalten, dass in der Phase der Restrukturierung grundsätzlich keine Verletzung der staatlichen Souveränität festzustellen ist. Durch schwierige Verhandlungen mit den einzelnen Gläubigergruppen ist vielmehr die staatliche Autonomie beeinträchtigt. Dieser Befund würde sich erst ändern, wenn der Sicherheitsrat Umschuldungen unterhalb der in Art. 39 UN-Charta festgelegten Schwelle der Friedensbedrohung durchführen würde. Eine solche Änderung des Kurses des Sicherheitsrates zeichnet sich bisher aber noch nicht konkret ab.

---

751 Auf die Machtlosigkeit des Schuldnerstaats verweist auch *Kämmerer,* ZaöRV 2005, 651, 662.

752 Ebenso *Schilling,* AVR 33 (1995), 67, 91 f.; a.A. bezüglich der Ausdehnung auf den Menschenrechtsschutz, *Gading,* Der Schutz grundlegender Menschenrechte durch militärische Massnahmen des Sicherheitsrates – das Ende staatlicher Souveränität?, 1996, S. 215 ff.

4 Souveränität im Umfeld der Insolvenz

A. Der souveräne Staat als spezieller Schuldner

Die Analyse hat gezeigt, dass der souveräne Staat in seiner Insolvenz aufgrund seiner Souveränität ein „ganz besonderer Schuldner" ist.[753] Die staatliche Souveränität zeigt sich zunächst bei der eingeschränkten Durchsetzbarkeit von Forderungen gegenüber Staaten aufgrund deren Immunität. Auch wenn die Immunität im Erkenntnisverfahren heute erheblich eingeschränkt ist und insbesondere bei Streitigkeiten über Staatsanleihen nicht greift, kann ein Staat sich aufgrund der ihm zustehenden Vollstreckungsimmunität durch gezielte Vermögensverschiebungen weitgehend der Vollstreckung von Titeln gegen ihn entziehen.

Des Weiteren besitzen Staaten, anders als private Schuldner, teilweise Einwirkungsmöglichkeiten auf ihre Schulden. Sind Schuldtitel nach inländischem Recht begeben, so kann ein Staat durch Änderung des nationalen Rechts auf die Schuldtitel einwirken und deren Bedingungen abändern, solange dies nach der nationalen Verfassung zulässig ist. Lautet der Schuldtitel auf inländische Währung kann ein Staat, soweit er nicht Mitglied einer Währungsunion ist, durch hoheitliche Abwertung der Währung, ebenfalls Einfluss auf seine Kredite nehmen.

Darüber hinaus kann ein Staat als Souverän, anders als private Schuldner, keinem Verfahren unterworfen werden, dem er selbst nicht ausdrücklich zugestimmt hat. Dies gilt für alle dargestellten Phasen der staatlichen Insolvenz. Insbesondere die Restrukturierung staatlicher Schulden wird immer von staatlicher Seite initiiert. Aber auch im Vorfeld einer Insolvenz, basieren Maßnahmen der Haushaltsüberwachung oder der Krisenhilfe auf einer Zustimmung der jeweiligen Staaten.

B. Die Ausnahmesituation des souveränen Staates in seiner Insolvenz

Die vorstehende Untersuchung hat gezeigt, dass sich ein Staat im Umfeld seiner Insolvenz in einer besonderen Situation befindet. Denn in allen Phasen seiner Insolvenz ist er weitgreifenden Beschränkungen seiner politischen Autonomie

753 *Von Lewinski,* Aspekte der Staateninsolvenz in der Europäischen Union, in: ZEW, Vorträge und Berichte, Nr. 189, 2011, S. 2.

ausgesetzt, während eine Verletzung seiner Souveränität nicht festgestellt werden konnte.

I. Weitgreifende Beschränkung der staatlichen Autonomie

1. Beschränkung der staatlichen Autonomie im Verlauf einer Insolvenz

Die weitgreifende Beschränkung der politischen Autonomie des Schuldnerstaates zieht sich über das gesamte Umfeld einer Insolvenz. Diese beginnt bereits bei Haushaltsüberwachungsmechanismen, welchen ein Staat vor dem Eintreten seiner finanziellen Notlage zugestimmt hat, die dann aber im Falle einer finanziellen Krise weitreichende Einwirkungsmöglichkeiten durch übergeordnete Entitäten zur Folge haben können. Im Rahmen der Verhandlungen um Krisenhilfe findet sich ein Staat in der schwächeren Verhandlungsposition, will er doch mithilfe der Krisenhilfe eine Insolvenz mit unsicherem Ausgang vermeiden. Dabei ist zu beobachten, dass von einem Schuldnerstaat meist weitreichende Reformen als Voraussetzung für die Gewährung von Krisenhilfe verlangt werden. Darüber hinaus erhöht sich der Druck auf den Schuldnerstaat durch die Vernetzung verschiedener Akteure zusätzlich. Um im Falle der Insolvenz mit dem Pariser Club eine Umschuldung erfolgreich verhandeln zu können, ist es beispielsweise erforderlich, dass der Schuldnerstaat sich zuvor mit dem IWF auf wirtschaftspolitische Anpassungsmaßnahmen geeinigt hat. Bei Verhandlungen mit dem IWF geht es dann gar nicht mehr nur um die Gewährung von Krisenhilfe, sondern zugleich auch darum, ob eine erfolgreiche Restrukturierung der Schulden möglich ist.

Aber auch die Restrukturierung an sich birgt für den Schuldnerstaat viele Probleme. Ist ein Staat insolvent und strebt die Restrukturierung seiner Schulden an, muss er in schwierige Verhandlungen mit verschiedenen Gläubigergruppen eintreten. Der Ausgang dieses Verhandlungsprozesses ist für den Schuldnerstaat jedoch völlig ungewiss und auch nur bedingt zu beeinflussen. Insbesondere durch die Rechtsverfolgung von *Hold-out*-Gläubigern kann der Erfolg einer Restrukturierung nachhaltig gefährdet werden.

Die Beschränkung der staatlichen Autonomie erstreckt sich über verschiedene Hoheitsbereiche. Allerdings bedeutet eine Insolvenz für einen Schuldnerstaat vorrangig eine Einschränkung seiner Haushaltsautonomie.

2. Insbesondere Beschränkung der Haushaltsautonomie

Unter Haushaltsautonomie versteht man die Fähigkeit eines Staates unabhängig über seine Einnahmen und Ausgaben zu entscheiden. Die Haushaltsautonomie spielt innerhalb eines demokratischen Verfassungsstaats eine gewichtige Rolle. Nicht umsonst wird die Budgethoheit immer wieder als das „Königsrecht" des Parlaments bezeichnet.[754] Auch das BVerfG hat in seinem Lissabon-Urteil unter anderem die *„fiskalischen Grundentscheidungen über Einnahmen und […] Ausgaben der öffentlichen Hand"* *„[a]ls besonders sensibel für die demokratische Selbstgestaltungsfähigkeit eines Verfassungsstaates"* eingestuft.[755] Darauf aufbauend hat das BVerfG in seinem Urteil zum Euro-Rettungsschirm die Bedeutung der Budgethoheit weiter hervorgehoben und für den deutschen Bundestag sogar ein *„Verbot der Entäußerung der Budgetverantwortung"* statuiert.[756] Die Bedeutung der Haushaltsautonomie erschöpft sich jedoch nicht in ihrer Wesentlichkeit für die Demokratie. Denn unabhängig von der Staatsform stellt die Haushaltsautonomie ein kennzeichnendes Merkmal jeder Staatlichkeit dar.[757] Wer über das Budget entscheidet, entscheidet letztlich auch darüber, welche Staatsaufgaben wie erfüllt werden. Damit wird die Entscheidung über Einnahmen und Ausgaben eines Staates zur Basis jeder Staatsleitung. *Haak* bezeichnet die Budgethoheit damit zu Recht als *„einen der sensibelsten Punkte innerhalb der neuzeitlichen Hoheitsstruktur"*.[758]

Die Bindungen, denen ein Schuldnerstaat in seiner Insolvenz unterliegt, führen dazu, dass dieser nicht mehr autonom über seine Einnahmen und Ausgaben entscheiden kann. Die Haushaltsautonomie eines Staates kann schon im Vorfeld seiner Insolvenz empfindlich beschränkt sein, wenn sich dieser einer externen Haushaltsüberwachung unterwirft. Insbesondere in der Phase der Krisenhilfe wird ein Staat in Memoranden zu sehr genauen Auflagen verpflichtet, welche Einnahmen er zu steigern und welche Ausgaben er zu kürzen hat. Diese Auflagen werden von den multilateralen Finanzinstitutionen meist sehr genau

754 Vgl. beispielsweise *Tappe/Wernsmann*, Öffentliches Finanzrecht, 2015 Rdnr. 64 ff., die den Begriff jedoch als historisch „schief" bezeichnen; ebenfalls *von Lewinski*, § 217 Nationale und internationale Staatsverschuldung, in: Isensee/Kirchhof, HStR X, 3. Aufl. 2012, Rdnr. 53; *Loscher*, Präventive Aufsicht der Europäischen Union über den Bundeshaushalt, 2014, S. 19.

755 BVerfGE 123, 267, 359 ff.

756 BVerfGE 129, 124, 179.

757 *Von Lewinski*, § 217 Nationale und internationale Staatsverschuldung, in: Isensee/Kirchhof, HStR X, 3. Aufl. 2012, Rdnr. 53.

758 *Haak*, Verlust der Staatlichkeit, 2007, 360; ähnlich auch *Wutscher*, Budgethoheit als konstitutives Element der Staatlichkeit?, in: Heschl et al., L'État, c'est quoi? Staatsgewalt im Wandel, 2014, 175.

vorgegeben. Der Schuldnerstaat hat aufgrund seiner finanziellen Notlage meist kaum Verhandlungsmacht.

II. Der insolvente Staat: Beschränkungen unterhalb der Schwelle der Souveränität

Wie herausgearbeitet wurde ist nach der heutigen Souveränitätskonzeption ein Schuldnerstaat in allen Phasen seiner Insolvenz nicht in seiner Souveränität beschränkt, denn alle Bindungen liegen unterhalb der Schwelle einer Souveränitätsverletzung. Unterhalb deshalb, weil im Rahmen der Untersuchung keine Verletzung der Kriterien der Freiwilligkeit und Lösbarkeit festzustellen war. Die völkerrechtlichen Bindungen eines Schuldnerstaates beruhen stets auf dessen freiwilliger Zustimmung. Wenn Druck auf den Schuldnerstaat ausgeübt wurde, dann überschritt dieser nicht die Grenze zur souveränitätsverletzenden Intervention. Eine Ausnahme würde eine zwangsweise Umschuldung durch den Sicherheitsrat bilden, da eine solche von den Mitgliedstaaten in der UN-Charta nicht konsentiert ist. Allerdings ist ein solches Vorgehen des Sicherheitsrates zwar denkbar aber bis heute noch keine Realität. Darüber hinaus steht einem Schuldnerstaat theoretisch die Möglichkeit offen, sich von seinen eingegangenen Bindungen auch wieder zu lösen. Die Insolvenz eines Staates spielt sich damit unterhalb der Schwelle seiner völkerrechtlichen Souveränität ab.

III. Der insolvente Staat: Beschränkungen außerhalb der Souveränität

Doch die Situation eines Staates spielt sich nicht nur unterhalb der Schwelle der Souveränität ab, sondern auch außerhalb der aktuellen Souveränitätskonzeption. Denn ein Schuldnerstaat sieht sich im Rahmen seiner Insolvenz Beschränkungen gegenüber, die mit der aktuellen Souveränitätskonzeption nicht abgebildet werden können und somit außerhalb der Souveränität stehen.

Die normative Souveränität als Völkerrechtsunmittelbarkeit von Staaten baut auf einem System der souveränen Staaten auf, die gegenseitig durch völkerrechtliche Verträge oder gemeinsame internationale Organisationen verbunden sind. Die Beziehungen zwischen diesen Völkerrechtssubjekten werden vorrangig durch völkerrechtliche Verträge, ergänzt durch Völkergewohnheitsrecht und allgemeine Rechtsgrundsätze, geregelt. In diesem System ist die Souveränität eines Staates gewahrt, solange dieser nur Bindungen unterliegt, die er freiwillig eingegangen ist und er sich von seinen eingegangenen Bindungen potentiell auch wieder lösen kann. In der Ausnahmesituation der Insolvenz wird jedoch offenbar, dass sich ein Schuldnerstaat in einer Situation befindet, die teilweise außerhalb des gewohnten völkerrechtlichen Systems stattfindet und deshalb durch den Topos der Souveränität nicht oder nur unzureichend abgebildet werden kann.

Zum einen befindet sich ein Staat in seiner Insolvenz in vielfachen faktischen Abhängigkeitssituationen. Diese Abhängigkeit folgt nicht aus einer völkerrechtlichen Verpflichtung des Schuldnerstaates, sondern daraus, dass dieser sich auf einem internationalen Markt bewegt, der gewisse Anreize setzt und dadurch ein bestimmtes Verhalten des Schuldnerstaates provoziert. Solche Abhängigkeitsverhältnisse lassen sich nicht nur im Bereich der staatlichen Finanzierung ausmachen, sondern darüber hinaus auch in anderen Bereichen, in welchen der Staat Teil eines Globalisierungsprozesses ist.[759] Allerdings ist die Situation eines Schuldnerstaats in seiner Insolvenz dennoch eine besondere, denn dann ist die Abhängigkeit von frischem Fremdkapital und damit von den Finanzmärkten substantiell. Diese Abhängigkeit ist im Rahmen der Souveränität jedoch gar nicht darstellbar, weil es sich dabei nicht um rechtsverbindliche Verpflichtungen handelt.

Ähnlich verhält es sich bei der Gewährung von Krisenhilfe, denn auch diese wird nicht im Rahmen völkerrechtlicher Verträge vergeben, sondern aufgrund eines einseitigen *letter of intent* und einem unverbindlichen MoU. Für den Schuldnerstaat besteht also keinerlei rechtliche Verpflichtung die verhandelten wirtschaftspolitischen Anpassungsmaßnahmen durchzuführen. Die Bindung ist auch hier wiederum rein faktischer Natur, da bei Verstoß gegen die ausgehandelten Bedingungen die Auszahlung der nächsten Tranchen eingestellt wird. Gleichwohl ist die Bindung der Absprachen zwischen Schuldnerstaat und IWF mit der eines völkerrechtlichen Vertrags vergleichbar.

Darüber hinaus sieht sich ein Schuldnerstaat im Umfeld seiner Insolvenz immer wieder Akteuren gegenüber, die nicht den klassischen Akteuren des Völkerrechtsverkehrs entsprechen. Dies sind zum einen die privaten Gläubiger wie Geschäftsbanken und auch Private, mit welchen ein Schuldnerstaat im Falle der Insolvenz in Verhandlungen treten muss. Zum anderen sind das die informellen Gremien Pariser Club und Londoner Club, die eben keine internationalen Organisationen darstellen, aber in Restrukturierungsverhandlungen eine gewichtige Rolle einnehmen. Obwohl von diesen teilweise ein erheblicher Druck auf die Schuldnerstaaten ausgeübt werden kann, sind sie aufgrund ihrer mangelnden Völkerrechtssubjektivität *per se* nicht fähig die Souveränität eines Staates zu verletzen.

---

759 Überblicksartig *Hingst,* Auswirkungen der Globalisierung auf das Recht der völkerrechtlichen Verträge, 2001, S. 20 ff.

Die Souveränität von Schuldnerstaaten ist in der Insolvenz damit grundsätzlich nicht verletzt, da Beschränkungen entweder unterhalb der Schwelle der Souveränität oder aber außerhalb der normativen Souveränität einzuordnen sind.

C. Souveränität ohne Autonomie?

Obwohl die Souveränität eines Schuldnerstaates im Umfeld seiner Insolvenz nicht beeinträchtigt wird, wird die schuldnerstaatliche Autonomie in dieser Phase erheblich beschränkt. Dies provoziert die Frage, ob ein Staat, dessen wesentliche politischen Entscheidungen von außen prädeterminiert sind, überhaupt noch als souverän gelten kann.

An dieser Stelle offenbart sich die Krux einer strengen Differenzierung zwischen normativer Souveränität und politischer Autonomie.[760] Denn es zeichnet einen Souverän gerade aus, dass dieser Inhaber von Hoheitsgewalt ist.[761] Diese Hoheitsgewalt setzt sich aus einem Bündel verschiedener Hoheitsbefugnisse zusammen. Würde ein Souverän nun freiwillig all seine Hoheitsbefugnisse aus der Hand geben und auf einen Drittstaat durch völkerrechtlichen Vertrag übertragen, so würde er nach der völkerrechtlichen Souveränitätskonzeption weiterhin als souverän eingestuft, obwohl er tatsächlich überhaupt nicht mehr fähig wäre Hoheitsgewalt auszuüben. Analysiert man das Kriterium der Völkerrechtsunmittelbarkeit, so fällt auf, dass es sich dabei um ein Kriterium rein formeller Art handelt. Solange ein Staat freiwillig völkerrechtliche Verträge abschließt oder Hoheitsrechte auf internationale Organisationen überträgt und beide wieder rückgängig machen kann, bestimmt er autonom über seine eingegangenen Verpflichtungen und bleibt damit völkerrechtsunmittelbar und somit per definitionem souverän. Anerkannt ist aber, dass auch die Fähigkeit über die eigene Existenz zu entscheiden Ausdruck der staatlichen Souveränität ist. Die Aufgabe seiner Existenz und die damit einhergehende vollständige Aufgabe seiner Souveränität kann von einem Staat durchaus gewollt sein. Diese Entscheidung ist jedoch bei einem rein formalen Verständnis der Souveränität gar nicht abbildbar.[762] Kritisiert wird deshalb, dass eine rein formal verstandene Souveränität leicht zu einer *„formalen Hülse"* verkomme.[763]

---

760 Wie schon zuvor dargestellt, vgl. S. 48 ff.

761 *Bleckmann,* AVR 23 (1985), 450, 464.

762 *Dahm/Delbrück/Wolfrum,* Völkerrecht, Bd. I/1, 2. Aufl. 1989, S. 217 f.

763 *Peters,* Völkerrecht, Allgemeiner Teil, 4. Aufl. 2016, S. 34; ähnlich *Dahm/Delbrück/Wolfrum,* Völkerrecht, Bd. I/1, 2. Aufl. 1989, S. 217.

I. Tendenzen in der Lehre zu einer materiellen Dimension der Souveränität

Um ein künstliches Auseinanderfallen von Souveränität und politischer Autonomie zu verhindern, gibt es in der Lehre Tendenzen die normative Souveränität um einen materiellen[764] Gehalt zu ergänzen.[765] Im Rahmen der formellen Souveränität wird der Blick lediglich auf den Akt der Verpflichtung gerichtet, während sowohl die Quantität der Verpflichtungen, als auch die Qualität der von den eingegangenen Verpflichtungen betroffenen Sachmaterien außer Acht gelassen wird. Die bestehenden Ansätze einer materiellen Souveränitätsdimension lassen sich grob in zwei Gruppen aufteilen: Einen quantitativen und einen qualitativen.

1. Quantitativer Ansatz

Der quantitative Ansatz differenziert nach der Menge der Hoheitsbefugnisse, die noch in der Hand eines Staates verbleiben, ob dieser weiterhin souverän ist. Als entscheidendes Kriterium wird angeführt, dass der Staat die *„Fülle der staatlichen Hoheitsgewalt"* innehaben müsse.[766] *Simma,* der zwar eine materielle

---

764 Anstatt der Bezeichnung „materiell" werden in der Literatur viele Synonyme wie faktisch oder positiv verwendet. Ebenfalls verwendet wird in diesem Zusammenhand der Terminus der politischen Souveränität, vgl. z.B. *Verdross/Simma,* Universelles Völkerrecht, 3. Aufl. 2010, §§ 36, 38. Allerdings ist diese Bezeichnung irreführend, da es sich bei der materiellen Souveränität ebenfalls um einen rechtlichen Begriff handelt, der an normativen Maßstäben zu messen ist. „Gegner" einer materiellen Ausweitung greifen gerne auf die Bezeichnung der politischen Souveränität zurück, um damit den nach ihrer Überzeugung fehlenden normativen Charakter auszudrücken; für den Begriff der materiellen Souveränität anstatt der politischen Souveränität ebenfalls *Bindschedler,* Betrachtungen über die Souveränität, in: En Hommage à Paul Guggenheim, 1968, 167, 169.

765 *Dahm/Delbrück/Wolfrum,* Völkerrecht, Bd. I/1, 2. Aufl. 1989, S. 217 f.; *Peters,* Völkerrecht, Allgemeiner Teil, 4. Aufl. 2016, S. 34; *dies.,* Privatisierung, Globalisierung und die Resistenz des Verfassungsstaates, in: Mastronardi/Taubert, Staats- und Verfassungstheorie im Spannungsfeld der Disziplinen, 2006, S. 120; wohl auch *Steinberger,* Sovereignty, in: Bernhardt, EPIL IV, 2. Aufl. 2000, 500, 512 f.; *Randelzhofer,* § 17 Staatsgewalt und Souveränität, in: Isensee/Kirchhof, HStR II, 3. Aufl. 2004, Rdnr. 26, 34; *Hingst,* Auswirkungen der Globalisierung auf das Recht der völkerrechtlichen Verträge, 2001, S. 63 f. Interessant ist auch der Ansatz von *Verdross/Simma,* Universelles Völkerrecht, 3. Aufl. 2010, § 38, die zwar den materiellen Gehalt nicht in die völkerrechtliche Definition mitaufnehmen, am Ende jedoch davon ausgehen, dass zur Souveränität „im vollen Sinne des Wortes" auch materielle Elemente gehören.

766 *Dahm/Delbrück/Wolfrum,* Völkerrecht, Bd. I/1, 2. Aufl. 1989, S. 217.

Komponente im Rahmen der völkerrechtlichen Souveränität ablehnt, diese aber widersprüchlicherweise im *„vollen Sinne des Wortes“* für notwendig erachtet, setzt voraus, dass der Staat *„über das Schwergewicht der politischen Entscheidungsgewalt verfügt“*.[767] Einen Schritt weiter geht *Murswiek*, der zur Abgrenzung eine prozentuale Grenze bei 50 % ziehen will.[768] Spätestens dieser Ansatz verdeutlicht die Schwierigkeit einer quantitativen Herangehensweise. So mutet die Grenzziehung bei 50 % willkürlich an. Genauso gut ließe sich vertreten, dass „Fülle“ bedeutend mehr als die Hälfte impliziere und somit mindestens 75 % der Hoheitsbefugnisse beim Staat verbleiben müssten. Des Weiteren bereitet es Schwierigkeiten die Bezugsgröße von 100 % festzulegen, denn es lässt sich gar nicht dezidiert auflisten, welche einzelnen Hoheitsbefugnisse grundsätzlich bestehen.[769] Folglich ist festzuhalten, dass der quantitative Ansatz, auch wenn er durch seine anfängliche Schlichtheit besticht, schon aufgrund seiner Vagheit Schwierigkeiten bereitet. Darüber hinaus ist nicht nachzuvollziehen, dass einzelne Hoheitsbefugnisse für das Vorhandensein von Souveränität maßgeblich sein sollen. So ist die Souveränität vielmehr eine qualitative Eigenart des Staates.[770] Dies erkennen zwar auch die Anhänger der quantitativen Herangehensweise, wenn sie von quantitativen Einbußen auf einen damit einhergehenden

---

767 *Verdross/Simma*, Universelles Völkerrecht, 3. Aufl. 2010, § 38; ebenso *Bindschedler*, Betrachtungen über die Souveränität, in: En Hommage à Paul Guggenheim, 1968, 167, 174; einen ähnlichen Ansatz verfolgt *Breitenmoser*, ZaöRV 1995, 951, 990, der die Souveränität der Mitgliedstaaten der EU deshalb konstatiert, da sie die „meisten Hoheitsrechte“ innehaben; ebenfalls *Peters*, Völkerrecht, 4. Aufl. 2016, S. 34, für die entscheidend ist, „welche und wie viele Materien noch vom Staat (allein) geregelt werden“; *dies.*, Privatisierung, Globalisierung und die Resistenz des Verfassungsstaats, in: Mastronardi/Taubert, Staats- und Verfassungstheorie im Spannungsfeld der Disziplinen, 2006, S. 120.

768 *Murswiek*, Der Staat 32 (1993), 161, 170 f.

769 So auch *Baldus*, Der Staat 36 (1997), 381, 389 f.; insgesamt kritisch bezüglich einer quantitativen Herangehensweise *von Zanthier*, Die Interdependenzen zwischen Währungsunion und Politischer Union, 2011, S. 55 f.; vgl. ebenfalls BVerfGE 123, 267, Rdnr. 248: „Die vom Demokratieprinzip im geltenden Verfassungssystem geforderte Wahrung der Souveränität im vom Grundgesetz angeordneten integrationsoffenen und völkerrechtsfreundlichen Sinne, bedeutet für sich genommen nicht, dass eine von vornherein bestimmbare Summe oder bestimmte Arten von Hoheitsrechten in der Hand des Staates bleiben müssten.“

770 *Von Zanthier*, Die Interdependenzen zwischen Währungsunion und Politischer Union, 2011, S. 56.

qualitativen Verlust schließen.[771] Allerdings lässt der quantitative Ansatz die Wertigkeit der einzelnen Hoheitsbefugnisse völlig außer Acht. Er kommt lediglich durch stupides Abzählen einzelner Hoheitsbefugnisse zu einer Beurteilung der staatlichen Souveränität. Es wird jedoch verpasst, die Relevanz der einzelnen Befugnisse für die Staatsqualität miteinzubeziehen, obwohl es offenbar ist, dass insofern gewaltige Unterschiede bestehen.

2. Qualitativer Ansatz

Die Schwächen des quantitativen Ansatzes werden umgangen, wenn man Souveränität als Qualität eines Staates versteht und dementsprechend auch einen qualitativen Maßstab heranzieht. Allerdings besteht auch über die Formulierung eines qualitativen Maßstabs nur wenig Einigkeit. Teilweise wird das qualitative Kriterium sehr offen formuliert. Demnach zieht *Berber* die rote Linie dort, wo Einschränkungen der Unabhängigkeit in die *„Substanz der Verfassungshoheit"* eingreifen.[772] Diese sieht auch *Randelzhofer* als die Grenze für einen Souveränitätsverlust an.[773] Aus staatsrechtlicher Perspektive rekurriert das BVerfG in seiner Maastricht-Entscheidung ebenfalls auf einen qualitativen Maßstab. Das BVerfG stellt fest, dass auf staatlicher Ebene jedenfalls *„Aufgaben und Befugnisse von substantiellem Gewicht verbleiben müssen."*[774]

Aber auch eine qualitative Herangehensweise birgt Probleme. Zum einen führt sie ebenfalls zu erheblichen Definitionsschwierigkeiten.[775] Des Weiteren würde eine so verstandene materielle Souveränität die innerstaatliche Frage nach einem unveräußerlichen Verfassungskern auf die Ebene des Völkerrechts übertragen. Da ein jeder Staat jedoch eine eigene Verfassung hat und deren Auslegung eine innerstaatliche Angelegenheit darstellt, würde die Bedeutung eines solchen Kerns von Staat zu Staat divergieren. Doch welchen Nutzen hat ein völkerrechtlicher Souveränitätsbegriff, dem je nach Ausgestaltung und Auslegung der jeweiligen nationalen Verfassung, ein anderer Inhalt zugemessen werden

---

771 *Bindschedler,* Betrachtungen über die Souveränität, in: En Hommage à Paul Guggenheim, 1968, 167, 173: „Die Quantität schlägt einmal in die Qualität um, in den Verlust der politischen Souveränität."

772 *Berber,* Lehrbuch des Völkerrechts, Bd. I, 2. Aufl. 1975, S. 127.

773 *Randelzhofer,* § 17 Staatsgewalt und Souveränität, in: Isensee/Kirchhof, HStR II, 3. Aufl. 2004, Rdnr. 26, allerdings ohne jegliche Ausführungen darüber, was unter der „Substanz der Verfassungshoheit" zu verstehen ist.

774 BVerfGE 89, 155, 186.

775 *Von Zanthier,* Die Interdependenzen zwischen Währungsunion und Politischer Union, 2011, S. 57.

muss? Ein Bezug auf die innerstaatlichen Verfassungen ist mit dem objektiven Charakter, der für die völkerrechtliche Souveränität notwendig ist, unvereinbar und muss daher ausscheiden. Vielmehr muss ein allgemeingültiger Maßstab gefunden werden.

Allerdings könnte man den Maßstab objektivieren, indem man losgelöst von spezifischen Verfassungen allgemein definiert, welche Hoheitsrechte zum Kernbestand eines souveränen Staates zählen. Einen solchen Ansatz wählt beispielsweise *Steinberger*, der die Souveränität über den Bestand essentieller Staatsfunktionen definiert. Dazu zählt er „*foreign policy and treaty-making powers in regard to decisions over war and peace, recognition of foreign states and governments, diplomatic relations, military alliances, membership in international political organizations, and fundamental economic, fiscal and budgetary policies*".[776]

Auch das BVerfG rekurriert in seinem Lissabon-Urteil bei der Bestimmung des verfassungsrechtlichen Identitätskerns auf die staatlichen Kernbereiche. Zwar kann wie bereits argumentiert wurde, die einzelstaatliche verfassungsrechtliche Perspektive für den völkerrechtlichen Souveränitätsbegriff nicht ausschlaggebend sein doch ist die Argumentationsstruktur des Bundesverfassungsgerichts, soweit sie nicht spezifisch das deutsche Grundgesetz betrifft, auch auf eine allgemeine Formulierung des Souveränitätsprinzips übertragbar. Das BVerfG stellt eine Rückbindung der äußeren Souveränität zur Volkssouveränität und damit zum Demokratieprinzip her. Als souveränen Staaten müsse den Mitgliedstaaten der EU „*ausreichender Raum zur politischen Gestaltung der wirtschaftlichen, kulturellen und sozialen Lebensverhältnisse*" verbleiben.[777] Doch das BVerfG geht noch einen Schritt weiter, indem es die für einen Staat besonders sensiblen Bereiche konkret benennt. Als besonders souveränitätssensible Bereiche stuft das BVerfG „*Entscheidungen über das materielle und formelle Strafrecht (1), die Verfügung über das Gewaltmonopol polizeilich nach innen und militärisch nach außen (2), die fiskalischen Grundentscheidungen über Einnahmen und – gerade auch sozialpolitisch motivierte – Ausgaben der öffentlichen Hand (3), die sozialstaatliche Gestaltung von Lebensverhältnissen (4) sowie kulturell besonders*

776 *Steinberger*, Sovereignty, in: Bernhardt, EPIL, Vol. 4, 2. Aufl. 2000, 500, 512.

777 BVerfGE 123, 267, 359 f.; dort wird konkretisiert, dass dies „insbesondere für Sachbereiche, die die Lebensumstände der Bürger, vor allem ihren von den Grundrechten geschützten privaten Raum der Eigenverantwortung und der persönlichen und sozialen Sicherheit prägen, sowie für solche politische Entscheidungen, die in besonderer Weise auf kulturelle, historische und sprachliche Vorverständnisse angewiesen sind, und die sich im parteipolitisch und parlamentarisch organisierten Raum einer politischen Öffentlichkeit diskursiv entfalten" gelte.

bedeutsame Entscheidungen etwa im Familienrecht, Schul- und Bildungssystem oder über den Umgang mit religiösen Gemeinschaften (5)" ein.[778] Insbesondere die Relevanz der Budgethoheit für die Souveränität Deutschlands hat das BVerfG seitdem hervorgehoben. Auf das Lissabon-Urteil aufbauend statuiert das BVerfG in seinem Urteil zum Euro-Rettungsschirm ein „*Verbot der Entäußerung der Budgetverantwortung*" für den deutschen Bundestag.[779]

Allerdings fällt auf, dass das BVerfG die genannten Bereiche quasi aus dem luftleeren Raum greift.[780] In der Literatur konnten lediglich Mutmaßungen über die bundesverfassungsgerichtliche Herleitung angestellt werden. So wurde unter anderem vermutet, dass das BVerfG in seinem Urteil auf die Staatsaufgabenlehre rekurriert.[781]

Doch auch generell fehlt eine belastbare Herleitung der für die Beurteilung der Souveränität relevanten staatlichen Kernbereiche.[782] Die fehlende dogmatische Herleitung der einzelnen Bereiche führt letztlich auch zu deren Beliebigkeit.[783] Bei einem Vergleich der dargestellten Ansätze fällt auf, dass nur geringe Deckungsgleichheit hinsichtlich der als substantiell gekennzeichneten Bereiche besteht. Vielmehr variieren die als substantiell eingestuften Bereiche beträchtlich. Die Einschätzung, welche Bereiche für die staatliche Souveränität essentiell sind, scheint vom zeitlichen Rahmen und den tatsächlichen politischen Gegebenheiten abhängig zu sein. Der qualitative Ansatz läuft daher Gefahr, in seiner deskriptiven Weise den aktuellen, völkerrechtlichen Entwicklungen nur hinterherzuhinken. Dies lässt sich anhand eines konkreten Beispiels aus der jüngeren Geschichte zeigen. So wurde im Vorfeld der Schaffung der Europäischen Währungsunion die Währungshoheit als eine von der Souveränität untrennbare

778 BVerfGE 123, 267, 359 ff. Noch im Maastricht-Urteil hatte es das BVerfG vermieden konkrete Bereiche zu bezeichnen und stellte lediglich fest, dass auf mitgliedstaatlicher Ebene „Aufgaben und Befugnisse von substantiellem Gewicht verbleiben müssen.", BVerfGE 89, 155, 186. Für eine Abgrenzung mithilfe substantieller Kernbereiche auch *von Zanthier,* Die Interdependenzen zwischen Währungsunion und Politischer Union, 2011, S. 58 ff., die dann allerdings offen lässt um welche es sich handeln müsse.

779 BVerfGE 129, 124.

780 Lediglich der Hinweis „Als besonders sensibel [...] gelten seit jeher" wird gegeben, BVerfGE 123, 267, 359; kritisch *Thym,* Europäische Integration im Schatten souveräner Staatlichkeit, Der Staat 48 (2009), 559, 562 f., der mutmaßt, dass die Herleitung auf den persönlichen Überzeugungen der Senatsmitglieder basiert.

781 *Halberstam/Möllers,* GLJ 10 (2009), 1241, 1249 ff.

782 *Möllers,* Staat als Argument, 2. Aufl. 2011, S. 390.

783 *Baldus,* Der Staat 36 (1997), 381, 389; *Hingst,* Auswirkungen der Globalisierung, 2001, S. 62 f.

staatliche Kernkompetenz identifiziert.[784] Doch seit der Einführung der Europäischen Währungsunion wird nur selten vertreten, dass es sich bei den Mitgliedern der Währungsunion um keine souveränen Staaten mehr handele.[785] Selbst das Bundesverfassungsgericht billigte die Gründung der Währungsunion.[786] Die Währungshoheit wird seit dieser Entwicklung also nicht mehr zum qualitativen Kernbereich der Souveränität gezählt.

II. Völkerrechtspraxis zur verminderten Staatsgewalt einzelner Staaten

Fraglich ist jedoch, wie die Völkerrechtspraxis Staaten mit eingeschränkter Autonomie behandelt. In der bisherigen Völkerrechtspraxis gibt es bisher keine konkreten Anhaltspunkte dafür, dass von einem Souveränitätsverlust insolventer Staaten aufgrund deren eingeschränkter Autonomie ausgegangen wird.

1. Vergleichbarkeit eines insolventen Staates mit failing states

Allerdings existiert eine ausführliche Völkerrechtspraxis zum Umgang mit sog. *failed states*, die man auf die Situation des insolventen Staates übertragen könnte, wenn eine Vergleichbarkeit gegeben wäre.[787] Als *failed states* bezeichnet man Staaten, deren effektive Staatsgewalt meist aufgrund von Bürgerkriegen komplett entfallen ist. Der Verlust von Staatsgewalt äußert sich durch den Verlust innerer Ordnungs- und Verwaltungsstrukturen, sodass der Staat grundlegende Staatsfunktionen wie insbesondere die Ausübung des Gewaltmonopols nicht mehr erfüllen kann.[788] Zwar ist es nicht völlig ausgeschlossen, dass auch eine Insolvenz einen solchen Zustand hervorrufen kann; im Regelfall wird eine finanzielle Krisensituation jedoch nicht dazu führen, dass jedwede innere Ordnungsfunktion

---

784 *Kirchner/Haas*, JZ 1993, 760, 766; *von Zanthier*, Die Interdependenzen zwischen Währungsunion und Politischer Union, 2011, S. 83 f.

785 *Möllers*, Staat als Argument, 2. Aufl. 2011, S. 390.

786 BVerfGE 89, 155.

787 Der Begriff *failed state* wird aufgrund seiner negativen Konnotation teilweise kritisch gesehen. Stattdessen wird der Begriff des *zerfallenen Staates* vorgezogen, vgl. *Liebach*, Die unilaterale humanitäre Intervention im „zerfallenen Staat", 2004; ebenso *Epping*, in: Ipsen, Völkerrecht, 6. Aufl. 2014, § 5 Rdnr. 141. Allerdings ist der Begriff des *failed state* noch immer der (auch international) weitverbreiteste, sodass er an dieser Stelle verwendet wird, so auch *Geiß*, „Failed States", 2005, S. 20 ff.

788 *Epping*, in: Ipsen, Völkerrecht, 6. Aufl. 2014, § 5 Rdnr. 141; ausführlicher *Thürer*, Der Wegfall effektiver Staatsgewalt: „The Failed State", in: Thürer/Herdegen/Hohloch, BDGVR 34 (1996), 9, 10 ff.; *Geiß*, „Failed States", 2005, S. 165 ff.

verloren geht. Vielmehr besteht die Hoheitsgewalt nach innen weiter fort, diese ist nur durch starke Bindungen prädeterminiert. Zudem beruht die verminderte Hoheitsgewalt eines insolventen Staates nicht auf *„endogene[n] Problemlagen"*,[789] sondern auf exogenen Bindungen. Die Situation von *failed states* und insolventen Staaten weist demnach gewichtige Unterschiede auf, dennoch macht ein Vergleich dieser staatlichen Extremlagen Sinn.

Reduziert man einen *failed state* auf die zentrale Eigenschaft, dass ein solcher ein Staat ist, der *„faktisch die Handlungsfähigkeit eingebüßt hat"*,[790] dann ist die Lage eines insolventen Staates gleichwohl mit der Situation eines *failed state* vergleichbar. Denn mit einer massiven Einschränkung der politischen Autonomie eines Schuldnerstaates während seiner Insolvenz geht ebenfalls ein teilweiser Verlust autonomer staatlicher Handlungsfähigkeit einher. Der insolvente Staat besitzt zwar weiterhin seine innere Ordnungsstruktur, die die Ausübung wirksamer Hoheitsgewalt ermöglicht, die Art und Weise der Ausübung ist jedoch de facto durch die Beschränkung der Autonomie vorbestimmt. Ein *failed state* ist damit als ein gesteigerter Fall eines insolventen Staates einzuordnen. Wenngleich die Situation eines insolventen Staates mit der eines *failed state* nicht vollkommen deckungsgleich ist, können aus der völkerrechtlichen Praxis mit *failed states* dennoch wertvolle Rückschlüsse für die völkerrechtliche Beurteilung insolventer Staaten gezogen werden.

2. Behandlung von failed states durch die Völkerrechtspraxis

Auch wenn die völkerrechtliche Implikation der Konstellation des *failed state* erst seit dem Ende des Kalten Krieges diskutiert wird,[791] ist das dahinterstehende Phänomen tatsächlich schon viel älter. So war China beispielsweise in den 1930er Jahren derart von Bürgerkriegen geprägt, dass es nach der modernen Terminologie als *failed state* bezeichnet werden müsste.[792] Nichtsdestotrotz haben sich die Fälle von *failed states* mit Somalia, Liberia, Sierra Leone, Bosnien-Herzegowina

789 *Thürer*, Der Wegfall effektiver Staatsgewalt: „The Failed State", in: Thürer/Herdegen/Hohloch, BDGVR 34 (1996), 9, 13.

790 *Thürer*, Der Wegfall effektiver Staatsgewalt: „The Failed State", in: Thürer/Herdegen/Hohloch, BDGVR 34 (1996), 9, 13.

791 *Thürer*, Failing States, in: MPEPIL, Stand: Februar 2009, Rdnr. 1.

792 Siehe *Thürer*, Failing States, in: MPEPIL, Stand: Februar 2009, Rdnr. 1; *ders.*, Der Wegfall effektiver Staatsgewalt: „The Failed State", in: Thürer/Herdegen/Hohloch, BDGVR 34 (1996), 9, 11, 25; *Epping*, in: Ipsen, Völkerrecht, 6. Aufl. 2014, § 5 Rdnr. 141, Fn. 350.

und Ruanda in den 1990er Jahren stark gehäuft. Seitdem hat sich zu dem Umgang mit failed states auch eine gewisse Völkerrechtspraxis entwickelt.

Bisher hat die Staatenpraxis im Falle eines gravierenden Verlusts an Herrschaftsgewalt die Rechtsfähigkeit und Identität eines Staates weiter anerkannt und damit die bestehenden Rechtsverhältnisse eines Staates unverändert belassen. Sowohl die völkerrechtlichen Verträge, als auch die Mitgliedschaft von *failed states* in internationalen Organisationen wurden als fortgeltend angesehen.[793] Zudem wurde für *failed states* der Schutz durch das Gewaltverbot aus Art. 2 Nr. 4 UN-Charta aufrechterhalten.[794] Dem steht nicht entgegen, dass der Sicherheitsrat bereits mehrmals im Falle von *failed states* intervenierte. Auf Grundlage einer weiten Auslegung von Art. 39 UN-Charta schritt der Sicherheitsrat unter anderem 1992 in Somalia ein.[795] Darüber hinaus verstößt ein unilaterales Einschreiten aber gegen das Gewaltverbot aus Art. 2 Nr. 4 UN-Charta und ist damit unzulässig. Zwar existieren mit den unilateralen Interventionen durch ECOWAS in Liberia und Sierra Leone Fälle, die im Nachhinein durch die Staatengemeinschaft und insbesondere durch den UN-Sicherheitsrat gebilligt wurden.[796] Allerdings darf daraus nicht der Fehlschluss gezogen werden, dass einseitige Interventionen generell anerkannt wären; vielmehr handelt es sich dabei um Ausnahme- und nicht um Präzedenzfälle. Denn für eine gewohnheitsrechtliche Anerkennung fehlt bereits eine entsprechende einheitliche Übung.[797]

Die Staatenpraxis stellt somit die Souveränität eines Staates trotz eklatanter Mängel der effektiven Herrschaftsgewalt nicht in Abrede und folgt damit der im Schrifttum vorherrschenden Kontinuitätslehre nach.[798] Durch die Betonung der Kontinuität eines Staates und seiner Souveränität soll vermieden werden, dass durch den kurzfristigen Verlust von Hoheitsgewalt ein Machtvakuum entsteht.

---

793 *Thürer*, Friedens-Warte 74 (1999), 275, 298

794 Dazu *Geiß*, „Failed States", 2005, S. 123 ff.

795 UN-Dok. S/RES/733 (1992); *Thürer*, Failing States, in: MPEPIL, Stand: Februar 2009, Rdnr. 14 ff.

796 UN-Dok. S/RES 788 (1993).

797 *Liebach*, Die unilaterale humanitäre Intervention im „zerfallenen Staat", 2004; *Epping*, in: Ipsen, Völkerrecht, 6. Aufl. 2014, § 5 Rdnr. 143; a.A. *Herdegen*, Der Wegfall effektiver Staatsgewalt im Völkerrecht: „The Failed State", in: Thürer/Herdegen/Hohloch, BDGVR 34 (1996), 48 allerdings mit kritischen Anmerkungen durch *Simma* auf S. 137 ff.; *ders.*, Souveränität heute, in: FS Herzog, 2009, 117, 15 f.

798 *Epping*, Völkerrechtliche Aspekte defektiver Staatlichkeit, *in: Epping/Heintze*, Wiederherstellung staatlicher Strukturen in Nach-Konflikt-Situationen, 2007, S. 17; *ders.*, in: Ipsen, Völkerrecht, 6. Aufl. 2014, § 5 Rdnr. 142;

Erst, wenn ein dauerhafter und endgültiger Wegfall von Hoheitsgewalt festzustellen ist, wird davon ausgegangen, dass ein Völkerrechtssubjekt seine Souveränität eingebüßt hat. Da im Falle von *failed states* nicht ausgeschlossen ist, dass diese ihre volle Staatsgewalt wiedererlangen, sind diese auch zur Zeit ihrer verminderter Staatsgewalt als souverän anzusehen.[799]

3. *Übertragung auf insolvente Staaten*

An die angestellten Beobachtungen schließt sich die Frage an, welche Schlüsse aus der Behandlung von *failed states* durch die Völkerrechtspraxis für insolvente Staaten gezogen werden können. Mit der Prämisse, dass insolvente Staaten bezüglich des Verlustes ihrer Staatsgewalt eindeutig weniger geschwächt sind als *failed states*, ist auszuschließen, dass die Souveränität von insolventen Staaten durch die Völkerrechtspraxis in Abrede gestellt werden wird. Vielmehr bestätigt die Beobachtung der Völkerrechtspraxis zu *failed states*, dass die Souveränität eines Staates und deren Schutz als Grundpfeiler der Völkerrechtsordnung nur im äußersten Fall erlöschen.

Nur wenn ein Staat dauerhaft und endgültig seine Hoheitsgewalt verliert, verliert dieser nach der aktuellen Völkerrechtspraxis auch seine Souveränität. Übertragen auf einen insolventen Staat und dessen Verlust an politischer Autonomie bedeutet dies, dass erst bei einem vollständigen und endgültigen Verlust an politischer Autonomie ein Souveränitätsverlust angenommen werden kann. Da ein insolventer Staat im Falle seiner Insolvenz seine politische Autonomie weder vollständig noch endgültig verliert, da Einschnitte jeweils für die Zeit der finanziellen Krise begrenzt sein werden, kann aus den Einschnitten in die politische Autonomie eines insolventen Staates kein Verlust seiner Souveränität geschlossen werden.

III. Stellungnahme

Auch wenn die Vorschläge den Souveränitätsbegriff um eine materielle Komponente zu ergänzen einen gewissen Charme besitzen, da sie es erlauben, eine Verknüpfung zwischen normativer Souveränität und politischer Autonomie zu schaffen und damit Einbußen in der politischen Autonomie im Rahmen des Souveränitätsbegriffs abzubilden, ist eine solche Erweiterung abzulehnen.[800]

---

799 *Epping*, in: Ipsen, Völkerrecht, 6. Aufl. 2014, § 5 Rdnr. 142; *Herdegen*, Der Wegfall effektiver Staatsgewalt im Völkerrecht: „The Failed State", in: Thürer/Herdegen/Hohloch, BDGVR 34 (1996), 50.

800 Ebenso *Baldus*, Der Staat 36 (1997), 381, 389; *Oeter*, Souveränität – ein überholtes Konzept?, in: FS Steinberger, 2002, S. 277 f.

Denn die Festlegung einer Grenze – sei es nach quantitativen oder aber nach qualitativen Gesichtspunkten – leidet unter einer nicht zu leugnenden Willkür. Damit verbunden ist die Vagheit einer materiellen Dimension von Souveränität.[801] Eine Abgrenzung, die festlegt, wann *„der Rubikon zwischen Souveränität und Nicht-Souveränität überschritten ist"*, kann mithilfe einer Ausweitung der Souveränitätskonzeption um eine materielle Dimension nicht gelingen.[802] Eine eindeutige Abgrenzbarkeit ist für den Völkerrechtsverkehr aber wichtig, da diese an die Souveränität eines Staates Rechtsfolgen knüpft.

Der Völkerrechtsverkehr baut weiterhin maßgeblich auf den Bestand souveräner Staatlichkeit. Wie die Betrachtung der Völkerrechtspraxis zu *failed states* zeigte, hat die Staatengemeinschaft ein essentielles Interesse daran, die Souveränität eines Staates möglichst lange aufrechtzuerhalten. Nur wenn eindeutig ein endgültiger Verlust an Herrschaftsgewalt festzustellen ist, wird vom Wegfall von Souveränität ausgegangen. Die Aufnahme einer materiellen Komponente in die völkerrechtliche Souveränitätskonzeption würde dem die Völkerrechtspraxis kennzeichnenden Kontinuitätsgedanken widersprechen, denn dann wäre ein Souveränitätsverlust schon sehr viel früher zu bejahen.

Die Beschaffenheit der Völkerrechtsordnung führt somit dazu, dass Einschnitte in die Autonomie eines Staates ohne Konsequenz für dessen Souveränität bleiben, es sei denn der Verlust der Autonomie ist endgültig und vollständig. Damit unterliegt auch ein insolventer Staat weiterhin dem Schutz, den ihm seine Souveränität garantiert. Anders als bei einem *failed state* scheidet bei einem insolventen Staat grundsätzlich sogar ein Einschreiten des UN-Sicherheitsrates auf Grundlage von Kapitel VII UN-Charta aus;[803] unilaterale Interventionen von einzelnen Staaten und/oder internationalen Organisationen darüber hinaus erst recht.

Auch wenn die staatliche Souveränität durch die Einschnitte in die staatliche Autonomie nicht beeinträchtigt wird, bleibt es gleichwohl bei den erheblichen Einschnitten in die staatliche Autonomie. Im ureigenen staatlichen Interesse muss es sein, diese Autonomieverluste möglichst gering zu halten. In demokratischen Staaten gebietet dies die Prämisse der demokratischen Legitimation von Herrschaftsgewalt. Letztlich ist es eine Frage des nationalen Verfassungsrechts, wo jeweils die roten Linien für Autonomiebeschränkungen gezogen werden.

---

801 Siehe auch *Hingst,* Auswirkungen der Globalisierung auf das Recht der völkerrechtlichen Verträge, 2001, S. 62 f.

802 *Baldus*, Der Staat 36 (1997), 381, 389.

803 Vgl. oben S. 203 ff.

Das deutsche Bundesverfassungsgericht hat insbesondere im Rahmen der europäischen Staatsschuldenkrise für Deutschland bereits mehrmals Grenzen für einen Autonomieverlust festgelegt.

Das Völkerrecht kann Grenzen aus dem nationalen Verfassungsrecht zu Recht keine Beachtung schenken. In diesem Bewusstsein liegt es an den souveränen Staaten, Rahmenbedingungen *ex ante* so zu setzen, dass im Falle einer Insolvenz die Autonomieverluste minimiert werden.

D. Rechtspolitischer Ausblick: Wiederherstellung staatlicher Autonomie durch Rechtsetzung

Zwei grundlegende Modelle bieten sich an, um einem Autonomieverlust in der Insolvenz grundlegend entgegenzusteuern. Zum einen kann versucht werden durch die Etablierung eines umfassenden Insolvenzmechanismus eine einheitliche Lösung zu wählen oder aber es kann der bereits teilweise eingeschlagene Weg fragmentierter Lösungsansätze weiterbetrieben werden.

I. Umfassende Lösung durch Etablierung eines Insolvenzmechanismus

1. *Ideengeschichte eines Insolvenzmechanismus für Staaten*

Wie aus der vorstehenden Untersuchung hervorgeht, existiert im Falle von Staatsinsolvenzen kein geregeltes Verfahren. Vielmehr besteht ein ungeordnetes Konglomerat an Strukturen auf verschiedenen rechtlichen Ebenen. Ausgehend von den nationalen Insolvenzverfahren über juristische Personen wird nicht erst seit dem Vorschlag des IWFs zur Einführung eines Sovereign Debt Restructuring Mechanism (SDRM) im Jahre 2001[804] über die Etablierung eines Insolvenzverfahrens für Staaten diskutiert.[805] Der damalige Vorschlag des IWFs scheiterte jedoch an dem Widerstand der Staaten, insbesondere der

804 *Krueger,* A new approach to sovereign debt restructuring, 2002, der Vorschlag wurde allerdings schon im Jahre 2001 veröffentlicht, vgl. https://www.imf.org/external/np/speeches/2001/112601.htm, zuletzt aufgerufen am 20.3.2017.

805 Zur vorangegangenen Diskussion ausführlich *Rogoff/Zettelmeyer,* IMF Staff Papers Vol. 49, No. 3, 2002, abrufbar unter: https://www.imf.org/External/Pubs/FT/staffp/2002/03/pdf/rogoff.pdf, zuletzt aufgerufen am 20.3.2017, die die erste Erwähnung eines Insolvenzmechanismus für Staaten auf 1976 datieren. Im Vergleich zu der langen Geschichte von Staatsinsolvenzen kann man also noch von einer relativ jungen Idee sprechen.

USA, und wurde deshalb niemals verwirklicht.[806] Auch wenn dies der Diskussion um einen Insolvenzmechanismus einen Dämpfer verpasste, wird sie auch heute noch fortgeführt. Insbesondere im Zusammenhang mit der europäischen Staatsschuldenkrise wurde vermehrt die Schaffung eines europäischen Insolvenzmechanismus verlangt.[807] Erst 2014 befürwortete die Generalversammlung der UN in RES/68/304 explizit die Schaffung eines multilateralen Restrukturierungsmechanismus für Staaten.[808] Darauf aufbauend wurde dann zunächst ein *ad-hoc*-Komitee geschaffen,[809] das bisher jedoch lediglich neun insgesamt vage Grundprinzipien für die Restrukturierung von Staatsschulden erarbeitete.[810] Doch selbst für diese vagen Prinzipien konnte kein breiter Konsens der Staatengemeinschaft gefunden werden; so unterstützen unter anderem weder die USA und noch die EU-Mitgliedstaaten die Resolution.

Nach der bisherigen Geschichte der Erfolglosigkeit darf damit zu Recht bezweifelt werden, ob ein Insolvenzmechanismus für Staaten aufgrund der politischen Opposition jemals Wirklichkeit wird.[811] Doch auch wenn die politischen Realitäten zumindest derzeit andere sein mögen, stehen die Vorschläge zur

---

806 Vgl. nur *Gianviti/Krueger/Pisani-Ferry/Sapir/von Hagen,* A European mechanism for sovereign debt crisis resolution: a proposal, 2010, S. 19.

807 Siehe insbesondere *Gianviti/ Krueger/Pisani-Ferry/Sapir/von Hagen,* A European mechanism for sovereign debt crisis resolution: a proposal, 2010; ebenso *Weder di Mauro/Zettelmeyer,* European debt restructuring mechanism as a tool for crisis prevention, 2010, abrufbar unter: http://www.voxeu.org/article/european-debt-restructuring-mechanism-tool-crisis-prevention, zuletzt aufgerufen am 20.3.2017; *Paulus,* Die Eurozone und das große Thema eines Staateninsolvenzrechts, in: Kodek/Reinisch, Staateninsolvenz, 2011, 9 ff.; *Nunner-Krautgasser,* The importance of being prepared – A call for a European Sovereign Debt Restructuring Mechanism, in: Paulus, A Debt Restructuring Mechanism for Sovereigns, 2014, 241; ursprünglich in die ähnliche Richtung ging der Vorschlag des Sachverständigenrats zur Begutachtung der gesamtwirtschaftlichen Entwicklung, aber wegen der aktuellen hohen Schuldenstandquoten der Mitgliedstaaten zurückhaltend, siehe *Sachverständigenrat zur Begutachtung der gesamtwirtschaftlichen Entwicklung,* Konsequenzen aus der Griechenland-Krise für einen stabileren Euro-Raum, Juli 2015, Rdnr. 85 ff.

808 UN-Dok. A/RES/68/304: "Towards the establishment of a multilateral legal framework for sovereign debt restructuring processes". In deren Folge wurde zunächst ein ad-hoc Komitee geschaffen (UN Dok. A/RES/69/247), das bisher jedoch lediglich neun insgesamt vage Grundprinzipien für die Restrukturierung von Staatsschulden erarbeitete (UN Dok. A/69/L.84).

809 UN Dok. A/RES/69/247.

810 UN Dok. A/69/L.84.

811 Sehr skeptisch *Hitzel,* DÖV 2015, 600, 603.

Einführung eines Insolvenzmechanismus weiterhin zumindest auf der wissenschaftlichen Bühne. Als progressive Ideen verdienen sie trotz mangelnder politischer Unterstützung weiterhin die wissenschaftliche Diskussion.

Die bisher entwickelten Mechanismen orientieren sich entweder am im US-amerikanischen Recht existierenden Chapter-9-Verfahren des dortigen Bankruptcy Codes für insolvente Kommunen oder nehmen breitere rechtsvergleichende Anleihen an nationalen Insolvenzregimen. Dabei lassen sich die Mechanismen bei allen weiteren Unterschieden in den Details in zwei grobe Strömungen – was das anzuwendende Verfahren betrifft – aufteilen.[812] Zum einen wird ein schiedsgerichtliches Verfahren protegiert,[813] während auf der anderen Seite ein aufsichtsrechtliches Verfahren bevorzugt wird, in dem eine internationale Organisation gleichsam als Aufsichtsbehörde eingesetzt wird.[814]

2. *Beispielhaft ECRM*

Natürlich ergeben sich auch bezüglich der materiellen Regelungen Unterschiede. Um eine Bewertung unter dem Gesichtspunkt der staatlichen Souveränität und Autonomie vornehmen zu können ist es sinnvoll, sich an den konkreten Ausgestaltungen der vorgeschlagenen Mechanismen zu orientieren. Da eine Beschäftigung mit allen Mechanismen an dieser Stelle den Rahmen sprengen würde,[815] soll exemplarisch der relativ junge ECRM[816] herausgegriffen werden, da dieser unter den bisher vorgeschlagenen Mechanismen den wohl am stärksten formalisierten darstellt[817] und von diesem somit potentiell die tiefsten Eingriffe

---

812 Vgl. *Marauhn,* Nachhaltiges Schuldenmanagement, in: Dabrowski/Fisch/Gabriel/Lienkamp, Die Diskussion um ein Insolvenzrecht für Staaten, 2003, S. 283, 286.

813 Ein energischer Vertreter eines schiedsgerichtlichen Mechanismus ist *Paulus.* Beispielhaft aus seinem umfangreichen Werk zur Schaffung eines Insolvenzmechanismus für Staaten *Paulus,* ZRP 2002, 383; *ders.,* WM 2002, 725; *ders.,* ZG 2010, 313; *ders.,* Ein Insolvenzverfahrensrecht für Staaten, in: Dabrowski/Fisch/Gabriel/Lienkamp, 2003, S. 231; *ders.;* Die Eurozone und das größere Thema eines Staateninsolvenzrechts, in: Kodek/Reinisch, Staateninsolvenz, 2011, S. 9; *ders.;* WM 2013, 489; *ders.,* WM 2015, 953; *ders.,* RIW 2016, 93.

814 In diese Richtung geht beispielsweise der Vorschlag von *Gianviti/Krueger/Pisani-Ferry/Sapir/von Hagen,* A European mechanism for sovereign debt crisis resolution: a proposal, 2010.

815 Gute Übersicht über die relevantesten Vorchläge bei *Das/Papaioannou/Trebesch,* IMF Working Paper, WP/12/203, 2012, S. 90 f.

816 *Gianviti/Krueger/Pisani-Ferry/Sapir/von Hagen,* A European mechanism for sovereign debt crisis resolution: a proposal, 2010.

817 *Das/Papaioannou/Trebesch,* IMF Working Paper, WP/12/203, 2012, S. 89.

in staatliche Souveränität und Autonomie zu erwarten wären. Zwar wurde der ECRM im Rahmen der europäischen Staatsschuldenkrise speziell für den Euroraum entwickelt; mit gewissen Anpassungen könnte man die Anwendbarkeit des entwickelten Mechanismus aber auch über den Eurowährungsraum hinaus ausdehnen.

Der ECRM basiert auf zwei wesentlichen Säulen. Zum einen die Schaffung eines Verfahrens zur Restrukturierung von Schulden und zum anderen der Gewährung finanziellen Beistands.[818] Diese Säulen sollen im Rahmen des ECRM von drei voneinander unabhängigen institutionellen Einheiten verwirklicht werden: Einer rechtlichen, die für die Streitbeilegung zuständig ist, einer ökonomischen, die die ökonomische Expertise zusteuert und einer finanziellen Einheit, die sich mit dem finanziellen Beistand befasst.[819]

Auf Anfrage eines Schuldnerstaates und nach Überprüfung der ökonomischen Einheit, dass die staatlichen Schulden tatsächlich nicht mehr tragfähig sind, eröffnet die rechtliche Einheit förmlich den Restrukturierungsprozess. Die Eröffnung des Prozesses führt zur unverzüglichen Aussetzung des Schuldendienstes und aller laufenden gerichtlichen Prozesse gegen den Schuldnerstaat auf Zahlung. Nach einem Mehrheitsbeschluss der Gläubiger, treten diese mit dem Schuldnerstaat in Restrukturierungsverhandlungen,[820] die die ökonomische Einheit als neutrale Einheit leitet. Dabei werden der ökonomischen Einheit weitgehende Informationsrechte über die finanzielle und ökonomische Situation des Schuldnerstaates eingeräumt, damit diese beurteilen kann, ob und inwieweit Schuldenschnitte erforderlich sind. Dabei obliegt es allein der ökonomischen Einheit zu beurteilen, welche finanziellen Belastungen dem Schuldnerstaat zuzumuten sind und welche nicht. *Gianviti et al.* lassen dabei offen wie die Entscheidungsfindung der ökonomischen Einheit ablaufen soll. Es wird lediglich darauf verwiesen, dass die Entscheidungen kohärent sein müssen und sich an Prinzipien orientieren sollten, welche, bleibt jedoch offen.[821] Die Entscheidung über eine verbindliche Restrukturierungsvereinbarung bedarf wiederum eines

---

818 *Gianviti/Krueger/Pisani-Ferry/Sapir/von Hagen,* A European mechanism for sovereign debt crisis resolution: a proposal, 2010, S. 4 f.

819 *Gianviti/Krueger/Pisani-Ferry/Sapir/von Hagen,* A European mechanism for sovereign debt crisis resolution: a proposal, 2010, S. 27.

820 *Gianviti/Krueger/Pisani-Ferry/Sapir/von Hagen,* A European mechanism for sovereign debt crisis resolution: a proposal, 2010, S. 24.

821 *Gianviti/Krueger/Pisani-Ferry/Sapir/von Hagen,* A European mechanism for sovereign debt crisis resolution: a proposal, 2010, S. 27 f.

Mehrheitsbeschlusses durch die Gläubiger.[822] Der rechtlichen Einheit obliegt es während des Verhandlungsprozesses zwischen Schuldnerstaat und Gläubigern lediglich, über Streitigkeiten zwischen den Beteiligten zu befinden und die Umsetzung der getroffenen Entscheidungen zu überwachen.[823]

Parallel zu den Restrukturierungsverhandlungen befindet die finanzielle Einheit über die Gewährung eines konditionierten finanziellen Beistands an den Schuldnerstaat, um die Zeit zu überbrücken, in der der Schuldnerstaat von den Finanzmärkten abgeschnitten sein wird. Die Einschätzung des finanziellen Bedarfs des Schuldnerstaats obliegt wiederum der ökonomischen Einheit des ECRM. Um Beeinträchtigungen des Restrukturierungsprozesses zu vermeiden, sollte die Gewährung finanziellen Beistands unabhängig vom Restrukturierungsprozess erfolgen.[824]

Die Einführung des ECRM sollte nach *Gianviti et al.* vorzugweise durch einen völkerrechtlichen Vertrag oder anderenfalls im Wege einer europäischen Richtlinie erfolgen. Dabei sollte ein möglicher ECRM-Vertrag alle Schulden eines EU-Staates erfassen, auch wenn diese dem Recht eines Drittstaates unterstehen.[825] Wie diese Wirkung rechtlich erzielt werden soll, bleibt offen.[826]

3. *Bewertung*

Neben ökonomischen Bedenken wird immer wieder die Souveränität des betroffenen Schuldnerstaates als Hinderungsgrund für die Einführung eines Insolvenzmechanismus für Staaten ins Felde geführt.[827] Doch welche Anforderungen ergeben sich aus der Souveränität eines Staates für die Schaffung eines Insolvenzmechanismus?

822 *Gianviti/Krueger/Pisani-Ferry/Sapir/von Hagen,* A European mechanism for sovereign debt crisis resolution: a proposal, 2010, S. 24.

823 *Gianviti/Krueger/Pisani-Ferry/Sapir/von Hagen,* A European mechanism for sovereign debt crisis resolution: a proposal, 2010, S. 27.

824 *Gianviti/Krueger/Pisani-Ferry/Sapir/von Hagen,* A European mechanism for sovereign debt crisis resolution: a proposal, 2010, S. 27.

825 *Gianviti/Krueger/Pisani-Ferry/Sapir/von Hagen,* A European mechanism for sovereign debt crisis resolution: a proposal, 2010, S. 32.

826 An diesem Punkt zu Recht kritisch *Seitz,* Umschuldungsklauseln (Collective Action Clauses) in Staatsanleihen des europäischen Währungsraumes, 2014, S. 166.

827 S. dazu nur *Paulus,* WM 2010, 725, 726.

Wie bereits ausführlich diskutiert wurde, setzt die Wahrung der völkerrechtlichen Souveränität eines Staates nicht dessen Freisein von Bindungen voraus; vielmehr ist das Eingehen von Bindungen gerade Ausdruck der staatlichen Souveränität, solange ein Staat diese freiwillig eingegangen ist und sich zumindest potentiell auch wieder von diesen lösen kann.

Die Schaffung eines Insolvenzmechanismus durch den Abschluss eines völkerrechtlichen Vertrages setzt für die Anwendbarkeit auf den Schuldnerstaat zwingend dessen Zustimmung zum Vertrag nach dessen jeweiligen verfassungsrechtlichen Voraussetzungen voraus. Die notwendige freiwillige Zustimmung des Schuldnerstaates würde somit schon bei Gründung erfolgen. Anders hätte sich die Situation bei Einführung des SDRM gestaltet, dessen Einführung durch Änderung der IWF-Statuten per Mehrheitsbeschluss verwirklicht werden sollte. Allerdings war auch im SDRM (wie beim ECRM) vorgesehen, dass ein Insolvenzverfahren nur durch Antrag des Schuldnerstaates eröffnet werden könnte. Somit wäre die Eröffnung eines Insolvenzverfahrens auch im Rahmen des SDRM von der ausdrücklichen Zustimmung des Schuldnerstaats abhängig gewesen.[828] Jedoch dürfte in der Situation der Insolvenz bereits ein deutlich erhöhter Druck auf dem Schuldnerstaat lasten, da auch der Zugang zu finanziellem Beistand von der Zustimmung zur Unterwerfung abhängig wäre. Doch wie bereits festgestellt wurde, liegt in einer solchen Zwangssituation in aller Regel keine Souveränitätsverletzung. Auch ist es potentiell möglich, dass ein Schuldnerstaat von seiner Bindung im Rahmen eines Insolvenzmechanismus wieder löst. Selbst wenn notwendigerweise eine Lösung während eines laufenden Insolvenzverfahrens nicht möglich ist, widerspricht dies nicht der staatlichen Souveränität, da diese keine jederzeitige Lösung voraussetzt.

Letztlich sind Insolvenzmechanismen damit keine Frage der Souveränität, sondern vielmehr der staatlichen Autonomie und inwieweit ein Staat diese beschränken will oder nach seinen verfassungsrechtlichen Vorgaben darf. Je nach Ausgestaltung des Mechanismus kann dieser die Autonomie eines Schuldnerstaates sehr stark beschränken; insbesondere die Anordnung von wirtschaftspolitischen Anpassungsmaßnahmen, die sehr weit in elementare staatliche Hoheitsbereiche hineinreichen können. Allerdings muss man an dieser Stelle den Vergleich zur Situation ohne Insolvenzmechanismus ziehen. Wie erarbeitet wurde, ist ein Schuldnerstaat auch ohne Insolvenzmechanismus erheblichen Autonomiebeschränkungen ausgesetzt. Ein Teil dieser

828 Vgl. *Krueger,* A new approach to sovereign debt restructuring, 2002, S. 23.

Autonomiebeschränkungen folgt unter anderem daraus, dass Staatsinsolvenzen heute noch unkoordiniert verlaufen, sodass beispielsweise Hold-out-Gläubiger durch die Chance der erfolgreichen Rechtsverfolgung erheblichen Druck auf Schuldnerstaaten ausüben können. Durch die Schaffung eines Insolvenzmechanismus könnten Staaten unerwartbare und unabschätzbare Autonomieverluste vermeiden. Der Insolvenzmechanismus könnte quasi als Schutzschild gegenüber verschiedenen Gläubigerinteressen dienen. Gleichzeitig könnten im Rahmen eines Insolvenzmechanismus detaillierte Regelungen über die Zulässigkeit von Autonomieeingriffen getroffen werden. Beispielsweise könnten bestimmte Bereiche der öffentlichen Daseinsvorsorge schon ex ante von zukünftigen wirtschaftlichen Anpassungsmaßnahmen ausgenommen werden.

II. Gestaltungsmöglichkeiten bei Fortführung eines fragmentierten Lösungsansatzes

Nach dem Scheitern des Vorschlags des IWFs zur Einführung eines Insolvenzmechanismus', konzentrierten sich die Bemühungen der Völkerrechtsgemeinschaft auf die Fortschreibung eines fragmentierten Ansatzes, dessen Herzstück die Inkorporierung von CACs in Staatsanleihen bildet (sog. contractual approach). Statt eines einheitlichen Regimes, soll vielmehr durch Regelungen auf verschiedenen rechtlichen Ebenen die Situation eines Schuldnerstaates verbessert werden. Der Vorteil des fragmentierten Ansatzes gegenüber einem umfassenden Mechanismus (sog. statuatory approach) liegt darin, dass er in der internationalen Gemeinschaft konsensfähig ist. Die Fortschreibung dieses fragmentierten Ansatzes ist für die Zukunft damit sehr viel wahrscheinlicher, als die Einführung eines einheitlichen Insolvenzmechanismus, obwohl die fragmentierten Lösungsansätze zu unzufriedenstellenden Ergebnissen führen wie im Rahmen der europäischen Staatsschuldenkrise beobachtet werden konnte. Man kann davon ausgehen, dass die Fragmentierung mit tief greifenderen staatlichen Autonomieverlusten einhergeht, als ein detaillierter umfassender Insolvenzmechanismus, da ein Staat an vielen „Flanken" ungeschützt bleibt und es an einer Verzahnung der Regime mangelt.

Um diesen Autonomieverlusten auch im Rahmen eines fragmentierten Lösungsansatzes entgegenzuwirken, sollte es das Bemühen der Staaten sein, auf den verschiedenen rechtlichen Ebenen Ausnahmeregelungen für den Fall einer Insolvenz zu schaffen. Beispielhaft ist an dieser Stelle das Investitionsschutzrecht zu nennen. Dort besteht für Staaten die Möglichkeit, durch entsprechende Vertragsgestaltung Ausnahmeregelungen für den Fall laufender Restrukturierungsbemühungen aufzunehmen, sodass Hold-out-Gläubigern die Rechtsverfolgung vor Investitionsschiedsgerichten unmöglich gemacht wird. Auch bei der Ausgestaltung von Krisenhilfemechanismen, wie dem ESM, können Staaten darauf hinwirken, dass ihnen bei der Gestaltung von notwendigen wirtschaftlichen Anpassungsmaßnahmen Autonomie verbleibt. Allerdings sind die Möglichkeiten der politischen Einflussnahme der einzelnen Staaten höchst unterschiedlich zu beurteilen.

Zusammenfassende Schlussbetrachtung

Die zahlreichen im Zusammenhang mit der europäischen Staatsschuldenkrise lautstark geäußerten Vorwürfe der Aushebelung der schuldnerstaatlichen Souveränität können nach eingehender Untersuchung der Situation von Schuldnerstaaten nicht bestätigt werden.

Souveränität in ihrer Außendimension bedeutet Völkerrechtsunmittelbarkeit und schließt damit keinesfalls völkerrechtliche Bindungen eines Staates aus. Vielmehr offenbart sich die staatliche Souveränität gerade durch dessen Fähigkeit sich völkerrechtlichen Bindungen zu unterwerfen. Allerdings unterliegt diese Bindungsoffenheit auch Grenzen. Die entscheidende Grenze bildet die Freiwilligkeit der eingegangenen Bindungen. Diese ist für den Abschluss notwendige Voraussetzung, aber auch während der Dauer der Bindung muss die Bindung auf den ursprünglichen Willen eines Staates zurückführbar bleiben. Dagegen bietet das von vielen Literaturstimmen als entscheidend aufgeführtes Kriterium der einseitigen Lösbarkeit nur eingeschränkten Mehrwert.

Im zeitlichen Ablauf einer staatlichen Insolvenz unterliegen Schuldnerstaaten vielschichtigen Bindungen und Regimen; beginnend mit präventiven Instrumenten wie insbesondere der Haushaltsüberwachung, über Krisenhilfe bis hin zu den Optionen der Nichtbedienung und Restrukturierung. Die dezidierte Auseinandersetzung mit diesen verschiedenen Phasen hat ergeben, dass in keiner dieser Phasen eine Verletzung der Souveränität festgestellt werden kann.

Zum einen liegen alle Bindungen eines Staates im Umfeld seiner Insolvenz unterhalb der Schwelle der Souveränitätsverletzung, da die Kriterien der Freiwilligkeit und Lösbarkeit erfüllt werden. Insbesondere stellt die Ausübung wirtschaftlichen Drucks beispielsweise in der Phase der Krisenhilfe keine souveränitätsverletzende Zwangsausübung dar. Anders wären nur zwangsweise Umschuldungen durch den UN-Sicherheitsrat zu bewerten, da für diese die Zustimmung in der UN-Charta fehlt. Allerdings sind Umschuldungen durch den UN-Sicherheitsrat bislang nicht mehr als ein Gedankenspiel. Zum anderen spielen sich die Beschränkungen im Rahmen einer Insolvenz außerhalb der Souveränität ab. Denn oftmals bestehen bloße faktische Abhängigkeiten, die durch die Souveränität nicht abgebildet werden können. Zudem sehen sich Staaten im Umfeld ihrer Insolvenz verstärkt privaten Akteuren gegenüber, durch die die Souveränität eines Staates nicht verletzt werden kann.

Obwohl keine Beschränkung der Souveränität vorliegt, haben Staaten gleichwohl im Umfeld ihrer Insolvenz teilweise erhebliche Autonomieverluste hinzunehmen. Dies gilt im besonderen Maße für die Phase der Krisenhilfe, in welcher von den Staaten teilweise weitreichende und entscheidende Anpassungsmaßnahmen gefordert werden. Aber auch in der Phase der Restrukturierung kann der Handlungsspielraum eines Schuldnerstaates stark eingeschränkt werden. Die zahlreichen Ansätze, die von diesen Autonomieverlusten anhand von qualitativen oder quantitativen Maßstäben auf einen Verlust staatlicher Souveränität schließen sind jedoch abzulehnen. Denn allen materiellen Maßstäben wohnt eine gewisse Willkür inne, die sie zur Abgrenzung ungeeignet machen. Zudem ist eine einschränkende materielle Komponente mit dem Wesen der Souveränität als dem Grundbaustein der völkerrechtlichen Ordnung nicht vereinbar.

Die in der Öffentlichkeit sehr negativ wahrgenommenen Autonomieverluste eines Schuldnerstaates, ließen sich insbesondere im Rahmen eines umfassenden, völkerrechtlich verankerten Insolvenzmechanismus für Staaten minimieren. Allerdings ist es zur Zeit wegen eines mangelnden Konsenses sehr unwahrscheinlich, dass ein solcher Mechanismus geschaffen wird. Aber auch im Rahmen des derzeitig verfolgten fragmentierten Lösungsansatzes könnten weitere Schutzmechanismen für Staaten etabliert werden.

Wenn aus der langen Geschichte der staatlichen Insolvenzen eines gelernt werden kann, dann, dass die nächste Insolvenz eines Staates nie lange auf sich warten lässt. In dem festen Vertrauen *„dieses Mal ist alles anders"*[829] wird auch bei der nächsten Insolvenz ein Klagen über die Auswirkungen staatlicher Insolvenzen einsetzen. Doch statt im Nachhinein öffentlichkeitswirksam nicht vorhandene Verletzungen der staatlichen Souveränität zu rügen, sollte der Fokus möglichst rasch auf die Schaffung von rechtlichen Lösungen gelegt werden, durch die Autonomieverluste erheblich minimiert werden könnten.

---

829 Siehe dazu *Reinhart/Rogoff*, Dieses Mal ist alles anders, 6. Aufl. 2013.

Schrifttumsverzeichnis

Allen&Overy, How the Greek debt reorganisation of 2012 changed the rules of sovereign insolvency. 2012, abrufbar unter http://www.allenovery.com/SiteCollectionDocuments/AO%20-%20Greek%20debt%20reorganisation%20of%202012.pdf, zuletzt aufgerufen am 20.3.2017.

Anselmann, Christina, Auswege aus Staatsschuldenkrisen, 2012.

Antpöhler, Carlino, Emergenz der europäischen Wirtschaftsregierung. Das Six Pack als Zeichen supranationaler Leistungsfähigkeit, ZaöRV 2012, 353.

Arnauld, Andreas von, Souveränität und responsibility to protect, Friedens-Warte 84 (2009), 11.

Ders., Völkerrecht, 3. Aufl. 2016.

Ders., Werdende Norm oder politisches Konzept? Zur völkerrechtlichen Einordnung der Responsibility to Protect, in: Staack/Krause, Schutzverantwortung in der Debatte. Die "Responsibility to Protect" nach dem Libyen-Dissens, 2014, S. 55 ff.

Athanassiou, Phoebus, Withdrawal and Expulsion from the EU and EMU. Some Reflections, Dezember 2009, abrufbar unter https://www.ecb.europa.eu/pub/pdf/scplps/ecblwp10.pdf, zuletzt aufgerufen am 20.3.2017.

Audit, Mathias, A Debt Restructuring Mechanism for European Sovereigns: An Emerging Idea, in: Paulus, A Debt Restructuring Mechanism for Sovereigns, 2014, S. 213 ff.

Baars, Alf/Böckel, Margret, Argentinische Auslandsanleihen vor deutschen und argentinischen Gerichten, ZBB 2004, 445.

Bajohr, Stefan, Kleine Weltgeschichte des demokratischen Zeitalters, 2014.

Baldus, Manfred, Zur Relevanz des Souveränitätsproblems für die Wissenschaft vom öffentlichen Recht, Der Staat 36 (1997), 381.

Bark, Felix/Gilles, André, Der ESM in der Praxis: Rechtsgrundlagen und Funktionsweise, EuZW 2013, 367.

Baum, Anja/Checherita-Westphal, Cristina/Rother, Philipp, Debt and growth: New evidence for the Euro Area, European Central Bank Working Paper Series Nr. 1450, Juli 2012, abrufbar unter https://www.ecb.europa.eu/pub/pdf/scpwps/ecbwp1450.pdf, zuletzt aufgerufen am 20.3.2017.

Beck, Hanno/Prinz, Aloys, Staatsverschuldung, 2. Aufl. 2013.

Ders./Wentzel, Dirk, Ordnungspolitische Überlegungen zu einer Insolvenzordnung für Staaten, Ordo 2011, 71.

Bedford, Paul, Sovereign bond contracts: a workshop at the Bank of England, Financial Stability Review, June 2005, 101.

Beess und Chrostin, Jessica, Sovereign Debt Restructuring and Mass Claims Arbitration before the ICSID, The Abaclat Case, Harvard International Law Journal 53 (2012), 505.

Beigel, Thorsten/Eckert, Georg, Zum Wandel der Staatsverschuldung: Eine Einführung, in: Beigel/Eckert, Vom Wohl und Wehe der Staatsverschuldung, 2013, S. 1 ff.

Benninghofen, Jens, Die Staatsumschuldung, 2014.

Berber, Friedrich, Lehrbuch des Völkerrechts, Bd. 1, 2. Aufl. 1975.

Besson, Samantha, Sovereignty, in: Wolfrum, Max Planck Encyclopedia of Public International Law [MPEPIL], Stand: April 2011.

Bindschedler, Rudolf, Rechtsfragen der europäischen Einigung, 1954.

Ders., Betrachtungen über die Souveränität, in: Recueil d'ètudes de droit international en hommage à Paul Guggenheim, 1968, 167 ff.

Bischoff, Jan Asmus, Völkerrechtlicher Rechtsschutz bei Staatsbankrott? ICSID-Schiedsgericht bejaht seine Zuständigkeit für argentinische Staatsanleihen, WM 2012, 1371.

Blanke, Herrmann-Josef, Der Unionsvertrag von Maastricht – Ein Schritt auf dem Weg zu einem europäischen Bundesstaat?, DÖV 1993, 412.

Bleckmann, Albert, Das Souveränitätsprinzip im Völkerrecht, AVR 23 (1985), 450.

Bockslaff, Klaus, Das völkerrechtliche Interventionsverbot als Schranke aussenpolitisch motivierter Handelsbeschränkungen, 1987.

Bodin, Jean, Les six livres de la République, 1986, Nachdruck der Ausg. von 1593.

Bogdandy, Arnim von/Goldmann, Matthias, Die Restrukturierung von Staatsschulden als Ausübung internationaler öffentlicher Gewalt: Zur Möglichkeit der inkrementellen Entwicklung eines Staatsinsolvenzrechts, ZaöRV 2013, 61.

Bohoslavsky, Juan Pablo/Espósito, Carlos D., Principles Matter: The Legal Status of the Principles on Responsible Sovereign Financing, in: Espósito/Li/Bohoslavsky, Sovereign financing and international law. The UNCTAD principles on responsible sovereign lending and borrowing, 2013, S. 73 ff.

Boldt, Hans, Art. Staat und Souveränität, IX–X., in: Brunner/Conze/Koselleck, Geschichtliche Grundbegriffe, Historisches Lexikon zur politisch-sozialen Sprache in Deutschland, Bd. 6, 1990, S. 129 ff.

Boor, Felix/Nowrot, Karsten, Von Wirtschaftssanktionen und Energieversorgungssicherheit: Völkerrechtliche Betrachtungen zu staatlichen Handlungsoptionen in der Ukraine-Krise, Friedens-Warte 89 (2014), 211.

Borchard, Edwin, State insolvency and foreign bondholders, Volume I, General Principles, 1951.

Bothe, Michael/Brink, Josef, Public Debt Restructuring, the Case for International Economic Co-operation, GYIL 1986, 86.

Braun, Tillmann, Ausprägungen der Globalisierung: Der Investor als partielles Subjekt im Internationalen Investitionsrecht, 2012.

Breitenmoser, Stephan, Die Europäische Union zwischen Völkerrecht und Staatsrecht, ZaöRV 1995, 951.

Breuer, Marten, Souveränität in der Staatengemeinschaft, in: Breuer et al., Der Staat im Recht, Festschrift für Eckart Klein zum 70. Geburtstag, 2013, S. 747 ff.

Brinkmann, Matthias, Majoritätsprinzip und Einstimmigkeit in den Vereinten Nationen, 1978.

Brooks, Skylar/Lombardi Domenico, Sovereign Debt Restructuring, CIGI Papers No. 64, April 2015, abrufbar unter https://www.cigionline.org/sites/default/files/cigi_paper_no.64web.pdf, zuletzt aufgerufen am 20.3.2017.

Bryde, Brun-Otto, Die Intervention mit wirtschaftlichen Mitteln, in: Münch, Staatsrecht-Völkerrecht-Europarecht, Festschrift für Hans-Jürgen Schlochauer zum 75. Geburtstag am 28. März 1981, S. 227 ff.

Buchheit, Lee C., How to negotiate Eurocurrency loan agreements, 2. Aufl. 2000.

Ders./Daly, Elena L., Minimizing Holdout Creditors: Carrots, in: Lastra/Buchheit, Sovereign debt management, 2014, S. 3 ff.

Ders./Daly, Elena L., Minimizing Holdout Creditors: Sticks, in: Lastra/Buchheit, Sovereign debt management, 2014, S. 15 ff.

Ders./Gulati, G. Mitu, Exit Consents in Sovereign Bond Exchanges, UCLA Law Review 48 (2000), 59

Ders./Gulati, G. Mitu/Tirado, Ignacio, The Problem of Holdout Creditors in Eurozone Sovereign Debt Restructurings, 2013, abrufbar unter http://papers.ssrn.com/sol3/papers.cfm?abstract_id=2205704.

Calliess, Christian, Finanzkrisen als Herausforderung der internationalen, europäischen und nationalen Rechtsetzung, VVDStRL 71 (2012), 113.

Ders., Die Reform der Wirtschafts- und Währungsunion als Herausforderung für die Integrationsarchitektur der EU. Europa- und verfassungsrechtliche Überlegungen, DÖV 2013, 785.

Cane, Giuliana, The Enforcement of ICSID Awards: Revolutionary or Ineffective?, American Review of International Arbitration 15 (2004), 439.

Carreau, Dominique, Le rééchelonnement de la dette extérieure des Etats, Journal du Droit International 112 (1985), 5.

Ders./Shaw, Malcolm N., La dette extérieure, 1995.

Cecchetti, Stephen/Mohanty, M.S./Zampolli, Fabrizio, The real effects of debt, BIS Working Papers, Nr. 352, September 2011, abrufbar unter http://www.bis.org/publ/work352.pdf, zuletzt aufgerufen am 20.3.2017.

Checherita, Cristina/Rother, Philipp, The impact of high and growing government debt on economic growth, European Central Bank Working Paper Series, Nr. 1237, August 2010, abrufbar unter http://www.ecb.europa.eu/pub/pdf/scpwps/ecbwp1237.pdf, zuletzt aufgerufen am 20.3.2017.

Choi, Stephen/Gulati, G. Mitu, Why lawyers need to take a closer look at exit consents, IFLR 2003, 15.

Coing, Helmut, Staatsschulden, in: Strupp/Schlochauer, Wörterbuch des Völkerrechts, Bd. 3, 1962, S. 337 ff.

Comittee on International Economic Policy and Reform, Revisting Sovereign Bankruptcy. 2013, abrufbar unter http://www.brookings.edu/~/media/research/files/reports/2013/10/sovereign %20bankruptcy/ciepr_2013_revisitingsovereignbankruptcyreport.pdf, zuletzt aufgerufen am 20.3.2017.

Commiteri, Marco/Spadafora, Francesco, You Never Give Me Your Money? Sovereign Debt Crises, Collective Action Problems, and IMF Lending, IMF Working Paper WP/13/20, 2013, abrufbar unter http://www.imf.org/external/pubs/ft/wp/2013/wp1320.pdf, zuletzt aufgerufen am 20.3.2017.

Crawford, James, Brownlie's Principles of Public International Law, 2012.

Dagtoglou, Prodromos, Recht auf Rücktritt von den Römischen Verträgen?, in: Schnur, Festschrift für Ernst Forsthoff zum 70. Geburtstag, 1972, S. 77 ff.

Dahm, Georg, Völkerrecht II, 1961.

Dahm, Georg/Delbrück, Jost/Wolfrum, Rüdiger, Völkerrecht, Bd. I/1, Die Grundlagen. Die Völkerrechtssubjekte, 2. Aufl. 1989.

Dies., Völkerrecht, Bd. I/3, Die Formen des völkerrechtlichen Handelns; Die inhaltliche Ordnung der internationalen Gemeinschaft, 2. Aufl. 2002.

Das, Udaibir/Papaioannou, Michael/Trebesch, Christoph, Sovereign Debt Restructurings 1950–2010: Literature Survey, Data, and Stylized Facts, IMF Working Paper WP/12/203, 2012, abrufbar unter http://www.imf.org/external/pubs/ft/wp/2012/wp12203.pdf, zuletzt aufgerufen am 20.3.2017.

Degenhart, Christoph, Staatsrecht I. Staatsorganisationsrecht, 32. Aufl. 2016.

Dennert, Jürgen, Der Ursprung und Begriff der Souveränität, 1964.

Denninger, Erhard, Vom Ende nationalstaatlicher Souveränität in Europa, JZ 2000, 1121.

Di Fabio, Udo, Das Recht offener Staaten, 1998.

Dicke, Detlev Christian, Die Intervention mit wirtschaftlichen Mitteln im Völkerrecht, 1978.

Dieckmann, Hans/Bernauer, Carsten, Mögliche Rechtsfolgen für vertragliche Verhältnisse bei einer Währungsumstellung eines Mitgliedstaates der Europäischen Währungsunion, NZG 2012, 1172.

Doehring, Karl, Internationale Organisationen und staatliche Souveränität, in: Doehring, Festgabe für Ernst Forsthoff, 1967, S. 105 ff.

Ders., Völkerrecht, 2. Aufl. 2004.

Dohna, Bernt zu, Die Grundprinzipien des Völkerrechts über die freundschaftlichen Beziehungen und die Zusammenarbeit zwischen den Staaten, 1973.

Dolzer, Rudolf, Staatliche Zahlungsunfähigkeit: Zum Begriff und zu den Rechtsfolgen im Völkerrecht, in: Jeckewitz et. al., Des Menschen Recht zwischen Freiheit und Verantwortung, Festschrift für Karl Josef Partsch zum 75. Geburtstag, 1989, S. 531 ff.

Ders./Schreuer, Christoph, Principles of international investment law, 2008.

Drage, John/Hovaguimian, Catherine, Collective Action Clauses (CACS): an analysis of provisions included in recent sovereign bond issues. 2004, abrufbar unter http://www.finanzaonline.com/forum/attachments/obbligazioni-titoli-di-stato/1986399d1414067331-venezuela-2027-us922646as37-vol-27-il-ritorno-dagli-inferi-cac.pdf, zuletzt aufgerufen am 20.3.2017.

Drake, Keegan S., Disenfranchement in Sovereign Bonds, in: Paulus, A Debt Restructuring Mechanism for Sovereigns, 2014, S. 141 ff.

Dreier, Horst, Souveränität, in: Görres-Gesellschaft, Staatslexikon, 7. Aufl. 1988, Sp. 1203 ff.

Eaton, Jonathan/Gersovitz, Mark, Debt with Potential Repudiation: Theoretical and Empirical Analysis, Review of Economic Studies 48 (1981), 289.

Ebenroth, Carsten Thomas, Banking on the act of state, 1985.

Ebke, Werner, Internationales Devisenrecht, 1991.

EFC, Implementation of the EU commitment on Collective Action Clauses in documentation of International Debt Issuance. 2004, abrufbar unter https://europa.eu/efc/sites/efc/files/docs/pages/cacs_en.pdf, zuletzt aufgerufen am 20.3.2017.

Elias, Olufemi, Persistent Objector, in: Wolfrum, Max Planck Encyclopedia of Public International Law [MPEPIL], Stand: September 2006.

Epping, Volker, Völkerrechtliche Aspekte defektiver Staatlichkeit, in: Epping/Heintze, Wiederherstellung staatlicher Strukturen in Nach-Konflikt-Situationen. Theoretische Fragen und Fallstudien, 2007, S. 9 ff.

Erler, Georg, Staatssouveränität und internationale Wirtschaftsverflechtung, in: Deutsche Gesellschaft für Völkerrecht, Zum Problem der Souveränität, 1957, S. 29 ff.

EU, Report on the implementation of euro area model Collective Action Clauses (CACs), abrufbar unter https://europa.eu/efc/sites/efc/files/docs/pages/final_-_cac_public_report.pdf, zuletzt aufgerufen am 20.3.2017.

Everling, Ulrich, Sind die Mitgliedstaaten der Europäischen Gemeinschaft noch Herren der Verträge? Zum Verhältnis von Europäischem Gemeinschaftsrecht und Völkerrecht, in: Bernhardt et. al., Völkerrecht als Rechtsordnung – Internationale Gerichtsbarkeit – Menschenrechte, Festschrift für Hermann Mosler, 1983 S. 173 ff.

EZB, Der Europäische Stabilitätsmechanismus, Monatsbericht Juli 2011, abrufbar unter https://www.bundesbank.de/Redaktion/DE/Downloads/Veroeffentlichungen/EZB_Monatsberichte/2011/2011_07_ezb_mb.pdf?__blob=publicationFile, zuletzt aufgerufen am 20.3.2017.

Fassbender, Bardo, Die Souveränität des Staates als Autonomie im Rahmen der völkerrechtlichen Verfassung, in: Mansel et. al., Festschrift für Erik Jayme, 2004, S. 1089 ff.

Feist, Christian, Kündigung, Rücktritt und Suspendierung von multilateralen Verträgen, 2001.

Fischer-Lescano, Andreas, Odious Debts und das Weltrecht, Kritische Justiz 2003, 225.

Gading, Heike, Der Schutz grundlegender Menschenrechte durch militärische Maßnahmen des Sicherheitsrates – das Ende staatlicher Souveränität?, 1996.

Gaillard, Emmanuel, The Denunciation of the ICSID Convention, 237 New York Law Journal 122 (2007).

Gallagher, Kevin P., The New Vulture Culture: Sovereign debt restructuring and trade and investment treaties, IDEAs Working Paper 02/2011.

Gautier, Philippe, Non-Binding Agreements, in: Wolfrum, Max Planck Encyclopedia of Public International Law [MPEPIL], Stand: Dezember 2006.

Geimer, Reinhold, Internationales Zivilprozessrecht, 6. Aufl. 2009.

Geiß, Robin, "Failed States". Die normative Erfassung gescheiterer Staaten, 2005.

Gelpern, Anna, What Iraq and Argentina Might Learn from Each Other, Chicago Journal of International Law 6 (2005), 391.

Gianviti, François/Hagen, Jürgen von/Krueger, Anne O./Pisani-Ferry, Jean/Sapir, André, A European mechanism for sovereign debt crisis resolution. A proposal, 2010.

Giegerich, Thomas, Die Souveränität als Grund- und Grenzbegriff des Staats-, Völker- und Europarechts, in: Schliesky/Ernst/Schulz, Die Freiheit des Menschen in Kommune, Staat und Europa, Festschrift für Schmidt-Jortzig, 2011, S. 603 ff.

Giuponni, Belen Olmos, ICSID Tribunals and Sovereign Debt Restructuring-Related Litigation: Mapping the Further Implications of the Alemanni Decision, ICSID Review 30 (2015), 556.

Gold, Joseph, Conditionality, 1979.

Ders., The Legal Character of the Fund's Stand-By Arrangements and Why It Matters, 1980.

Goldmann, Matthias, Sovereign Debt Crises as Threats to the Peace: Restructuring under Chapter VII of the UN Charter?, GoJIL 2012, 153.

Gordon, Kathryn/Pohl, Joachim, Investment Treaties over Time – Treaty Practice and Interpretation in a Changing World, OECD Working Papers on International Investment 02/2015, abrufbar unter http://www.oecd.org/investment/investment-policy/WP-2015-02.pdf, zuletzt aufgerufen am 20.3.2017.

Graefrath, Bernhard, Iraqi Reperations and the Security Council, ZaöRV 1995, 1.

Graf Vitzthum, Wolfgang/Proeßl, Alexander, Völkerrecht, 7. Aufl. 2016.

Griebel, Jörn, Internationales Investitionsrecht. Lehrbuch für Studium und Praxis, 2008.

Grimm, Dieter, Souveränität. Herkunft und Zukunft eines Schlüsselbegriffs, 2009.

Groeben, Hans von der/Schwarze, Jürgen/Hatje, Armin (Hrsg.), Europäisches Unionsrecht. Vertrag über die Europäische Union, Vertrag über die Arbeitsweise der Europäischen Union, Charta der Grundrechte der Europäischen Union, 7. Aufl. 2015.

Group of Ten, Report of the G-10 Working Group on Contractual Clauses. 2002, abrufbar unter www.bis.org/publ/gten08.htm.

Gruson, Michael/Reisner, Ralph (Hrsg.), Sovereign lending. Managing legal risk, 1984.

Haack, Stefan, Verlust der Staatlichkeit, 2007.

Häberle, Peter, Verfassungsrechtliche Ewigkeitsklauseln als verfassungsstaatliche Identitätsgarantien, in: Hangartner/Trechsel, Völkerrecht im Dienste des Menschen, Festschrift für Hans Haug, 1986, S. 81 ff.

Häberlein, Mark, Die Fugger. Geschichte einer Augsburger Familie (1367–1650), 2006.

Hahn, Hugo J., Öffentliche Auslandsschulden und Völkerrecht, in: Börner/Jahrreiss/Stern, Einigkeit und Recht und Freiheit, Festschrift füt Karl Carstens zum 70. Geburtstag, 1984, S. 361 ff.

Ders./Häde, Ulrich, Währungsrecht, 2. Aufl. 2010.

Halberstam, Daniel/Möllers, Christoph, The German Constitutional Court says „Ja zu Deutschland!", GLJ 10 (2009), 1241.

Hegel, Georg, Grundlinien der Philosophie des Rechts, 4. Aufl. 1821.

Heller, Herrmann, Die Souveränität, Ein Beitrag zur Theorie des Staats- und Völkerrechts; 1927.

Henkin, Louis, International Law: Politics and Values, 1995.

Herdegen, Matthias, Der Wegfall effektiver Staatsgewalt im Völkerrecht: „The Failed State", in: Thürer/Herdegen/Hohloch, Der Wegfall effektiver Staatsgewalt. The failed state (The breakdown of effective government), 1996, S. 49 ff.

Ders., Souveränität heute, in: Herdegen/Klein/Papier/Scholz, Staatsrecht und Politik, Festschrift für Roman Herzog zum 65. Geburtstag 2009, S. 117 ff.

Ders., Der Staatsbankrott: Probleme eines Insolvenzverfahrens und der Umschuldung bei Staatsanleihen, WM 2011, 913.

Ders., Völkerrecht, 15. Aufl. 2016.

Herrmann, Christoph, Griechische Tragödie–der währungsverfassungsrechtliche Rahmen für die Rettung, den Austritt oder den Ausschluss von überschuldeten Staaten aus der Eurozone, EuZW 2010, 413.

Ders., Währungshoheit, Währungsverfassung und subjektive Rechte, 2010.

Ders., Staatsbankrott in der EU: Versagen, Bewährung oder Chance der Europäischen Währungsverfassung?, in: von Lewinski, Staatsbankrott als Rechtsfrage, 2011, S. 29 ff.

Ders., Europäische Wirtschafts- und Währungsunion, in: Ehlers/Fehling/Pünder, Besonderes Verwaltungsrecht, Bd. 1, 3. Aufl. 2012.

Ders./Weiß, Wolfgang/Ohler, Christoph, Welthandelsrecht, 2. Aufl. 2007.

Grabitz, Eberhard/Hilf, Meinhard/ Nettesheim, Martin (Hrsg.), Das Recht der Europäischen Union: EUV/AEUV, Loseblatt, Stand: Januar 2016.

Hillgruber, Christian, Souveränität- Verteidigung eines Rechtsbegriffs, JZ 2002, 1072.

Ders., Die Souveränität der Staaten: Grundlage und Geltungsbedingung des Völkerrechts. Hermann Hellers Beitrag zu einer Theorie des Völkerrechts, Der Staat 53 (2014), 475.

Hingst, Ulla, Auswirkungen der Globalisierung auf das Recht der völkerrechtlichen Verträge, 2001.

Hitzel, Andreas, Die Beschränkung des Unbeschränkbaren. Zu den Grundlagen eines möglichen Insolvenzrechts für Staaten, DÖV 2015, 600.

Hobe, Stephan, Der offene Verfassungsstaat zwischen Souveränität und Interdependenz. Eine Studie zur Wandlung des Staatsbegriffs der deutschsprachigen Staatslehre im Kontext internationaler institutionalisierter Kooperation, 1998.

Hoffmann, Rhea Tamara/Krajewski, Markus, Staatsschuldenkrisen im Euro-Raum und die Austeritätsprogramme von IWF und EU, Kritische Justiz 2012, 1.

Hornbeck, J. F., Argentina's Defaulted Sovereign Debt: Dealing with the „Holdouts", 2013, abrufbar unter https://www.fas.org/sgp/crs/row/R41029.pdf, zuletzt aufgerufen am 20.3.2017.

Howse, Robert, Sovereignty, Lost and Found, in: Shan/Simons/Singh, Redefining sovereignty in international economic law, 2008, S. 61 ff.

Huber, Peter, Bundesverfassungsgericht und Europäischer Gerichtshof als Hüter der gemeinschaftsrechtlichen Kompetenzordnung, AöR 116 (1991), 210.

Hume, David, Essays: Moral, Political and Literary (1742), Part II, Nachdruck der Ausgabe von 1904, 2007.

ICMA, Standard aggregated Collective Action Clauses ("CACS"" for the terms and conditions of sovereign notes governed by English Law, 2015, abrufbar unter http://www.icmagroup.org/assets/documents/Resources/ICMA-Standard-CACs-Pari-Passu-and-Creditor-Engagement-Provisions---May-2015.pdf, zuletzt aufgerufen am 20.3.2017.

ILC, Yearbook of the International Law Commission, 1979 II 2, 1980.

ILC, Yearbook of the International Law Commission, 1980 II 2, 1981.

ILC, Yearbook of the International Law Commission, 1985 II 1, 1987.

ILC, Yearbook of the International Law Commission, 1991 II 1, 1994.

ILC, Draft Articles on Jurisdictional Immunities of States and Their Property (1991), 2005.

ILC, Yearbook of the International Law Commission, 2001 II 2, 2007.

IMF, Sovereign debt restructuring – recent developments and implications for the fund's legal and policy framework, 2013, abrufbar unter http://www.imf.org/external/np/pp/eng/2013/042613.pdf, zuletzt aufgerufen am 20.3.2017.

IMF, Involving the Private Sector in the Resolution of Financial Crises – Restructuring International Sovereign Bonds, 2001, abrufbar unter https://www.imf.org/external/pubs/ft/series/03/IPS.pdf, zuletzt aufgerufen am 20.3.2017.

IMF, Guidelines on Conditionality, 2002, abrufbar unter http://www.imf.org/External/np/pdr/cond/2002/eng/guid/092302.pdf, zuletzt aufgerufen am 20.3.2017.

IMF, The Design and Effectiveness of Collective Action Clauses, 2002, abrufbar unter https://www.imf.org/external/np/psi/2002/eng/060602.pdf, zuletzt aufgerufen am 20.3.2017.

IMF, Sovereign Debt Restructuring – Recent Developments and implications for the Fund's legal and policy framework, 2013, abrufbar unter https://www.imf.org/external/np/pp/eng/2013/042613.pdf, zuletzt aufgerufen am 20.3.2017.

IMF, Strengthening the Contractual Framework to Address Collective Action Problems in Sovereign Debt Restructuring, 2014, abrufbar unter http://www.imf.org/external/np/pp/eng/2014/090214.pdf, zuletzt aufgerufen am 20.3.2017.

IMF, World Economic Outlook Database October 2016, abrufbar unter http://www.imf.org/external/pubs/ft/weo/2016/02/weodata/index.aspx, zuletzt aufgerufen am 20.3.2017.

Ioannidis, Michael, EU Financial Assistance Conditionality after "Two Pack", ZaöRV 2014, 61.

Ipsen, Hans Peter, Europäisches Gemeinschaftsrecht, 1972.

Ipsen, Knut, Völkerrecht, 6. Aufl. 2014.

Isensee, Josef, Damoklesschwert über der Finanzverfassung: der Staatsbankrott, in: Osterloh et al., Staat, Wirtschaft, Finanzverfassung, Festschrift für Peter Selmer zum 70. Geburtstag, 2004, S. 687 ff.

Ders., Die Insolvenzunfähigkeit des Staates, in: Heintzen/Kruschwitz, Unternehmen in der Krise, Ringvorlesung der Fachbereiche Rechts- und Wirtschaftswissenschaften der Freien Universität Berlin im Sommersemester 2003, 2004 S. 227 ff.

Ders./Kirchhof, Paul (Hrsg.), Handbuch des Staatsrechts der Bundesrepublik Deutschland, Bd. II, V, X, 3. Aufl. 2004 ff.

Jackson, John, Sovereignty: Outdated Concept or New Approaches, in: Shan/Simons/Singh, Redefining sovereignty in international economic law, 2008, S. 3 ff.

Jaeger, Ernst, Kommentar zur Konkursordnung und den Einführungsgesetzen, 1936.

Jellinek, Georg, Die Lehre von den Staatenverbindungen, 1862.

Ders., Allgemeine Staatslehre, 3. Aufl. 1928.

Johannsen, Sven Leif Erik, Der Investitionsbegriff nach Art. 25 Abs. 1 der ICSID-Konvention, 2009.

Kadelbach, Stefan, Zwingendes Völkerrecht, 1992.

Kämmerer, Jörn Axel, Der Staatsbankrott aus völkerrechtlicher Sicht, ZaöRV 2005, 651.

Karl, Joachim, International Investment Arbitration: A Threat to State Sovereignty?, in: Shan/Simons/Singh, Redefining sovereignty in international economic law, 2008, S. 225 ff.

Keller, Christoph, Italienischer Oberster Gerichtshof (Corte Suprema die Cassazione) weist Klagen gegen Argentinien ab, BKR 2005, 333.

Kelsen, Hans, Das Problem der Souveränität und die Theorie des Völkerrechts, Beitrag zu einer reinen Rechtslehre, Unveränderter Neudruck der 2. Auflage von 1928, 1960.

Kelsen, Hans, Souveränität, in: Strupp/Schlochauer, Wörterbuch des Völkerrechts, Bd. 3 1962, S. 278 ff.

Kemmler, Iris, Schuldenbremse und Benchmarking im Bundesstaat – Neuregelungen aufgrund der Arbeit der Föderalismuskommission II, DÖV 2009, 549.

Kerber, Markus, Der verdrängte Finanznotstand, Zur finanzpolitischen Verantwortlichkeit von Parlament und Regierung sowie zur Rolle des Bundes als Hüter der finanzwirtschaftlichen Souveränität, 2002.

Kewenig, Wilhelm A., Die Anwendung wirtschaftlicher Zwangsmaßnahmen im Völkerrecht und im internationalen Privatrecht, in: Kewenig/Heini, Die Anwendung wirtschaftlicher Zwangsmaßnahmen im Völkerrecht und im internationalen Privatrecht, Berichte der Deutschen Gesellschaft für Völkerrecht 22 (1982), S. 7 ff.

Kirchhof, Paul, § 214 Der deutsche Staat im Prozeß der europäischen Integration, in: Isensee/Kirchhof, Handbuch des Staatsrechts, Bd. X: Deutschland in der Staatengemeinschaft, 3. Aufl. 2012, S. 299 ff.

Ders., Deutschland im Schuldensog. Der Weg vom Bürgen zurück zum Bürger, 2012.

Ders., Die Resolvenz des Staates, in: Ebke/Seagon/Blatz, Solvenz-Insolvenz-Resolvenz, 2013, S. 49 ff.

Kirchner, Christian/Haas, Joachim, Rechtliche Grenzen für Kompetenzübertragungen auf die Europäische Gemeinschaft, JZ 1993, 760.

Klippel, Diethelm, Art. Staat und Souveränität, VI.-VIII., in: Brunner/Conze/Koselleck, Geschichtliche Grundbegriffe, Historisches Lexikon zur politisch-sozialen Sprache in Deutschland, Bd. 6, 1990, S. 98 ff.

Knieper, Rolf, Zurichtung nationaler Politik durch internationales Recht?, Kritische Justiz 1979, 270.

Kodek, Georg/Reinisch, August (Hrsg.), Staateninsolvenz, 2011.

Kokott, Juliane, Die Staatsrechtslehre und die Veränderung ihres Gegenstandes: Konsequenzen von Europäisierung und Internationalisierung, VVDStRL 63 (2004), 7.

Dies., Souveräne Gleichheit und Demokratie im Völkerrecht, ZaöRV 2004, 517.

Kolb, Andreas, The responsibility to protect in international law. Rights and obligations to save humans from mass murder and ethnic cleansing in light of state practice and ethical considerations, 2011.

Koppensteiner, Hans Georg, Die europäische Integration und das Souveränitätsproblem, 1963.

Krajewski, Markus, Wirtschaftsvölkerrecht, 3. Aufl. 2012.

Krasner, Stephen D., Sovereignty. Organized hypocrisy, 1999.

Kratzmann, Horst, Der Staatsbankrott, JZ 1982, 319.

Krauskopf, Bernd/Steven, Christine, Immunität ausländischer Zentralbanken im deutschen Recht, WM 2008, 269.

Krueger, Anne O., A new approach to sovereign debt restructuring, 2002.

Krüger, Herbert, Souveränität und Staatengemeinschaft, in: Deutsche Gesellschaft für Völkerrecht, Zum Problem der Souveränität, 1957, S. 1 ff.

Kumar, Manmohan S./Woo, Jaejoon, Public Debt and Growth, IMF Working Paper, 2010, abrufbar unter https://www.imf.org/external/pubs/ft/wp/2010/wp10174.pdf, zuletzt aufgerufen am 20.3.2017.

Kunig, Philip, Intervention, Prohibition of, in: Wolfrum, Max Planck Encyclopedia of Public International Law [MPEPIL], Stand: April 2008.

Lasson, Adolf, Princip und Zukunft des Völkerrechts, 1871.

Lastra, Rosa María/Buchheit, Lee C. (Hrsg.), Sovereign debt management, 2014.

Leckow, Ross, Conditionality in the International Monetary Fund, 2002, abrufbar unter http://www.imf.org/external/np/leg/sem/2002/cdmfl/eng/leckow.pdf, zuletzt aufgerufen am 20.3.2017.

Lehmann, Jens, Die Konkursfähigkeit juristischer Personen des öffentlichen Rechts, 1999.

Leisner[-Egensperger], Anna, Die Leistungsfähigkeit des Staates. Verfassungsrechtliche Grenze der Staatsleistungen?, 1998.

Lewinski, Kai von, Aspekte der Staateninsolvenz in der Europäischen Union, in: Zentrum für Europäisches Wirtschaftsrecht, Vorträge und Berichte Nr. 189, 2011.

Ders., Öffentlichrechtliche Insolvenz und Staatsbankrott. Rechtliche Bewältigung finanzieller Krisen der öffentlichen Hand, 2011.

Ders. (Hrsg.), Staatsbankrott als Rechtsfrage, 2011.

Ders., § 217 Nationale und internationale Staatsverschuldung, in: Isensee/Kirchhof, Handbuch des Staatsrechts, Bd. X: Deutschland in der Staatengemeinschaft, 3. Aufl. 2012, S. 461 ff.

Leyendecker, Ludwig, Auslandsverschuldung und Völkerrecht, 1988.

Liebach, Ingo, Die unilaterale humanitäre Intervention im „zerfallenen Staat" ("failed state"), 2004.

Liu, Lili/Webb, Stephen B., Laws for Fiscal Responsibility for Subnational Discipline. International Experience, World Bank Policy Research Working Paper Series 5587, März 2011, abrufbar unter http://ssrn.com/abstract=1792244, zuletzt aufgerufen am 20.3.2017.

Loscher, Tobias, Präventive Aufsicht der Europäischen Union über den Bundeshaushalt, 2014.

Lowe, Vaughan, Sovereignty and International Economic Law, in: Shan/Simons/Singh, Redefining sovereignty in international economic law, 2008, S. 77 ff.

Lowenfeld, Andreas, International Economic Law, 2. Aufl. 2008.

Lucke, Peter, Internationaler Währungsfonds. Strukturen, Finanztransaktionen und Konditionalität aus völkerrechtlicher Sicht, 1997.

MacCormick, Neil, Questioning sovereignty. Law, state, and nation in the European Commonwealth, 1999.

Madden, John/Nadler, Marcus/Sauvain, Harry, America's Experience as a creditor nation, 1937.

Manes, Alfred, Staatsbankrotte. Wirtschaftliche und rechtliche Betrachtungen, 1918.

Marauhn, Thilo, Nachhaltiges Schuldenmanagement: Völkerrechtliche Rahmenbedingungen für ein zwischenstaatliches Insolvenzverfahren, in: Dabrowski/Fisch/Gabriel/Lienkamp, Die Diskussion um ein Insolvenzrecht für Staaten. Bewertungen eines Lösungsvorschlages zur Überwindung der Internationalen Schuldenkrise, 2003, S. 283 ff.

Martha, Rutsel Silvestre J., Preferred Creditor Status under International Law: The Case of the International Monetary Fund, International an Comparative Law Quarterly 39 (1990), 801.

Maunz, Theodor/Dürig, Günter, Grundgesetz, Kommentar, Loseblatt, Stand: September 2016.

Mayer, Franz, Kompetenzüberschreitung und Letztentscheidung, 2000, abrufbar unter http://www.whi-berlin.eu/mus150.pdf, zuletzt aufgerufen am 20.3.2017.

Meessen, Karl M., IMF Conditionality and State Sovereignty, in: Oppermann/Petersmann, Reforming the international economic order. German legal comments, 1987, S. 173 ff.

Megliani, Mauro, Sovereign debt. Genesis, restructuring, litigation, 2014.

Meng, Werner, Souveränität und Solidarität in der EU-Finanzkrise – der Fall Griechenland, abrufbar unter https://wmengblog.files.wordpress.

com/2015/02/souverc3a4nitc3a4t-und-solidaritc3a4t.pdf, zuletzt aufgerufen am 20.3.2017.

Ders., Das Recht der internationalen Organisationen, eine Entwicklungsstufe des Völkerrechts. Zugleich eine Untersuchung zur Rechtsnatur des Rechtes der Europäischen Gemeinschaften, 1979.

Ders., Conditionality of IMF and World Bank Loans: Tutelage over Sovereign States, VRÜ 1988, 263.

Meng-Papantoni, Maria, Legal Aspects of the Memoranda of Understanding in the Greek Debt Crisis, ZEuS 2015, 3.

Meyer, Dirk, Rechtliche Möglichkeiten eines Ausscheidens aus dem EURO und die Rückübertragung der Währungssouveränität, EuR 2013, 334.

Mitsou, Anna, Greek Debt Restructuring and Investment Treaty Arbitration: Jurisdictional Stumbling Blocks for Bondholders, Journal of International Arbitration 33 (2016), 687.

Möllers, Christoph, Staat als Argument, 2. Aufl. 2011.

Montanaro, Francesco, Postova Banka SA and Istrokapital SE v Hellenic Republic. Sovereign Bonds and the Puzzling Definition of 'Investment' in International Investment Law, ICSID Review 30 (2015), 549.

Mosler, Hermann, Ius Cogens im Völkerrecht, Schweizerisches Jahrbuch für internationales Recht 1968, 9.

Müller, Matthias J., Staatsbankrott und private Gläubiger, 2015.

Müller-Wewel, Artur, Souveränitätskonzepte im geltenden Völkerrecht, 2003.

Murswiek, Dietrich, Maastricht und der pouvoir constituant. Zur Bedeutung der verfassungsgebenden Gewalt im Prozeß der europäischen Integration, Der Staat 32 (1993), 161.

Mussa, Michael/Savastano, Miguel, The IMF Approach to Economic Stabilization, IMF Working Paper, 1999, abrufbar unter https://www.imf.org/external/pubs/ft/wp/1999/wp99104.pdf, zuletzt aufgerufen am 20.3.2017.

Nitze, Konstantin, Finanzhilfen für Euro-Staaten in der Krise. Eine EU-rechtliche Bewertung der als Reaktion auf die sog. Euro-Krise gewährten und vorgeschlagenen finanziellen Hilfen, 2015.

Nowrot, Karsten, Termination and Renegotiation of International Investment Agreements, in: Hindelang/Krajewski, Shifting paradigms in international investment law. More balanced, less isolated, increasingly diversified, 2016, S. 227 ff.

Nunner-Krautgasser, Bettina, The importance of being prepared – A call for a European Sovereign Debt Restructuring Mechanism, in: Paulus, A Debt Restructuring Mechanism for Sovereigns, 2014, S. 241 ff.

Oeter, Stefan, Souveränität und Demokratie als Probleme in der „Verfassungsentwicklung“ der Europäischen Union. Fragen aus Verfassungstheorie und Verfassungsgeschichte an die deutsche Debatte um Souveränität, Demokratie und die Verteilung politischer Verantwortung im geeinten Europa, ZaöRV 1995, 659.

Ders., Souveränität – ein überholtes Konzept, in: Cremer et. al., Tradition und Weltoffenheit des Rechts, Festschrift für Helmut Steinberger, 2002, S. 259 ff.

Ohler, Christoph, Der Staatsbankrott, JZ 2005, 590.

Ders., The European Stability Mechanism: The Long Road to Financial Stability in the Euro Area, GYIL 54 (2011) 47.

Ostry, Jonathan/Ghosh, Atish/Kim, Jun/Qureshi, Mavash, Fiscal Space, IMF Staff position note SPN/10/11, 2010, abrufbar unter http://www.imf.org/external/pubs/ft/spn/2010/spn1011.pdf, zuletzt aufgerufen am 20.3.2017.

Paulus, Andreas, Die internationale Gemeinschaft im Völkerrecht. Eine Untersuchung zur Entwicklung des Völkerrechts im Zeitalter der Globalisierung, 2001.

Paulus, Christoph, Rechtlich geordnetes Insolvenzverfahren für Staaten, ZRP 2002, 383.

Ders., Überlegungen zu einem Insolvenzverfahren für Staaten, WM 2002, 725.

Ders., Ein Insolvenzverfahrensrecht für Staaten, in: Dabrowski/Fisch/Gabriel/Lienkamp, Die Diskussion um ein Insolvenzrecht für Staaten. Bewertungen eines Lösungsvorschlages zur Überwindung der Internationalen Schuldenkrise, 2003, S. 231 ff.

Ders., Stellen Odious Debts eine Rechtsfigur dar?, WM 2005, 53.

Ders., The Evolution of the “Concept of Odious Debts”, ZaöRV 2008, 391.

Ders., Rechtliche Handhaben zur Bewältigung der Überschuldung von Staaten, RIW 2009, 11.

Ders., Ein Regelungssystem zur Schaffung eines internationalen Insolvenzrechts für Staaten, ZG 2010, 313.

Ders., Die Eurozone und das größere Thema eines Staateninsolvenzrechts, in: Kodek/Reinisch, Staateninsolvenz, 2011, S. 9 ff.

Ders., Jüngste Entwicklungen im Resolvenzrecht, WM 2013, 489.

Ders. (Hrsg.), A Debt Restructuring Mechanism for Sovereigns, Do we need a legal procedure?, 2014.

Ders., Schritte auf einem Weg zu einem Resolvenzrecht für zahlungsunfähige Staaten, WM 2015, 953.

Ders., Zwischenetappen des Resolvenzrechts, RIW 2016, 93.

Ders./van den Busch, Roman, Von Ausharrenden und Geiern, WM 2014, 2025.

Payandeh, Mehrdad, Rechtskontrolle des UN-Sicherheitsrates durch staatliche und überstaatliche Gerichte, ZaöRV 2006, 41.

Pechstein, Matthias/Nowak, Carsten/Häde, Ulrich, Frankfurter Kommentar zu EUV, GRC und AEUV, 2017.

Perkams, Markus, Internationale Investitionsschutzabkommen im Spannungsfeld zwischen effektivem Investitionsschutz und staatlichem Gemeinwohl, 2011.

Peters, Anne, Privatisierung, Globalisierung und die Resistenz des Verfassungsstaates, in: Mastronardi/Taubert, Staats- und Verfassungstheorie im Spannungsfeld der Disziplinen. Tagung 12./13. November 2004, 2006, S. 100 ff.

Dies., Völkerrecht. Allgemeiner Teil, 4. Aufl. 2016.

Dies., Jenseits der Menschenrechte. Die Rechtsstellung des Individuums im Völkerrecht, 2014.

Pfeiffer, Zahlungskrisen ausländischer Schuldner im deutschen und internationalen Rechtsverkehr, ZVglRWiss 2003, 141.

Pflug, Karl, Staatsbankerott und internationales Recht, 1898.

Pilz, Stefan, Der Europäische Stabilitätsmechanismus; 2016.

Ders./Dittmann, Heidi, Perspektiven des Stabilitäts- und Wachstumspakts – Rechtliche und ökonomische Implikationen des Reformpakets „Economic Governance", ZEuS 2012, 53.

Pohl, Joachim, Temporal Validity of International Investment Agreements: A Large Sample Survey of Treaty Provisions, OECD Working Papers on International Investment 2013/04, abrufbar unter http://www.oecd-ilibry.org/docserver/download/5k3tsjsl5fvh.pdf?expires=1456328737&id=id&accname=guest&checksum=B8713821F65B17A44437A069B07695FE, zuletzt aufgerufen am 20.3.2017.

Pünder, Hermann, § 123 Staatsverschuldung, in: Isensee/Kirchhof, Handbuch des Staatsrechts, Bd. V: Rechtsquellen, Organisation, Finanzen, 3. Aufl. 2007, S. 1323 ff.

Quaritsch, Helmut, Staat und Souveränität, Bd. 1: Die Grundlagen, 1970.

Randelzhofer, § 17 Staatsgewalt und Souveränität, in: Isensee/Kirchhof, Handbuch des Staatsrechts, Bd. II: Verfassungsstaat, 3. Aufl. 2004, S. 143 ff.

Rausch, Anne, Responsibility to protect. Eine juristische Betrachtung, 2011.

Reinhart, Carmen M./Rogoff, Kenneth S., Growth in a Time of Debt, American Economic Review: Papers & Proceedings 100 (Mai 2010), 573.

Dies., Dieses Mal ist alles anders, 6. Aufl. 2013.

Reinisch, August, Debt Restucturing and State Responsibility Issues, in: Carreau/Shaw, La dette extérieure, 1995, S. 537 ff.

Ders., State responsibility for debts. International law aspects of external debt and debt restructuring, 1995.

Ders., Sachverständigengutachten zur Frage des Bestehens und der Wirkung des völkerrechtlichen Rechtfertigungsgrundes „Staatsnotstand", ZaöRV 2008, 3.

Ders., Ein völkerrechtlicher Staateninsolvenzmechanismus, in: Kodek/Reinisch, Staateninsolvenz, 2011, S. 163 ff.

Ricardo, David, Funding System (1820), in: Sraffa, The Works and Correspondence of David Ricardo, 1966, 143 ff.

Rieffel, Alexis, The role of the Paris Club in managing debt problems, Princeton Essays in International Finance No. 161 (1985).

Rieffel, Lex, Restructuring Sovereign Debt. The case for ad hoc machinery, 2003.

Rogoff, Kenneth S./Zettelmeyer, Jeromin, Bankruptcy Procedures for Sovereigns: A History of Ideas, 1976 -2001, IMF Staff Papers Vol. 49, No. 3, 2002.

Roubini, Nouriel/Setser, Brad, Bailouts or Bail-ins?. Responding to financial crises in emerging economies, 2004.

Sachverständigenrat zur Begutachtung der gesamtwirtschaftlichen Entwicklung, Staatsverschuldung wirksam begrenzen. Expertise im Auftrag des Bundesministers für Wirtschaft und Technologie, 2007.

Ders., Die Zukunft nicht aufs Spiel setzen. Jahresgutachten 2009/10, 2009.

Ders., Verantwortung für Europa wahrnehmen. Jahresgutachten 2011/12, 2011.

Ders., Stabile Architektur für Europa – Handlungsbedarf im Inland. Jahresgutachten 2012/13, 2012.

Ders., Konsequenzen aus der Griechenland-Krise für einen stabileren Euro-Raum. Sondergutachten, 2015.

Sack, Alexander N., Les Effets des Transformations des États sur leurs dettes publiques et autres obligations financières. Traité juridique et financier, 1927.

Ders., La succession aux dettes publiques d'Etat, RdC 23 (1928 III) 145.

Sandrock, Otto, Ersatzansprüche geschädigter deutscher Inhaber von griechischen Staatsanleihen, RIW 2012, 429.

Ders., Argentiniens Zahlungsunfähigkeit im Juli 2014 und die Rechtsstellung seiner privater Anleihegläubiger, RIW 2014, 703.

Sauerwald, Andreas, Der Finanzmarkt und die internationale Verschuldungskrise. Ursachen der Verschuldung, Auswirkungen auf den Finanzmarkt sowie Lösungsoptionen, 2014.

Schachter, Oscar, The Twilight Existence of Nonbinding International Agreements, AJIL 71 (1977), 296.

Schäfer, Hans-Bernd, Die Bereitschaftskreditabkommen des IWF in der Kritik, in: Schäfer, Gefährdete Weltfinanzen. Verschuldungsproblematik u. internationale Finanzpolitik, 1980, S. 227 ff.

Scherf, Wolfgang, Öffentliche Finanzen, 2. Aufl. 2009.

Schill, Stephan, Auf zu Kalypso? Staatsnotstand und Internationales Investitionsschutzrecht – Anmerkung zur ICSID-Entscheidung LG&E Energy Corp v. Argentina, SchiedsVZ 2007, 178.

Schilling, Theodor, Die „neue Weltordnung“ und die Souveränität der Mitglieder der Vereinten Nationen, AVR 33 (1995), 67.

Schliesky, Utz, Souveränität und Legitimität von Herrschaftsgewalt. Die Weiterentwicklung von Begriffen der Staatslehre und des Staatsrechts im europäischen Mehrebenensystem, 2004.

Schmeer, Elis, Responsibility to Protect und Wandel von Souveränität. Untersucht am Fallbeispiel des Krieges in Darfur, 2010.

Schmitt, Carl, Politische Theologie. Vier Kapitel zur Lehre von der Souveränität, 2. Aufl. 1934.

Schneider, Friedrich, Odius Debts Status quo und Regelungsmodell unter besonderer Berücksichtigung internationaler Menschenrechte, 2015.

Schopenhauer, Arthur, Parerga und Paralipomena: kleine philosophische Schriften, 2. Aufl. 1862.

Schreuer, Christoph, The Waning of the Sovereign State: Towards a New Paradigm for International-Law?, EJIL 1993, 447.

Ders., Fair and Equitable Treatment in Arbitral Practice, JWIT 6 (2005) 357.

Ders., The ICSID Convention, 2. Aufl. 2009.

Schumacher, Julian/Trebesch, Christoph/Enderlein, Endrik, Sovereign Defaults in Court, 2014, abrufbar unter http://papers.ssrn.com/sol3/papers.cfm?abstract_id=2189997, zuletzt aufgerufen am 20.3.2017.

Schwarzenberger, Georg, The Forms of Sovereignty. An Essay in Comparative Jurispudence, Current Legal Problems 1957, 264.

Schwarz-Liebermann von Wahlendorf, Einstimmigkeitsprinzip, in: Strupp/Schlochauer, Wörterbuch des Völkerrechts, Bd. 1, 1960, 416 f.

Scott, Hal S., Sovereign Debt Default: Cry for the United States, not Argentina, WLF Working paper series, Nr. 140, 2006, abrufbar unter http://www.wlf.org/upload/Scott%20WP%20Final.pdf, zuletzt aufgerufen am 20.3.2017.

Seidel, Martin, Ausscheiden aus der Währungsunion? Rechtliche Fragen, EuZW 2007, 617.

Seidl-Hohenveldern, Ignaz, Neue Entwicklungen im Recht der Staatenimmunität, in: Sandrock, Festschrift für Günther Beitzke zum 70. Geburtstag am 26. April 1979, 1979, S. 1081 ff.

Seiler, Christian, Der souveräne Verfassungsstaat zwischen demokratischer Rückbindung und überstaatlicher Einbindung, 2005.

Seitz, Georg, Umschuldungsklauseln (Collective Action Clauses) in Staatsanleihen des europäischen Währungsraumes. 2014, abrufbar unter https://edoc.ub.uni-muenchen.de/17631/1/Seitz_Georg.pdf, zuletzt aufgerufen am 20.3.2017.

Selmayr, Martin, Die „Euro-Rettung" und das Unionsprimärrecht: Von putativen, unnötigen und bisher versäumten Vertragsänderungen zur Stabilisierung der Wirtschafts- und Währungsunion, ZöR 2013, 259.

Semkow, Brian W., Syndicating and Rescheduling International Financial Transactions: A Survey of the Legal Issues Encountered by Commercial Banks, The International Lawyer 18 (1984), 869.

Sevigny, David, The Paris Club. An inside view, 1990.

Shan, Wenhua/Simons, Penelope/Singh, Dalvinder (Hrsg.), Redefining sovereignty in international economic law, 2008.

Siebel, Ulf R., Rechtsfragen internationaler Anleihen, 1997.

Siekmann, Helmut (Hrsg.), EWU. Kommentar zur Europäischen Währungsunion, 2013.

Simma, Bruno/Mosler, Hermann/Paulus, Andreas/Chaitidou, Eleni (Hrsg.), The Charter of the United Nations. A commentary, 2. Aufl. 2002.

Smith, Adam, An Inquiry into the Nature and Causes of the Wealth of Nations (1776), 1843.

Smith Stukey, Elizabeth, Economic Interdependence and the Sovereignty of Debtor Nations: A Comparison of Mexican and Argentine Reactions to International Monetary Fund Stabilization, Ford. Int'l Law J. 8 (1984), 544.

Sornarajah, Muthucumaraswamy, The Neo-Liberal Agenda in Investment Arbitration: Its Rise, Retreat and Impact on State Sovereignty, in: Shan/Simons/Singh, Redefining sovereignty in international economic law, 2008, S. 199 ff.

Stahn, Carsten, Responsibility to Protect: Political Rhetoric or Emerging Legal Norm, AJIL 101 (2007), 99.

Standard and Poor's, Structured Finance: Securitization of Latin America 2000, abrufbar unter http://www.ifc.org/wps/wcm/connect/016d3c80492a83af8021858ded37b85d/Preferred%2BCreditor%2BSupport%2BArticle%2Bpgs%2B1-10.pdf?MOD=AJPERES&attachment=true&id=1322042880988, zuletzt aufgerufen am 20.3.2017.

Stein, Torsten/von Buttlar, Christian/Kotzur, Markus, Völkerrecht, 14. Aufl. 2016.

Steinberger, Helmut, Sovereignty, in: Bernhardt, Encyclopedia of public international law, Bd. 4, 2. Aufl. 2000, 500.

Stiles, Kendall W., Negotiating debt. The IMF lending process, 1991.

Stoll, Peter-Tobias, State Immunity, in: Wolfrum, Max Planck Encyclopedia of Public International Law [MPEPIL], Stand: April 2011.

Stolleis, Michael, Die Idee des souveränen Staats, Der Staat, Beiheft 11, 1997, 63.

Sturzenegger, Frederico/Zettelmeyer, Jeromin, Debt defaults and lessons from a decade of crisis, 2006.

Dies., Has the Legal Threat to Sovereign Debt Restructuring Become Real?, 2006, abrufbar unter http://www.utdt.edu/download.php?fname=_115331294204239500.pdf, zuletzt aufgerufen am 20.3.2017.

Sucharitkul, Sompong, Seventh Report on jurisdictional immunities of States and their property, in: ILC, YbILC 1985 II 1, 1987, S. 21 ff.

Szodruch, Alexander, Staateninsolvenz und private Gläubiger. Rechtsprobleme des Private Sector Involvement bei staatlichen Finanzkrisen im 21. Jahrhundert, 2008.

Tappe, Henning, Die neue „Schuldenbremse" im Grundgesetz, DÖV 2009, 881 ff.

Tappe, Henning/Wernsmann, Rainer, Öffentliches Finanzrecht, 2015.

Teusch, Ulrich, Die Staatengesellschaft im Globalisierungsprozess. Wege zu einer antizipatorischen Politik, 2003.

Thiele, Alexander, Finanzaufsicht. Der Staat und die Finanzmärkte, 2014.

Thürer, Daniel, Failing States, in: Wolfrum, Max Planck Encyclopedia of Public International Law [MPEPIL], Stand: Februar 2009.

Ders., Der Wegfall effektiver Staatsgewalt: „The Failed State", in: Thürer/Herdegen/Hohloch, Der Wegfall effektiver Staatsgewalt. The failed state (The breakdown of effective government), 1996, S. 9 ff.

Ders., Der „zerfallene Staat" und das Völkerrecht, Friedens-Warte 74 (1999) 275 ff.

Ders./Herdegen, Matthias/Hohloch, Gerhard (Hrsg.), Der Wegfall effektiver Staatsgewalt. The failed state (The breakdown of effective government), 1996.

Thym, Daniel, Europäische Integration im Schatten souveräner Staatlichkeit. Anmerkungen zum Lissabon-Urteil des Bundesverfassungsgerichts, Der Staat 48 (2009), 559.

Tietje, Christian, Die Argentinien-Krise aus rechtlicher Sicht: Staatsanleihen und Staateninsolvenz, 2005.

Ders./Szodruch, Alexander, Staatsnotstand bei Staateninsolvenzen-Individualrechte und Gemeinwohlbelange im transnationalen Wirtschaftsrecht. Zugleich eine Besprechung von BVerfG, Beschl. v. 8.5.2007 – 2 BvM 1-5/03, 1, 2/06, ZBB 2007, 487, ZBB 2007, 498.

UNCTAD, Sovereign Debt Restructuring and International Investment Agreements, IIA Issues Note No. 2, Juli 2011, abrufbar unter http://unctad.org/en/Docs/webdiaepcb2011d3_en.pdf, zuletzt aufgerufen am 20.3.2017.

UNCTAD, International Investment Policymaking in Transition: Challenges and Opportunities of Treaty Renewal, IIA Issues Note No. 4, Juli 2013, abrufbar unter http://unctad.org/en/PublicationsLibrary/webdiaepcb2013d9_en.pdf, zuletzt aufgerufen am 20.3.2017.

UNCTAD, World Investment Report 2015, 2015, abrufbar unter http://unctad.org/en/PublicationsLibrary/wir2015_en.pdf, zuletzt aufgerufen am 20.3.2017.

Van Aaken, Anne, Zwischen Scylla und Charybdis: Völkerrechtlicher Staatsnotstand und Internationaler Investitionsschutz. Eine Anmerkung zur ICSID-Entscheidung CMS Gas Transmission Company v. Argentinien, 12.5.2005 – ICSID Case No. Arb/01/8, ZVglRWiss 2006, 544.

Van Kleffens, Eelco Nicholaas, Sovereignty in international law, RdC 82 (1953 I), 1.

Verdross, Alfred, Die völkerrechtliche und politische Souveränität der Staaten, in: Mayer/Heydte, Friedrich August von der/Kipp, Um Recht und Freiheit, Festschrift fuer Friedrich August Freiherr von der Heydte zur Vollendung des 70. Lebensjahres, 1977, S. 703 ff.

Ders./Simma, Bruno, Universelles Völkerrecht. Theorie und Praxis, 3. Aufl. 2010.

Verlage, Christopher, Responsibility to protect. Ein neuer Ansatz im Völkerrecht zur Verhinderung von Völkermord, Kriegsverbrechen und Verbrechen gegen die Menschlichkeit, 2009.

Völk, Philipp, Zur Gläubigerrangfolge bei souveränen Schuldnern, 2008.

Wagschal, Uwe, Staatsverschuldung. Ursachen im internationalen Vergleich, 1996.

Waibel, Michael, Opening Pandora's Box: Sovereign Bonds in International Arbitration, AJIL 101 (2007), 711.

Ders., Sovereign Defaults before International Courts and Tribunals, 2011.

Ders., Staateninsolvenzen aus historischer Sicht, in: Kodek/Reinisch, Staateninsolvenz, 2011, S. 55 ff.

Wälde, Thomas, The Serbian Loans Case: A Precedent for Investment Treaty Protection of Foreign Debt?, in: Weiler, International investment law and arbitration. Leading cases from the ICSID, NAFTA, bilateral treaties and customary international law, 2005, S. 383 ff.

Walker, Mark/Buchheit, Lee C., Legal Issues in the Restructuring of Commercial Bank Loans to Sovereign Borrowers, in: Gruson/Reisner, Sovereign lending, 1984, S. 139 ff.

Walther, Helmut G., Imperiales Königtum, Konziliarismus und Volkssouveränität. Studien zu den Grenzen des mittelalterlichen Souveränitätsgedankens, 1976.

Weber, Albrecht, Europa- und völkerrechtliche Elemente der Gewährleistung von Haushaltsdisziplin in der Währungsunion, EuR 2013, 375.

Weder di Mauro, Beatrice/Zettelmeyer, Jeromin, European debt restructuring mechanism as a tool for crisis prevention. 2010, abrufbar unter http://www.voxeu.org/article/european-debt-restructuring-mechanism-tool-crisis-prevention, zuletzt aufgerufen am 20.3.2017.

Weigeldt, Klaus, Die Konditionalität des internationalen Währungsfonds in ihrem Verhältnis zur Staatssouveränität und zu den Menschenrechten. Zugleich ein Beitrag zu den Entwicklungen staatlicher Souveränität im modernen Völkerrecht, 1999.

Wigger, Berthold, Grundzüge der Finanzwissenschaft, 2. Aufl. 2006.

Wutscher, Claudia, Budgethoheit als konstitutives Element der Staatlichkeit?, in: Heschl et al., L'État, c'est quoi? Staatsgewalt im Wandel. 54. Assistententagung Öffentliches Recht, 2014, S. 175 ff.

Zanthier, Bettina von, Die Interdependenzen zwischen Währungsunion und Politischer Union in der Europäischen Union des Maastrichter Vertrages. Ökonomische Funktionsbedingungen nationale Souveränität – Integrationsautomatismus, 2011.

Zeidler, Frank, Der Austritt und Ausschluss von Mitgliedern aus den Sonderorganisationen der Vereinten Nationen, 1990.

Zettelmeyer, Jeromin/Trebesch, Christoph/Gulati, G. Mitu, The Greek debt restructuring: an autopsy, Economic Policy 2013, 513.

Dies., Managing Holdouts, in: Lastra/Buchheit, Sovereign debt management, 2014, S. 25 ff.

Zimmermann, Horst/Henke, Klaus-Dirk/Broer, Michael, Finanzwissenschaft. Eine Einführung in die Lehre von der öffentlichen Finanzwirtschaft, 2012.

Zippelius, Reinhold, Allgemeine Staatslehre, 16. Aufl. 2010.